우루과이라운드

농산물 협상 1

우루과이라운드

농산물 협상 1

한국학술정보

| 머리말

우루과이라운드는 국제적 교역 질서를 수립하려는 다각적 무역 교섭으로서, 각국의 보호무역 추세를 보다 완화하고 다자무역체제를 강화하기 위해 출범되었다. 1986년 9월 개시가 선언되었으며, 15개 분야의 교섭을 1990년 말까지 진행하기로 했다. 그러나 각 분야의 중간 교섭이 이루어진 1989년 이후에도 농산물, 지적소유권, 서비스무역, 섬유, 긴급수입제한 등 많은 분야에서 대립하며 1992년이 돼서야 타결에 이를 수 있었다. 한국은 특히 농산물 분야에서 기존 수입 제한 품목 대부분을 개방해야 했기에 큰 경쟁력 하락을 겪었고, 관세와 기술 장벽 완화, 보조금 및 수입 규제 정책의 변화로 제조업 수출입에도 많은 변화가 있었다.

본 총서는 우루과이라운드 협상이 막바지에 다다랐던 1991~1992년 사이 외교부에서 작성한 관련 자료를 담고 있다. 관련 협상의 치열했던 후반기 동향과 관계부처회의, 무역협상위원회 회의, 실무대책회의, 규범 및 제도, 투자회의, 특히나 가장 많은 논란이 있었던 농산물과 서비스 분야 협상 등의 자료를 포함해 총 28권으로 구성되었다. 전체 분량은 약 1만 3천여 쪽에 이른다.

2024년 3월

한국학술정보(주)

| 일러두기

· 본 총서에 실린 자료는 2022년 4월과 2023년 4월에 각각 공개한 외교문서 4,827권, 76만여 쪽 가운데 일부를 발췌한 것이다.

· 각 권의 제목과 순서는 공개된 원본을 최대한 반영하였으나, 주제에 따라 일부는 적절히 변경하였다.

· 원본 자료는 A4 판형에 맞게 축소하거나 원본 비율을 유지한 채 A4 페이지 안에 삽입하였다. 또한 현재 시점에선 공개되지 않아 '공란'이란 표기만 있는 페이지 역시 그대로 실었다.

· 외교부가 공개한 문서 각 권의 첫 페이지에는 '정리 보존 문서 목록'이란 이름으로 기록물 종류, 일자, 명칭, 간단한 내용 등의 정보가 수록되어 있으며, 이를 기준으로 0001번부터 번호가 매겨져 있다. 이는 삭제하지 않고 총서에 그대로 수록하였다.

· 보고서 내용에 관한 더 자세한 정보가 필요하다면, 외교부가 온라인상에 제공하는 『대한민국 외교사료요약집』 1991년과 1992년 자료를 참조할 수 있다.

| 차례

정 리 보 존 문 서 목 록

기록물종류	일반공문서철	등록번호	2019080093	등록일자	2019-08-13
분류번호	764.51	국가코드		보존기간	영구
명 칭	UR(우루과이라운드) 농산물 협상 쌀 시장 개방에 대한 정부 입장, 1991				
생 산 과	통상기구과	생산년도	1991~1991	담당그룹	다자통상
내용목차					

0001

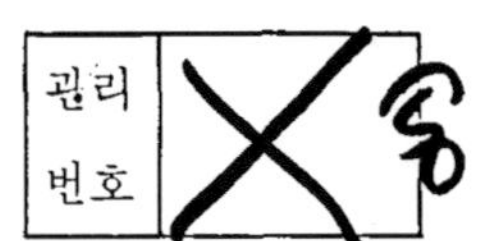

관리번호	

분류번호	보존기간

발 신 전 보

번 호 : WUS-1715 910424 1323 FO 종별 :

수 신 : 주 미국 대사. 총영사

발 신 : 장 관 (통 기)

제 목 : 쌀시장 개방 시사 관련 기사

4.24(수) 워싱턴발 연합통신 기사내용에 의하면 현재 귀지 방문중인 상공부장관이 4.23. 쌀 수입금지등~~을 포함한~~ 농산물 수입 제한 정책을 자유화할 것이라고 말하고 UR 협상에서 미국의 입장을 지지할 방침이라고 밝힌 것으로 되어 있는바, 동 ~~장관 부터~~ ~~쌀시장 개방~~ 기사 관련 언급내용을 ~~상세~~ 파악, 지급 보고바람.

첨 부 : 상기 연통 기사 내용 1부. 끝.

(통상국장 김 삼 훈)

WUSF-242.

보안통제	

앙고재	91년 6월 30일	통상기구과	기안자 성명		과 장	심의관	국 장		차 관	장 관
			송봉헌				전결			

외신과통제

0002

WUSF-242. 10424 1125.

연합 H1-057 S06 외신(566)

李鳳瑞 상공, 쌀시장 개방 시사

(워싱턴 로이터=聯合) 미국을 방문중인 李鳳瑞 상공부장관은 23일 한국이 쌀수입 금지등을 포함한 농산물 수입제한 정책을 자유화할것 이라고 말하고 가트(관세무역 일반협정)협상에서 미국의 입장을 지지할 방침이라고 밝혔다.

李장관은 기자회견에서 올해 가트(관세무역 일반협정) 농산물협상이 재개되면 한국이 새로운 입장을 취할것이라고 말하고 "쌀문제 뿐 아니라 전반적으로 우리의 입장이 미국에 매우 협조적이라는 사실을 알게 될것 "이라고 강조했다.

李장관은 농산물 개방을 놓고 농수산부와 견해차가 있다고 시인했으나 이는 단지 얼마나 빠른 속도로 농산물시장을 개방할 것이냐에 관한것이라고 말했 다.

美행정부 관리들과 의회지도자들을 만나기 위해 워싱턴을 방문중인 李장관은 이어서 "장기적으로 볼 때 우리는 공산품,서비스 뿐아니라 농산물 시장등 경제전체를 개방하는 방향으로 나가고 있다"고 주장했다.

한편 李장관은 한국은 미국과 큰 무역마찰이 없다고 말하고 올해 對美무역은 대체로 균형을 이룰 것이라고 밝혔다.

李장관은 또 美國, 캐나다, 멕시코간에 진행중인 자유무역협정에 대해 아무런 우려를 하고 있지 않다고 말했으나 만약 이 협정의 체결로 北美시장이 폐쇄될 경우 아시아 국가들도 결집해서 새로운 블록을 만들지 않을수 없을것 이라고 경고했다.(끝)

(YONHAP) 910424 0815 KST

0003

	분류번호	보존기간

발 신 전 보

번 호 : WUS-1718 910424 1529 FL 종별 :

수 신 : 주 미 국 대사. 총영사

발 신 : 장 관 (통 기)

제 목 : 쌀시장 개방 시사관련 기사

연 : WUS-1715

연호 기사 내용관련, 금 4.24 상공부는 별첨 발표문을 국내 언론사에 배포하였으니 ~~한 자료를 별첨 송부하니~~ 참고바람.

첨 부 : 상기 자료 1부. 끝. (통상국장 김 삼 훈)

보안통제	

앙고재	91년 4월 24일	통상기구과	기안자 성명		과 장	심의관	국 장		차 관	장 관
			송봉헌				전결			

외신과통제

0004

WUS(F)-243 (첨부)

10424 1535

1매

로이타 통신 기사에 대한 상공부 입장

4. 24일자 워싱톤 발 로이터통신 기사에 대해 상공부는 4.24 오전 다음과 같이 밝혔다

4.20부터 미국을 방문중인 이봉서 상공부장관은 4.23 오전 워싱톤에서 가진 합동기자 회견에서 농산물 시장개방계획과 관련 쌀시장개방 계획에 대해서는 전혀 언급한 바가 없었다. 회견장소에 참석했던 한 외신기자가 쌀시장개방 문제에 대해 질문하였으나 이봉서 상공부장관은 쌀 수입문제는 국내정치, 사회적 어려움을 감안해야 하는 민감한 문제임을 강조하고 농산물 수입자유화 계획과는 별도로 취급되어야 한다고 말했다 다만 한국이 종전 UR협상에서 주장해온 것 보다는 여타 농산물 수입제한을 완화해 나갈 것이라고 밝혔다.

1/1

0005

원 본

외 무 부

종 별 : 지 급

번 호 : USW-1953 일 시 : 91 0424 1426

수 신 : 장관(통기,통일,상공부,농수산부)

발 신 : 주 미대사

제 목 : 쌀 시장 개방 시사 관련 기사

대: WUS-1715

대호 관련 상공장관의 NPC MORNING NEWS MAKER기자 회견 (4.23. 09:30-10:30)질의 응답 내용 전문을 별첨 송부함.

첨부: USW(F)-1494

(대사 현홍주-국장)

통상국 2차보 통상국 농수부 상공부

PAGE 1

91.04.25 06:49 DA

외신 1과 통제관

0006

번호 : USW(F) - 1494
수신 : 장관(통기, 통일, 상공부, 농경수산부) 91. 4. 23
발신 : 주미대사
제목 : USW-1953의 첨부 (100매)

PEOPLE ATTENDING THE TRADE MINISTER'S SPEECH

Name	Organization
Pete Stover	Far East Broadcasting Co.
Linda Cashdam	Voice of America
Marshall Cohen	Photographer, Nat'l Press Club Free Lance, Reuters News
Greg Rushford	Legal Times
Scott Otteman	Inside U.S. Trade
John Maggs	Journal of Commerce
Jim Berger	Trade Reports Int'l Group
Sam Gilston	Washington Tariff & Trade Letter
Jane Winebrenner	Int'l Trade Reporter
Robert Trautman	Reuters
Drew Woodrich	Free Lance
Chiaki Ishimura	Investor's Daily
Richard McCormack	New Technology Week
Doug Palmer	Knight Ridder FN
Anna Yoo	Voice of America
David Ake	AFP Photos
Gene Kramer	AP

0007

MORNING NEWSMAKER
NATIONAL PRESS CLUB
TUESDAY, APRIL 23

Q (Washington Trade Daily): Who will you see during your visit in Washington? What is on your itinerary in Washington?

A I met with Secretary Mosbacher yesterday, and will meet with Ambassador Hills today. Tomorrow will be a luncheon at the U.S. Chamber of Commerce. I will also meet with Senators and Members of Congress who are involved with trade while I am here.

Q (Journal of Commerce): What is your personal philosophy on bilateral trade, and in what sectors do you expect to move ahead with trade liberalization? In particular, what about the areas of most concern to the U.S., like beef, tobacco, whiskey, and agriculture?

A My philosophy is very simple and straight-forward. Korea has to be very liberal-minded when it comes to trade, because our economic growth depends so heavily on trade with the world. Without free trade there would be a terrible situation. I believe in free trade in all areas, even including agriculture, although my counterpart, the Minister of Agriculture, will have some difference of opinion. However, the only difference is timing and spacing -- not only with regard to industry and services, but also agriculture.

Q (Associated Press): Does your mandate include support for the U.S. position in the Uruguay Round, or will Korea continue to support the EC?

A It is true that last December Korea supported the EC rather than the U.S. As a result, we were blamed as a culprit for contributing to the collapse of the talks. My personal feeling is that Korea's position wouldn't have made any difference in the final outcome anyway. Nevertheless, our position last year was closer to the EC than to the U.S. But this time you will notice that Korea's position in agriculture will be significantly changed from last year.

1494-2

0008

Q (Voice of America): Why was there this turn-around in the Uruguay Round? Can you explain the seemingly different positions of the Korean Ministries?

A Korea's position in the Round is a matter of national policy. There is no difference of opinion in the different ministries in Korea's stance in the UR. It is only the issue of perspective and the areas of responsibility that are different. The Ministry of Agriculture has the domestic issue of Korean farmors to consider. The issue of differences between the ministries, it should be kept in mind, was never subjected to a formal vote; the discussion of positions was mistakenly perceived as differing stands by government ministries. It would have been better, though, if last year we had been less vocal about Korean farmers, and instead had paid more attention to progress in the Round.

Q (Voice of America?): So would Korea agree to changes in its position on agriculture, including rice?

A Don't single out rice; it is the agriculture issue as a whole that should be considered.

Q (Key Publishing Group?) What was the substance of your discussions with Secretary Mosbacher?

A I think he agrees that U.S. and Korea have made satisfying progress on trade issues. The stumbling blocks are being resolved. The focus is now not on Sables and comic books. The overall trade picture of 1990 is positive, and the proof is the improvement of the bilateral trade balance, which wouldn't have occurred if Korea hadn't made a commitment to liberalization. I haven't met with Ambassador Hills, yet, I have just spoken to her twice on the phone. I will meet her for the first time today. This is extremely important because the U.S. and Korea have to work together on both bilateral and multilateral issues.

Q (Legal Times): Are intellectual property rights issues on the agenda with your discussion with USTR? What about consistent IPR complaints, like that of Reebok?

A If Ambassador Hills brings IPR issues up, we will talk about them. We haven't solved all the IPR issues, but we are making progress. If you go to Itaewon now you will see that the

1494-3

0009

shops have changed. I wouldn't be too surprised if Itaewon disappeared altogether in five years.

Q (Washington Tariff and Trade Letter): Comments on Gorbachev's trip to Korea?

A Korea's bilateral trade with the USSR was very minimal prior to 1986, when it reached $100 million. Last year two-way trade was $9 billion. The percentage increase was huge, and this year I believe that bilateral trade will be around $15 billion. This increase is due to taking advantage of the complementary opportunities in both countries, and to renewed vigor. I believe that this active trading relationship will continue for many years to come.

Q (Washington Trade Daily): What about the issue of Korean aid to the USSR?

A As you know, Korea agreed to provide an aid package of $3 billion over 3 years to the Soviet Union -- a $1 billion loan, suppliers' credits of $1.5? billion, and an equipment loan of $500 million. This offer was to introduce Korean consumer goods to the Soviet Union and to increase general awareness of Korean products in the USSR.

Q (Voice of America--Korean service): What about the charge that Korea's focus on Korea-USSR trade will divert Korea's attention from the U.S.?

A This is certainly not the case. The Soviet Union presents a very new market, but in terms of volume and importance, the U.S. market is primary to Korea.

Q (Journal of Commerce): What are the top bilateral trade sector issues? What are your top concerns?

A I don't think that there are any major trade issues where there are significant problems. There are company-oriented disputes that need to be resolved, but these are business problems, not trade issues. As to the other areas -- agriculture and the financial sector opening -- unfortunately, these are not my territory.

1494-4

0010

Q (Journal of Commerce): To follow up, what about tobacco trade with the U.S.? The United States is still unhappy with the structure of Korea's cigarette market. Will the influence of the Korean cigarette monopoly be lessened? Will there be more opportunities for major U.S cigarette companies?

A This is largely a methodology problem that is linked with taxation issues, namely the dividing of taxes between the provinces. Basically, consumer sales of American cigarettes are considerably higher now that they were 3-4 years ago.

Q (Inside U.S. Trade): With regard to the working-level talks last week -- were concrete issues solved? What about U.S. complaints about the removal of barriers to imports of blood products? What about the issue of access to foreign exchange?

A With regard to blood products, I assume you are referring to the Baxter Company issue. Actually, I still fail to comprehend all of the technical details about this issue, but I think that the blood products problem was due to a misunderstanding. Koreans perceived the issue of foreign blood as highly sensitive, while Baxter felt that the issue was that blood products could not be freely imported into Korea. However, Baxter will receive priority, if the imports of blood products are necessary. Regarding the allocation of foreign exchange loans -- we do not allow companies to buy foreign products or machinery, if these products are domestically produced. This is a question of a loan agreement, of who we loan the money to. Foreign exchange is limited. We are encouraging our people to conserve foreign exchange for those products not domestically produced, and thus must be imported. It is not a question of discrimination, but rather how to most efficiently use our foreign exchange.

Q (Ms. Drew Woodrich, Free lance writer): Where do Korean automobiles fit into the picture?

A Last year's problems with imported cars were unfortunate, but Korean imports of Cadillacs, Lincoln Continentals, and even Mercury Sables are up.

1194-5

0011

Q (Journal of Commerce?) Follow-up to foreign exchange issue, and are there plans to change the rules?

A No, there is no reason to change the rules.

Q (Korea Economic Institute): How do you see Korea's economy, growing imports and exports, over the next several years?

A The Korean economy has done a marvelous job. 1986-89 was the best performance in Korea's economic history. Last year was very good in terms of growth, and we expect the same this year. Rising inflation is the only real problem, because we have strained our resources and facilities.

Q ( ): Did you tell Mr. Mosbacher how many Mercury Sables were imported?

A He didn't ask, but Sable sales are not doing as well this year as last, but because of the different size of the Sable cars being sold to Korea.

Q How would you compare Korea-Japan trade relations with U.S.-Japan trade relations?

A We, too, have problems with Japan because of our chronic trade deficits. 1990 was the worst year ever for Korea's trade deficit with Japan. For example, if we export computers to the U.S., 60% of the component will probably be Japanese-made. Therefore, our trade deficit is structural; we must focus on producing better-made goods and components.

Q (Journal of Commerce): Does the United States ask more of Korea in lowering its barriers that we ask of Japan?

A U.S.-Japan trade relations are not my area, but I know the U.S. asks a lot of Japan, in terms of opening its market. But if you ask, I think Korea is doing a better job than Japan in this area.

Q (Legal Times): Do you intend to promote political unification through your office? With Gorbachev's visit and China and North Korea watching, does this promote or cause tension?

A Trade does not damage political rapproachment. Business relations will always be affected by political considerations. We hope that North Korea will perceive that we can coexist peacefully.

Q (Associated Press): I see from your itinerary that you are going to Canada, where you will meet with Prime Minister Mulroney. What is Korea's position on the proposed U.S-Mexico FTA?

A To my understanding thus far, the FTA is not a matter of anxiety-level yet, because it is similar to that of the EC. The EC has more internal ties than those affected in the proposed U.S.-Mexico free trade zone. At the same time, we are not sure how Europe will affect the world trade environment. If the EC becomes a trade bloc, it will not help the global liberalizing trend, If the EC does become a trade bloc, the Pacific countries will start to look around to protect their own interests.

Q Inaudible

A I don't know how the EC will operate. When I ask, I'm told, don't worry, it won't hurt you.

Q (Journal of Commerce): Is there any evidence that Europe has raised its trade barriers to Korea?

A Not yet, but right now we are talking to two different entities -- the country itself and the EC at the same time.

Q (Journal of Commerce): Some in Congress say that a U.S.-Mexico free trade zone will be a source of inexpensive labor and an assembly point, which may replace Asian countries, like Korea. Does this concern you?

A It all depends on how the FTA will operate. I certainly hope that won't be the case.

6

0013

1494-0

Q ( ): Status report on Korea's austerity measures and the anti-import campaign?

A The austerity and anti-import campaigns were not related, although in the final analysis there was some overlap. But most of the imports to Korea are luxury items, not like in the U.S., where there are lots of cheap imports. There is a certain class of Korean people who were engaging in conspicuous consumption, like some women who were spending $2000-$3000 for a dress, which created social problems. The government was then criticized for not doing anything. But import items were naturally affected by the austerity campaign, and importers were hurt, But the austerity campaign was never aimed at imports.

Q ( ): Did Secretary Mosbacher bring up the austerity campaign?

A He was suspicious at first. But the proof is in the pudding; I told him to go to the department stores and boutiques in Korea and he will see imports.

Q Will he go to Korea?

A He will probably send his staff.

Q (Inside U.S. Trade): To return to the issue of foreign exchange loans again, are Korean trade associations being involved in which companies get loans? The U.S. has charged that this procedure mimics import licensing.

A The loans are limited to purchases of machinery and equipment, not consumer goods. The Machinery Manufacturing Association must verify that imported machinery is not domestically produced. We only import when we don't have domestic substitutes.

Q (BNA, International Trade Reporter): Are you talking about all loans, or just private sector loans?

A Thy are not government loans. There is a certain amount of loans to buy machinery to augment domestic production. If

7

0014

1494 - 0

Korea already domestically produces these machines, there is no need to import them.

Q ( ): But the U.S. does not have such restrictions.

A Well, you have no foreign exchange constraints.

Q (BNA, International Trade Reporter): Doesn't this limit imports?

A No, because there is only a certain amount of foreign exchange, and it will be spend regardless on imports. We just want to ensure that it does not unnecessarily get spent on machinery that is domestically produced.

Q (BNA, International Trade Reporter): Does this mean similar products or identical products that are domestically produced? What about products that will be made in the Korea in the future? Also, I am not sure I understand if you are talking about loans extended by the government or whether they are private sector loans.

A Functionally similar. The products that will be produced in Korea in the future is not an issue, because if they do not exist now, they can be imported. This issue is a one-shot deal, not a system that exists all the time.

Q Do you mean this is no longer the case?

A No, it is no longer the case

(pause, Minister Lee then confers with Korean delegation)

A I have been informed that these foreign exchange restrictions are still in effect but are not a permanent feature.

Q (Journal of Commerce): What is the foreign exchange situation in Korea now?

A Well, it's not that serious right now. We don't have very much, how, but we use it in a very efficient way.

원 본

외 무 부

종 별 :

번 호 : USW-1975 일 시 : 91 0424 1851

수 신 : 장 관(통기, 통일, 상공부, 농수산부)

발 신 : 주 미 대사

제 목 : 상공장관 NPC 기자 회견

연: USW-1953

1. 연호 상공장관의 NPC 기자회견시 주요 질의응답 내용을 보도한 4.24 자 BNA 지 관련 기사를 별첨 송부함.

2. BNA (BUREAU OF NATIONAL AFFAIRS) 지는 국제및 미국내 경제.통상 관련 정보를 DIGEST형식으로 작성, 당지 정부기관, 외교단, 법률 자문회사, 업계등에 유상으로 배포하는 일간지임.

첨부: USW(F)-1498 (1 매)

(대사 현홍주- 국장)

통상국 2차보 통상국 농수부 상공부

PAGE 1

91.04.25 09:44 WG

외신 1과 통제관

0017

번호 : USW(F) - 1498

수신 : 장 관 (통기, 통일, 상공부, 농수산부) 발신 : 주미대사

제목 : USW-1975 (1매)

보안 통제

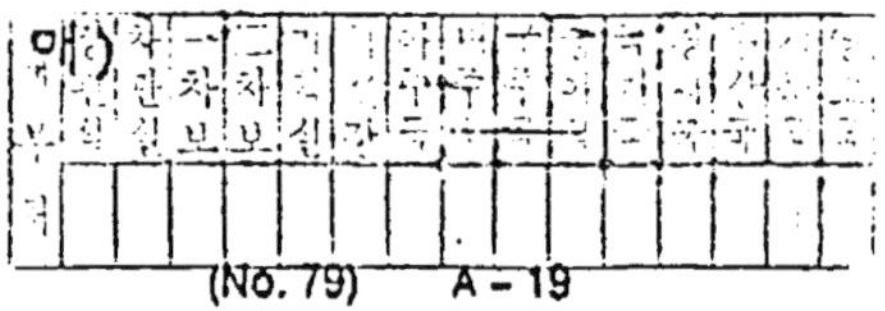

If the fee system were only based on potential—or allowable—emissions, she said, smaller businesses, especially those who have batch processes, would be penalized.

"These small guys were going to be taken like Du Pont," Bernhard said.

A small 10-ton source does not have the same resources to go through the complicated and expensive permitting process as a major polluter, she said.

These sources instead may qualify for a general permit and "wouldn't have to have all the continuous emissions monitoring data, she said.

States will probably decide what companies would be considered for such general permits, Bernhard said. Under the technical assistance provision of the act, a small source emits 50 tons annually of one pollutant or 75 tons annually in the aggregate.□

International Trade

KOREA'S TRADE MINISTER DEFENDS RULE ON FOREIGN EXCHANGE LOANS FOR MACHINERY

Korea's trade minister April 23 said his country's recent enactment of foreign exchange credit regulations is limited in application and does not discriminate against imports, despite concerns raised by U.S. trade officials that Korea may be using financial policy to restrict imports.

In working level meetings April 11-12 between U.S. and Korean trade officials, the United States questioned a recent Korean foreign currency loan regulation, which requires some importers who apply for foreign exchange credit to obtain certification from a trade group, the Korea Association of Machinery and Industry; if a product can be substituted with Korean manufactures, it cannot receive foreign exchange credit, according to a U.S. trade official. The United States has has asked the Korean government for more detailed information on the regulation and whether it applies only to loans for construction or machine tool exporters.

The foreign exchange rule was imposed last year and is still in effect, but it applies only to machinery and equipment loans, Bong-Suh Lee, Korea's minister of trade and industry, told reporters at a National Press Club briefing. "This is not a system; it's a "one-shot deal," he said.

Lee said there is a "limited amount of foreign exchange" in Korea and that the country has to "use it in a very sensible way." Korea's banks allocate a certain amount of foreign exchange to import machinery to augment the manufacturing industry, but they do not loan foreign exchange for products "functionally" equivalent to those currently produced in Korea, Lee said.

Lee is on a three-day visit to Washington to meet with U.S. government officials and congressmen. The Korean trade minister characterized his April 22 talks with Commerce Secretary Robert Mosbacher as "satisfying," despite stumbling blocks such as Korea's anti-import campaign in 1990, which Lee described as

Korea will "change considerably" its stance in any new negotiations in the Uruguay Round of multilateral trade talks, Lee said. Korea will be "very cooperative with the American position" to lower barriers to agriculture imports in the General Agreement on Tariffs and Trade talks, although he stopped short of promising to open up Korea's rice market. Korea was "blamed as one of the major culprits" in the collapse of the agricultural reform talks last December, he noted.

Lee called the Baxter International case, raised by U.S. negotiators during the Korean working group talks, a "misunderstanding" in the "very delicate" area of health.

Korea had issued a license to Baxter to ship to Korea a new kind of blood clotting factor, Factor VIII, in late 1990, after Baxter already had been selling an older version of the clotting factor for hemophiliacs, according to a source close to the negotiations. Several weeks later, Korea revoked the license. A Korean company is now producing a clotting factor.

Lee said that as a compromise, Korea will give priority to Baxter's blood products whenever there is a need to import—but not on an open-market basis.

Korea's trade surplus with the United States declined from a peak of $9.6 billion in 1987 to $2.4 billion in 1990, while imports form the United States increased 93 percent in the same period, according to a white paper issued by Korea's Ministry of Trade and Industry during Lee's visit.□

Environment

EPA DRAFT INTERPRETIVE RULE WOULD EXEMPT RESTRUCTURED PLANTS FROM AIR ACT REVIEW

Plants who want to repower or who make changes to control air pollution, such as switching fuels, should not be subject to the new source review process under a draft Environmental Protection Agency ruling, an EPA official said April 23.

A draft of an interpretive rule on that matter is being reviewed by the White House, Robert Brenner, the director of the agency's office of policy, analysis and review, said April 23. He spoke at a conference on the acid rain provisions of the 1990 Clean Air Act amendments sponsored by *The Energy Daily*.

However, some refurbishment or life extensions of some plants may require a new source review because such changes can increase emissions, he said. The agency is still studying that issue.

EPA plans to issue a rule by June 1 specifying to what extent emissions will be allowed to increase before triggering the process. Brenner said some parties favor allowing only a small increase, while others say none at all. Still some say plants can should be granted leeway for sulfur dioxide, but not nitrogen oxides and particulate matter.

Brenner touted the economic benefits to be gained from the new market-based system established in the Air Act to reduce acid rain. The flexibility under such a system "will yield the lowest cost program," he said.

0018

관리 번호	91-299

	분류번호	보존기간

발 신 전 보

번 호 : WJA-1904 910424 1956 DN 종별 :

수 신 : 주 장 관 대사. 총영사 (주일 대사 경유)

발 신 : ~~장 관~~ 차관

제 목 : 쌀시장 개방관련 주 제네바 대사 발언

검 토 필 (1991.6.30.)

1. 국회 민자당 농수산위 결의

가. 민자당 소속 국회 농수산위 위원들은 금 4.24 오후 국회에서 회합을 갖고 박대사의 발언과 관련 아래와 같이 당과 정부에 건의키로 결의하고 이를 보도자료로 배포하였음.

- 아 래 -

"UR 협상 수석대표인 박수길 대사의 발언이 비록 비공식 기자 간담회에서 밝힌 사견이라 할지라도 그 직책상 사견으로 받아 들이기는 어렵고 쌀을 비롯한 NTC 품목의 개방압력에 대처하는 대한민국 정부의 수석 협상 대표로서 협상의지가 부족하고 700만 농민의 권익 보호를 위한 외교관으로서의 자세에 문제가 있다고 판단되므로 정부는 박수길 대사를 본직에서 즉각 소환해 줄 것을 촉구한다"

예고문에 의거 재분류. 1991.6.30
직위 성명

나. 4.24 농수산 위원회는 농어촌 발전 특별조치법 관련 농수산부장관의 보고를 받기 위해 계획되었던 것으로 민자당측은 동법 관계 정부측의 보고나 심의는 일체 하지 않고 박대사의 발언 관련 농수산부장관의 보고를 듣고 이와 같이 결의하였다 함.

보안 통제	

앙 고 재	91년 4월 24일	통상기구과	기안자 성명		과 장	심의관	국 장		차 관	장 관
									후결	

외신과통제

0019

다. 박대사는 이문제와 관련 금일 오전 정창화 농수산 위원장, 한승수 UR 특위 위원장, 경기원 장.차관을 접촉, 본인의 발언 취지와 경위를 해명 하였으며, 작 4.23 오후에는 농수부 장.차관을 접촉, 해명한 바 있음.

라. 소직은 박대사, 관련부처 및 당과 접촉, 다각적 노력을 하고 있음.

2. 정부 유관부처 장관 회의 개최 예정

가. 명 4.25. 07:30 국무회의 개최전 4개부처 장관(경기원, 외무부, 농수부, 상공부) 회의를 가진후 쌀시장 개방문제에 대한 정부의 입장에 변화가 없으며 금후 협상에서도 개방의 예외를 최대한 교섭해 나갈 것이라는 정부 입장을 재확인하고 이를 부총리가 기자들에게 발표키로 함.
(오늘 오후 국회 본회의에서 지연태 의원의 질문에 국무총리께서 정부 정책에 변화가 없다고 답변하신 바 있음.)

나. 동 발표를 하는 계제에 박대사의 여사한 발언 경위와 취지도 해명할 예정임.

다. 금일 오후 관계부처 국장급 실무회의에서도 관련사항을 협의함.

3. 상공부장관 발언 관련사항

가. 한편, 4.24(수) 석간 신문들은 워싱턴발 로이터 통신을 인용한 연합통신을 근거로 방미중인 이봉서 상공장관이 4.23 기자회견에서 쌀을 포함한 농산물 수입제한을 자유화 할 것이라고 언급했다고 보도함.

나. 본부가 확인한 바에 의하면 상공부장관은 기자회견에서 쌀문제에 대하여는 언급할 수 없다고 하고 다만 UR 농산물 협상 전반에 대해 앞으로 전향적인 자세로 임하겠다고 말한것이 외국 언론에 쌀시장도 개방하는 것으로 보도된 것이라 하며, 이와관련 상공부는 4.24. 상공장관이 쌀시장 개방을 언급한바 없다는 내용의 발표문을 각 언론사에 배포함.

끝.

(차관 유 종 하)

0020

관리 번호	91-301

	분류번호	보존기간

발 신 전 보

번 호 : WJA-1923 910425 1353 DF 종별 :

수 신 : 주 장 관 대사. 총영사 (주일 대사 경유)

발 신 : 장 관 차관

제 목 : 쌀시장 개방관련 주 제네바 대사 발언

연 : WJA-1904

(총리실 행조실장 배석)

1. 예정대로 금 4.25 07:30-08:00간 부총리 주재로 4개부처 장.차관 회의를 갖고 쌀시장 문제에 대한 정부의 기존 입장을 재확인하는 요지의 보도자료를 배포키로 하고, 동 문제가 협상 여건은 어렵고 국내 정치적으로는 매우 민감한 문제이기 때문에 자칫 오해나 무리를 일으킬 수 있으므로 발언에 신중을 기하기로 합의하였음.

검 토 필(1991. 6.30.)

2. 동 회의시 박대사의 발언취지 및 상공부장관의 기자회견 내용에 대한 검토가 있었는 바, 박대사의 발언은 현지 협상 분위기를 전하고 이에따른 대책 마련의 필요성을 언급한 것이며 정부의 입장 변경을 의미하는 것이 아니었다는 점에 양해가 있었으며, 상공부장관의 기자회견 내용도 쌀문제를 특별히 언급한 것이 아니고 농산물 협상에 대한 아국의 입장이 전향적인 것이 될 것이라는 발언이 마치 쌀을 포함한 농산물 수입 정책이 자유화되는 것처럼 보도 되었다는 점에 유의하였음.

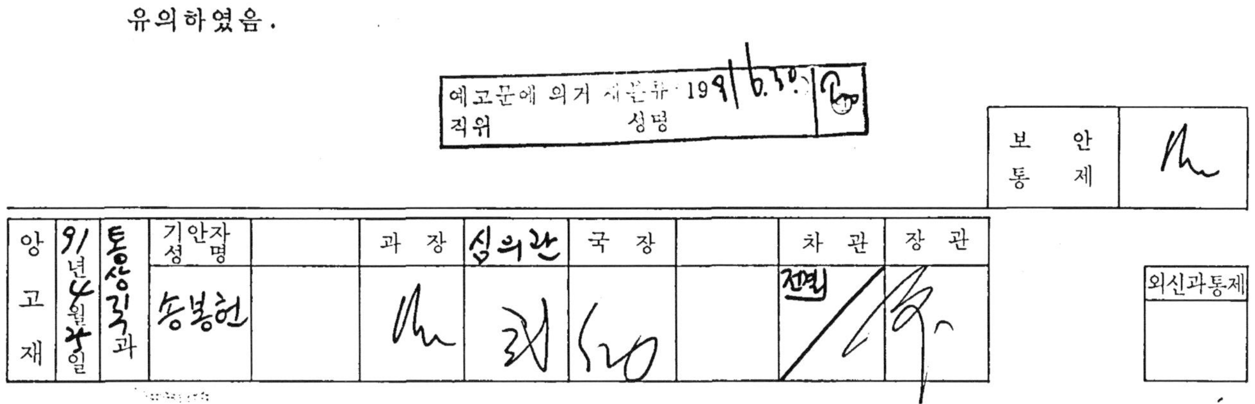
예고문에 의거 재분류 1991.6.30.
직위 성명

보 안 통 제	

앙 고 재	91년 4월 24일	통상기구과	기안자 성 명		과 장	심의관	국 장		차 관	장 관
			송봉헌						전결	

외신과통제

0021

3. 소직은 본건에 관한 처리 및 언론대책과 관련 정부가 너무 막는다는 인상을 줄 경우 대외적으로는 거꾸로 아국의 입장이 어려워질 우려가 있음을 지적하고 예로 박대사의 소환문제가 국제적 뉴스가 되는 것은 바람직하지 않다고 하였는 바, 이에 대한 공감이 있었음.

4. 동 회의에서는 금.명 양일간 있을 국회 본회의 경제관계 대정부 질의시 예상되는 질문에 대한 정부의 통일된 답변자료도 검토 하였는바, 상기 1항 보도자료 및 국회 답변자료는 별도 Fax편 보고함. 끝. (차관 유 종 하)

소직은 쌀문제가 민감하나 한국 국내에서 지나친 과잉반응을 보이고 현지 협상대표를 소환운운하는 정도로 나가는 경우 오히려 미국이나 기타 국제관계에서 새로운 문제가 되어 국내에 재 파급될 가능성을 생각하여야 한다고 강조한바 부총리가 적극으로 동감을 표시하고 당에 청와대 등에 이야기를 하도록 약속하였으며 오전 국무회의에서도 대사 소환운운등 이야기가 나지않도록 정부 각료들에게 당부하였음.

청와대 경제수석 및 외교안보보좌관도 당이나 국회에 대하여 냉각하는 조치를 취하도록 이야기할것을 약속하였음.

0022

쌀輸入開放關聯 記事內容 檢討

Ⅰ. 報道內容

- 박수길 駐제네바大使는 4.23 記者懇談會에서 農產物輸入開放問題와 관련, "日本의 경우 쌀市場을 開放하지 않을 수 없으며 日本이 무너지면 우리도 무너질 수 밖에 없다. 全般的인 協商추이가 最小市場開放 방식에 따라 各國이 3~5%씩 쌀市場開放이라는 方向으로 가고 있으므로 우리도 그런 가능성에 대비하여야 한다"고 쌀의 開放可能性 示唆(조선일보 '91.4.24)

Ⅱ. 關聯事項에 대한 그간의 經緯

- 작년말 브랏셀 閣僚會議 결렬이후 우리가 農產物 協商에서 지나치게 強硬한 立場을 견지할 경우 協商에서 소외되어 우리의 立場을 반영시킬 수가 없을 것이라는 判斷아래 伸縮的인 立場을 강구('91.1.10 대외협력위원회 의결~~후 大統領 報告~~)

  (1) 쌀등 2~3개 食糧安保對象 品目을 제외한 現行輸入制限品目에 대한 關稅化方法을 수용하되 단 先進國보다 2배 수준의 長期履行期間 필요

  (2) 쌀을 제외한 輸入制限品目에 대하여 最小市場接近 保障
  0 輸入實績이 있는 品目 : 현행(최근 3년평균) 수입수준
  0 輸入實績이 없는 品目 : 선진국의 1/2 수준의 수입보장

  (3) 쌀을 제외한 모든 品目에 대한 國內補助金의 減縮原則에 따르되 先進國보다 2배수준의 長期履行期間 필요

0023

- '91.1.15 開催된 貿易協商委員會에 상기 기본입장을 갖고 參席 (수석대표: 선준영 대사) 하여 我國은 앞으로 伸縮的 立場을 갖고 협상에 임하겠다는 입장을 표명하고 協商進展에 따라 필요시 우리의 旣存立場(Offer)를 수정할 意思가 있음을 밝힘

- '91.2월 이후 개최된 農産物協商에서는 政治的 決定事項 보다는 技術的인 事項을 중심으로 협상이 進行되고 있으며 현재로서는 '91.5월 이후에 정치적 결정사항이 本格的으로 論議될 것으로 豫想됨

Ⅲ. 報道內容의 檢討

- 박수길 대사의 發言은 기존의 政府方針의 變更이라기 보다는 현지의 協商雰圍氣 및 이에 따른 對應方向에 대한 언급으로 보나 쌀市場開放과 같은 민감한 問題에 대해서 적절한 言論 對應이라고 보기는 어려움

- 아울러 美國에서 商工部長官의 이와 유사한 發言과 관련하여 關係部處間 쌀市場開放등 아국의 農産物協商관련 基本立場에 대한 재확인 및 言論對策을 위하여 UR 對策實務委員會를 오늘 오후중에 개최하고 그 결과를 보고할 계획임

0024

대 한 민 국
외 무 부

외무부 91 - 1991. . .

아래 문건을 수신자에게 전달하여 주시기 바랍니다.

제목 : 기자 간담회 자료 (쌀)

수신 : 농림수산부 국제협력과
(수신처 FAX NO : 503-7249)

발신 : 통상기구과

별지포함 (총 2 매)

0025

쌀시장 개방 문제 관련 주 제네바 대사 발언내용

o 1991년도 재외공관장 회의 참석차 일시 귀국중인 박수길 주 제네바 대사는 4.23(화) 11:00 외무부 출입 기자단과의 간담회에서 UR 협상의 현황을 설명하고, 우리 경제의 선진화와 국제화를 위하여 UR 협상에 소극적인 태도를 취하는 것보다 적극적인 자세로 대응해야 한다는 점을 강조하였다.

o 농산물 협상과 관련, 쌀을 비롯한 15개 NTC 품목의 교섭동향을 질문받고 동 대사는 쌀을 포함한 일부 주요품목은 개방이 불가하다는 것이 우리의 입장임을 전제하고 다만, 쌀시장 개방문제와 관련한 최근 미국과 일본간에 이루어지고 있는 시장 개방 교섭 동향과 농산물 수출국들의 강한 협상 태도로 미루어 볼때, 일본이 쌀에 관하여 3-5%의 최소 시장접근을 인정, 쌀 시장을 불가피하게 개방하게 되는것이 아닌가 하는것이 제네바 현지의 분위기라고 전하고, 우리나라도 그러한 가능성을 감안하여 만반의 대비가 필요 할 것이라는 취지로 설명하였다. 끝.

0026

쌀시장 개방 관련 관계부처 장관 회의

1991. 4. 25.(목)

통 상 국

0027

1. 회의 개요

o 일 시 : 1991. 4.25.(목) 07:30

o 장 소 : 1청사 19층 부총리실

o 참 석 자 : 부 총 리

외무부 차관

농수산부 장관

상공부 차관

총리실 행조실장

o 안 건 :

- 박수길 대사 및 이봉서 상공장관의 발언 및 보도 경위 검토
- 정부입장 공식 발표 문안 채택(문안 별첨)
- 4.25-26 국회 본 회의시(경제관계 대정부 질의) 관련 예상 질문에 대한 공동 대응 방안 협의

2. 차관님 발언이 필요시되는 사항

o 박대사의 4.23(화) 11:00 외무부 기자 간담회시 발언내용 및 취지 설명

o 정부 입장 공식 발표건

- 언론이 정부의 진의를 의심케하는 방향으로 보도 되고 있음을 감안, 차제에 쌀 개방문제에 대한 정부 입장을 재확인 하는것이 바람직.
- 동 발표 기회에 박대사의 간담회시 관련 발언 취지도 적절히 해명 필요
- 단, 동 발표문이 대외적으로 아국의 UR 농산물 협상 자세 자체의 후퇴를 의미하는 것으로 해석되지 않도록 유념.

첨 부 : 정부의 기본 입장(관계부처 장관 회의자료) 끝.

0028

1차안

報道資料

UR/農産物協商「쌀」관련 問題에 대한 政府의 基本立場

最近 在外公館 大使의 言論懇談會에서 提起된 UR協商 관련 쌀輸入開放 問題 論難에 대하여 政府는 關係長官 會議를 開催(91.4.25, 7:30), 既存 政府의 基本方針을 再確認함.

〈參席〉 經濟企劃院 長官
外 務 部 長官
農林水産部 長官
商 工 部 次官

0029

91-4-24 : 19:48 : :# 2/11

I. 그간의 經緯

- 그간 政府는 UR/農産物協商에서 15개 非交易的 機能品目(NTC)에 대한 開放上의 例外認定등 協商參加國中 가장 強한 立場을 堅持하여왔음.

- 작년말 브랏셀 閣僚會議(12.3-7)에서 UR協商이 延長된 以後 우리가 農産物 協商에서 지나치게 強硬한 立場을 堅持할 경우 協商에서 소외되어 우리의 立場反映에 오히려 逆效果를 미칠 우려가 있다는 판단아래 '91.1.9 對外協力委員會 決定을 거쳐 伸縮的인 立場을 강구한바 있음.

  o UR全體 協商의 成功的妥結을 위해 農産物分野에서 융통성 있는 입장을 提示하되 쌀에 대한 開放 및 國內補助에 있어서의 例外認定立場을 堅持하고

  o 余他品目에 대해서는 最少市場接近保障 및 國內生産統制를 前提로한 輸入制限 方式(11조 2의 C)의 導入을 推進

  * 「우루과이 라운드 協商展望과 對策」農産物關聯 對策 內容 別添

- '91.1.5 開催된 貿易協商委員會에서 我國(臨時首席代表: 선준영大使)은 上記方案을 中心으로 UR協商에 伸縮性있게 對應해 나가겠다는 입장을 公式的으로 表明하였으며 政府는 이제까지 同 方針을 계속 堅持하여 오고 있음.

-2- 0030

Ⅱ. UR/農産物協商 關聯 政府의 基本立場

- 上記 UR/農産物協商에 대한 政府의 基本方針 確定後 이를 變更할 어떤 對內外的인 與件의 變動은 없음.

  o 지난 2.26 제네바 TNC會議開催이후 再開되고 있는 UR協商은 政治的 決定이 必要한 事項은 뒤로 미룬채 현재는 技術的인 事項을 중심으로 協商이 進行

- 따라서 政府는 지난 1.9 對外協力委員會에서 이미 確定된 政府의 基本方針을 中心으로 우리의 立場貫徹에 최선을 다해 나갈 것이며 특히 쌀의 輸入開放問題는 UR協商議題中 우리에게 가장 어려운 課題가 되고 있다는 점을 들어 協商相對國의 說得에 최대의 努力을 傾注해 나갈 것임.

〈參 考〉

對外協力委員會 議決內容 ('91.1.9)

- 「우루과이라운드」協商展望과 對策 -

< 農産物 協商 >

- 앞으로의 協商에서는 우리의 核心關心事項의 反映을 계속 主張하되 協商의 基本틀內에서 實利가 確保될 수 있도록 對應

  ㅇ 쌀등 최소한의 食糧安保 對象品目의 開放例外立場 堅持

  ㅇ 우리가 開發途上國 優待適用 對象國이 되도록 協商力을 集中함으로써 市場開放과 國內補助 減縮에 있어 長期履行期間의 確保에 주력

  ㅇ 國內生産統制와 輸入制限을 연결시킬 수 있는 現在 GATT 規定을 최대한 援用함과 동시에 同條項의 合理的 改善을 위하여 利害關係國과의 共同努力 強化

  ㅇ 輸入을 開放하더라도 國內生産 基盤이 최대한 유지될 수 있도록 하는 範圍內에서 最小市場接近 許容

  ㅇ 開放化에 따른 國內被害를 最小化할 수 있도록 關稅引上과 함께 數量制限이 가능한 緊急輸入制限制度 마련에도 協商力을 集中

0032

「쌀」市場開放관련
記者會見 豫想質疑 및 答辯資料

-5-

0033

91- 4-24 : 19:51 : :# 8/11

1. 政府는 內部的으로 쌀市場開放 方針을 정하여 놓고 國民들에게 쌀市場을 전혀 開放하지 않겠다고 하는 것이 아닌가?

- 政府는 지난 1.9 對外協力委員會를 개최하여 UR/農産物協商에 있어서의 基本立場을 다음과 같이 정한 바 있음

  ① 쌀등 基礎食糧은 食糧安保 차원에서 開放이 不可하고 특히 쌀에 대해서는 最小市場開放도 인정할 수 없음

  ② 쌀등 基礎食糧이외의 主要品目은 GATT規定에 일치시켜 輸入制限이 가능하도록 함

  ③ 輸入開放時의 減縮幅 및 履行期間등에 있어서는 農業開途國으로서開途國 優待를 확보토록 함

- '91.1.15 GATT에서 이러한 政府의 基本立場을 表明한 이후 政府內에서도 전혀 立場變化가 없었으며 對外的으로도 현재 再開中인

  協商에서 政治的 決定을 필요로 하는 爭点事項에 대한 論議가 전혀 이루어지지 않고 있어 對內外的으로 전혀 우리의 立場을 변경할 만한 與件變化가 없었던 상황임

- 따라서 內部的으로 쌀市場開放方針을 정하였다라는 것은 事實과 다름

-6-

0034

#: 7/11 91-4-24 ; 19:51 ;

2. UR協商에 있어서 政府의 基本立場과 관련하여 部處間 見解差가 있는데 왜 政府는 이러한 立場調整을 못하는가?

- 政府는 우루과이 라운드 協商의 成功的 妥結이 우리經濟의 持續的인 成長을 위해서 바람직하나 農産物등 우리經濟에 부담이 되는 分野도 있으므로 總論은 贊成하되 各論에서 反對해야 하는 어려운 立場에 처해있음

- 이때문에 農産物協商은 물론 모든 UR協商分野에 대한 政府立場은 關係部處가 전부參與하는 UR對策實務委員會 및 對外協力委員會를 통하여 關係部處間 意見調整過程을 거쳐 最終的인 政府案이 마련되어 왔음

- 특히 브랏셀 閣僚會議 결렬이후 農産物協商에 대한 새로운 政府立場을 마련하는 과정에서도 協商에 직접적으로 責任을 맡고 있는 主務部處의 의견을 중심으로 關係部處間 충분한 協議를 거쳐 확정되었음

- 따라서 農産物協商과 관련하여 政府部處間 立場이 상이하다는 것은 사실과 다르며 政府는 '91.1.9 對外協力委員會를 거쳐 마련한 政府立場以外의 방침은 있을 수 없으며 앞으로도 政府의 一貫된 立場을 對外協力委員會를 거쳐 확정해 나갈 것임

3. 政府가 이러한 基本立場을 갖고 있다면 어떻게 현지 주제네바 대사가 政府의 立場과 다른 發言을 할 수 있는가?

- 주제네바 대사의 "協商進展에 따라 쌀市場의 部分開放도 不可避하다"라는 發言과 관련하여 UR協商에 대한 政府의 立場이 變更되지 않았느냐는 疑問이 제기될 수 있으나 다시한번 政府의 立場은 전혀 變化하지 않았음을 말씀드리며,

- 주제네바 대사의 UR協商관련 발언은 기존 政府方針의 변경에 대한 언급이라기 보다는 현지의 協商雰圍氣 및 이에 따른 內部準備의 필요성에 대한 언급이었던 것으로 알고 있으나 쌀 市場開放과 같은 중요한 問題에 혹시라도 오해의 소지를 일으킬 수 있는 발언이 있었다면 이는 적절치 못하였던 것으로 생각되며 송구스럽게 생각함

-8-

0036

4. 政府方針이 旣存과 달라진 것이 없다고 하더라도 앞으로 日本이 쌀市場을 開放한다고 하거나, 또 協商進展에 따라 우리도 쌀을 開放하지 않을 수 없는 경우에도 쌀은 開放하지 않는 것인가?

- 지금까지 UR協商에 있어서 政府方針이 쌀문제에 관해서는 관세화 (Tariffication)나 最小市場接近(Minimum Market Access)등 어떠한 市場開放要求에도 양보할 수 없는 強硬立場을 취했던 것은 쌀이 韓國農業의 근간으로서 文化的 전통등과 관련하여 상징적인 의미를 갖고 있으며, 또한 食糧安保次元에서도 극히 긴요하다고 판단하고 있기 때문임

- 특히 쌀은 農家所得의 40-50%를 점하고 있으며 農家所得維持에 필수적인 品目으로서 도시에 비해 낙후된 농촌실정등에 따른 농민의 고조된 정치,사회적 불만을 초래할 수 있는 어려움은 물론 또한 市場開放에 앞서 선행되어야 할 많은 構造的 調整이 必要하기때문에 쌀에 대해서만은 어떠한 양보도 할 수 ~~있~~없다는 것이 政府의 基本立場임

- 앞으로 만일 日本도 쌀市場을 開放하거나, 또는 協商진행상 쌀을 開放하지 않으면 안될 극단적인 상황이 발생하더라도 우리에 있어서 쌀이 갖는 상징성과 食糧安保上의 중요성등을 協商對象國에 적극적으로 주장하고 쌀市場問題에 대한 우리의 立場을 관철시키도록 최대한의 노력을 傾注할 것임

5. 農産物協商을 포함한 UR協商動向과 展望은?

- 작년말 브랏셀 閣僚會議에서의 協商 실패이후 「우루과이 라운드」 協商은 다소 소강상태에 빠졌으나 지난 2월말 개최된 貿易協商 委員會를 통하여 技術的인 事項을 중심으로 協商이 再開되어 별도의 協商妥結 時限을 設定하지 않은채 기존의 15개 協商그룹을 7개그룹으로 단순화하여 分野別 協商을 진행하고 있음

- 최근 UR協商과 관련하여 미,EC,日本등 주요 協商參加國들이 協商 진전을 위한 다각적인 노력을 하고 있는바,

  o 우선 美行政府는 迅速處理權限(Fast Track Authority)를 향후 2년간 延長하여 줄 것을 議會에 要請中에 있으며,

  o 日本은 4월5일의 美.日 정상회담시 합의한 「쌀問題의 UR協商에서의 繼續協議」등 「우루과이라운드」協商妥結에 能動的으로 寄與하는 方向을 모색중에 있으며

  o EC는 共同農業政策(CAP)의 改革과 관련 域內國間 協議를 推進中에 있으나 農産物協商보다는 서비스등 여타 協商分野에 주력하고 있음

- 이렇게 볼때 7월중 런던에서 개최될 先進 7개국 頂上會談에서는 구체적인 協商進展을 위한 意見接近이 예상되며 아울러 協商지연에 따른 世界經濟의 부담을 고려한 各國의 努力을 감안할 경우 協商은 빠르면 금년말 늦어도 내년초까지는 終結될 수 있을 것으로 보는 것이 專門家들의 見解임

0038

:#11/11 　　　　91- 4-24 ; 19:54 ;

2차안

報道資料

UR/農産物協商「쌀」관련 問題에 대한 政府의 基本立場

最近 在外公館 大使의 言論懇談會에서 提起된 UR協商 관련 쌀輸入開放 問題 論難에 대하여 政府는 關係長官 會議를 開催(91.4.25), 政府의 既存 基本方針이 堅持 될 것임을 再確認함.

〈參席〉 經濟企劃院 長官
外 務 部 長官
農林水産部 長官
商 工 部 次官

0039

1. 그간의 經緯

- 그간 政府는 UR/農産物協商에서 15개 非交易的 機能品目(NTC)에 대한 開放上의 例外認定등 協商參加國中 가장 強한 立場을 堅持하여왔음.

- 작년말 브랏셀 閣僚會議(12.3-7)에서 UR協商이 延長된 以後 우리가 農産物 協商에서 지나치게 強硬한 立場을 堅持할 경우 協商에서 소외되어 우리의 立場反映에 오히려 逆效果를 미칠 우려가 있다는 판단아래 '91.1.9 對外協力委員會 決定을 거쳐 伸縮的인 立場을 강구한바 있음.

  ㅇ UR全體 協商의 成功的妥結을 위해 農産物分野에서 융통성 있는 입장을 提示하되 쌀등 基礎食糧은 食糧安保次元에서 開放이 不可하고 특히 쌀에 대해서는 最小市場接近도 인정하지 못한다는 입장을 견지하고

  ㅇ 余他品目에 대해서는 最少市場接近 및 國內生産統制를 前提로한 輸入制限 方式(GATT 11조 2의 C)의 導入을 推進

  ㅇ 또한 輸入開放時 關稅減縮幅 및 履行期間등에 있어 開途國 優待를 확보

  * 「우루과이 라운드 協商展望과 對策」 農産物關聯 對策 內容 別添

- '91.1.15 開催된 貿易協商委員會에서 我國(臨時首席代表: 선준영大使)은 上記方案을 中心으로 UR協商에 伸縮性있게 對應해 나가겠다는 입장을 公式的으로 表明하였으며 政府는 이제까지 同 方針을 계속 堅持하여 오고 있음.

0040

Ⅱ. UR/農産物協商 關聯 政府의 基本立場

- 上記 UR/農産物協商에 대한 政府의 基本方針 確定後 이를 變更할 어떤 對內外的인 與件의 變動은 없음.

  ○ 지난 2.26 제네바 貿易協商委員會(TNC) 開催이후 再開되고 있는 UR協商은 政治的 決定이 必要한 事項은 뒤로 미룬채 현재는 技術的인 事項을 중심으로 協商이 進行

- 따라서 政府는 지난 1.9 對外協力委員會에서 이미 確定된 政府의 基本方針을 中心으로 우리의 立場貫徹에 최선을 다해 나갈 것이며, 특히 쌀의 輸入開放問題는 UR協商議題中 우리에게 가장 어려운 課題가 되고 있다는 점을 들어 協商相對國의 說得에 集中的인 努力을 傾注해 나갈 方針임

0041

〈參 考〉

對外協力委員會 議決內容 ('91.1.9)

- 「우루과이라운드」 協商展望과 對策 -

〈 農產物 協商 〉

- 앞으로의 協商에서는 우리의 核心關心事項의 反映을 계속 主張하되 協商의 基本틀內에서 實利가 確保될 수 있도록 對應

  ○ 쌀등 최소한의 食糧安保 對象品目의 開放例外立場 堅持

  ○ 우리가 開發途上國 優待適用 對象國이 되도록 協商力을 集中함으로써 市場開放과 國內補助 減縮에 있어 長期履行期間의 確保에 주력

  ○ 國內生產統制와 輸入制限을 연결시킬 수 있는 現在 GATT 規定을 최대한 援用함과 동시에 同條項의 合理的 改善을 위하여 利害關係國과의 共同努力 強化

  ○ 輸入을 開放하더라도 國內生產 基盤이 최대한 유지될 수 있도록 하는 範圍內에서 最小市場接近 許容

  ○ 開放化에 따른 國內被害를 最小化할 수 있도록 關稅引上과 함께 數量制限이 가능한 緊急輸入制限制度 마련에도 協商力을 集中

0042

쌀」市場開放관련
豫想質疑 및 答辯資料

0043

1. 政府는 內部的으로 쌀市場開放 方針을 정하여 놓고 國民들에게 쌀市場을 전혀 開放하지 않겠다고 하는 것이 아닌가?

- 政府는 지난 1.9 對外協力委員會를 개최하여 UR/農産物協商에 있어서의 基本立場을 다음과 같이 정한 바 있음

  ① 쌀등 基礎食糧은 食糧安保 차원에서 開放이 不可하고 특히 쌀에 대해서는 最小市場接近도 認定하지 않는다는 입장을 견지

  ② 쌀등 基礎食糧이외의 主要品目은 GATT規定에 일치시켜 輸入制限이 가능하도록 협상을 추진

  ③ 關稅 및 補助減縮幅과 履行期間등에 있어서는 農業開途國으로서 開途國 優待를 확보토록 努力

- '91.1.15 GATT에서 이러한 政府의 基本立場을 表明한 이후 政府內에서도 전혀 立場變化가 없었으며 對外的으로도 현재 再開中인

  協商에서 政治的 決定을 필요로 하는 爭点事項에 대한 論議가 전혀 이루어지지 않고 있어 對內外的으로 우리의 立場을 변경할 만한 與件變化가 없는 상황임

- 따라서 內部的으로 쌀市場開放方針을 정하였다는 것은 전혀 事實과 다름

0044

2. UR協商에 있어서 政府의 基本立場과 관련하여 部處間 見解差가 있는데 왜 政府는 이러한 立場調整을 못하는가?

- 政府는 우루과이 라운드 協商의 成功的 妥結이 우리經濟의 持續的인 成長을 위해서 바람직하나 農産物등 우리經濟에 부담이 되는 分野도 있으므로 總論은 贊成하되 各論에서 反對해야 하는 어려운 立場에 처해있음

- 이때문에 農産物協商은 물론 모든 UR協商分野에 대한 政府의 基本立場은 關係部處가 모두 參與하는 UR對策實務委員會 및 對外協力委員會에서 關係部處間 意見調整過程을 거쳐 最終的인 政府案이 마련되어 왔음

- 특히 브랏셀 閣僚會議에서 協商이 延長된 이후 農産物協商에 대한 새로운 政府立場을 마련하는 과정에서도 協商에 직접적으로 責任을 맡고 있는 主務部處의 의견을 중심으로 關係部處間 충분한 協議를 거쳐 政府의 方針이 확정되었음

- 따라서 農産物協商과 관련하여 政府部處間 立場이 상이하다는 것은 사실과 다르며 '91.1.9 對外協力委員會를 거쳐 마련한 政府立場 以外의 다른 방침은 별도로 있을 수 없으며 앞으로도 政府의 一貫된 立場定立은 對外協力委員會를 통하여 확정해 나갈 것임

0045

3. 政府가 이러한 基本立場을 갖고 있다면 어떻게 현지 주제네바 대사가 政府의 立場과 다른 發言을 할 수 있는가?

- 주제네바 대사의 "協商進展에 따라 쌀市場의 部分開放도 不可避하다"라는 發言과 관련하여 UR協商에 대한 政府의 立場이 變更되지 않았는냐는 疑問이 제기될 수 있으나 다시한번 政府의 立場은 전혀 變化하지 않았음을 말씀드리며,

- 주제네바 대사의 UR協商관련 발언은 기존 政府方針의 변경에 대한 언급이라기 보다는 현지의 協商雰圍氣 및 이에 따른 內部準備의 필요성에 대한 언급이었던 것으로 알고 있으나 쌀 市場開放과 같은 중요한 問題에 혹시라도 오해의 소지를 일으킬 수 있는 발언이 있었다면 이는 적절치 못하였던 것으로 생각되며 송구스럽게 생각함

<參考> 商工部長官 訪美中 農産物開放관련 外信報道에 대한 說明

- 일부 外信(로이타통신 4.24)에서는 訪美中인 商工部長官이 워싱턴 合同記者會見에서 쌀 市場開放計劃에 대한 言及이 있었다고 전언

- 現地 確認結果 한 外信記者가 쌀市場開放計劃에 대하여 質問하였으나, 商工部長官은 韓國의 國內政治, 社會的 어려움 때문에 쌀 輸入開放問題는 農産物 輸入自由化와는 별도로 취급되어야 한다고 答辯하였음을 양지하여 주시기 바람

0046

4. 政府方針이 종전과 달라진 것이 없다고 하더라도 앞으로 日本이 쌀市場을 開放한다고 하거나, 또 協商進展에 따라 우리도 쌀을 開放하지 않을 수 없는 경우에도 쌀은 開放하지 않는 것인가?

- 지금까지 UR協商에서 政府가 쌀문제에 대해 관세화(Tariffication)나 最小市場接近(Minimum Market Access)등 어떠한 市場開放要求에도 양보할 수 없다는 強硬立場을 취했던 것은

  ㅇ 쌀은 우리農業의 근간으로서 文化的 전통등과 관련하여 상징적인 의미를 갖고 있고,

  ㅇ 또한 食糧安保次元에서 뿐만아니라 쌀이 農家所得에서 차지하고 있는 比重(40-50%)이 매우 높기 때문임

- 앞으로 만일 日本도 쌀市場을 開放하거나, 또는 協商진행상 쌀을 開放하지 않으면 안될 상황이 발생하더라도 우리의 農業與件이

  日本과는 다른만큼 우리에 있어서 쌀이 갖는 중요성을 協商對象國에 說得시켜 나감으로써 우리의 立場이 貫徹될 수 있도록 최대의 努力을 傾注해 나갈 것임

0047

91-4-24 ; 21:50 ;

5. 農産物協商을 포함한 UR協商動向과 展望은?

- 작년말 브랏셀 閣僚會議에서의 協商 실패이후 「우루과이 라운드」 協商은 다소 소강상태에 빠졌으나 지난 2월말 개최된 貿易協商

委員會를 통하여 技術的인 事項을 중심으로 協商이 再開되어 별도의 協商妥結 時限을 設定하지 않은채 기존의 15개 協商그룹을 7개그룹으로 단순화하여 分野別 協商을 진행하고 있음

- 최근 UR協商과 관련하여 美,EC,日本등 주요 協商參加國들이 協商 진전을 위한 다각적인 노력을 하고 있는바,

  ○ 우선 美行政府는 迅速處理權限(Fast Track Authority)를 2년간 延長하여 줄 것을 議會에 要請中에 있으며,

  ○ 日本은 4월5일의 美.日 정상회담시 합의한 「쌀」問題를 포함 「우루과이라운드」協商妥結에 能動的으로 寄與하는 方向을 모색중에 있으며

  ○ EC는 共同農業政策(CAP)의 改革과 관련 域內國間 協議를 推進中에 있으나 農産物協商보다는 서비스등 여타 協商分野에 주력하고 있음

- 이와같은 各國의 努力과 協商遲延에 따른 世界經濟의 負擔을 고려할 때, 協商은 빠르면 금년말 늦어도 내년초까지는 終結될 수 있을 것으로 보는 것이 專門家들의 見解임

0048

報道資料

UR/農産物協商「쌀」관련 問題에 대한 政府의 基本立場

最近 在外公館 大使의 言論懇談會에서 提起된 UR協商 관련 쌀輸入開放 問題 論難에 대하여 政府는 關係長官 會議를 開催(91.4.25), 政府의 既存 基本方針이 堅持될 것임을 再確認함.

〈參席〉 經濟企劃院 長官
外 務 部 次官
農林水産部 長官
商 工 部 次官
國務總理室 行調室長

0049

Ⅰ. 그간의 經緯

- 그간 政府는 UR/農產物協商에서 15개 非交易的 機能品目(NTC)에 대한 開放上의 例外認定등 協商參加國中 가장 強한 立場을 堅持하여왔음.

- 작년말 브랏셀 閣僚會議(12.3-7)에서 UR協商이 延長된 以後 우리가 農產物 協商에서 지나치게 強硬한 立場을 堅持할 경우 協商에서 소외되어 우리의 立場反映에 오히려 逆效果를 미칠 우려가 있다는 판단아래 '91.1.9 對外協力委員會 決定을 거쳐 伸縮的인 立場을 강구한바 있음.

  o 쌀등 基礎食糧은 食糧安保次元에서 開放이 不可하고 특히 쌀에 대해서는 最少市場接近도 인정하지 못한다는 입장견지

  o 余他品目에 대해서는 最少市場接近 및 國內生產統制를 前提로한 輸入制限 方式(GATT 11조 2의 C)의 導入을 推進

  o 또한 輸入開放時 關稅減縮幅 및 履行期間등에 있어 開途國優待를 확보

  * 「우루과이 라운드 協商展望과 對策」農產物關聯 對策內容 別添

- '91.1.15 開催된 貿易協商委員會에서 我國(臨時首席代表: 선준영大使)은 上記方案을 中心으로 UR協商에 伸縮性있게 對應해 나가겠다는 입장을 公式的으로 表明하였으며 政府는 이제까지 同 方針을 계속 堅持하여 오고 있음.

0050

Ⅱ. UR/農産物協商 關聯 政府의 基本立場

- 上記 UR/農産物協商에 대한 政府의 基本方針 確定後 이를 變更할 어떤 對內外的인 與件의 變動은 없음.

  o 지난 2.26 제네바 貿易協商委員會(TNC) 開催이후 再開되고 있는 UR協商은 政治的 決定이 必要한 事項은 뒤로 미룬채 현재는 技術的인 事項을 중심으로 協商이 進行

- 따라서 政府는 지난 1.9 對外協力委員會에서 이미 確定된 政府의 基本方針을 中心으로 우리의 立場貫徹에 최선을 다해 나갈 것이며, 특히 쌀의 輸入開放問題는 UR協商議題中 우리에게 가장 어려운 課題가 되고 있다는 점을 들어 協商相對國의 說得에 集中的인 努力을 傾注해 나갈 方針임

0051

〈參　考〉

對外協力委員會 議決內容 ('91.1.9)

- 「우루과이라운드」協商展望과 對策 -

〈 農産物 協商 〉

- 앞으로의 協商에서는 우리의 核心關心事項의 反映을 계속 主張하되 協商의 基本틀內에서 實利가 確保될 수 있도록 對應

  o 쌀등 최소한의 食糧安保 對象品目의 開放例外立場 堅持

  o 우리가 開發途上國 優待適用 對象國이 되도록 協商力을 集中함으로써 市場開放과 國內補助 減縮에 있어 長期履行期間의 確保에 주력

  o 國內生産統制와 輸入制限을 연결시킬 수 있는 現在 GATT 規定을 최대한 援用함과 동시에 同條項의 合理的 改善을 위하여 利害關係國과의 共同努力 強化

  o 輸入을 開放하더라도 國內生産 基盤이 최대한 유지될 수 있도록 하는 範圍內에서 最小市場接近 許容

  o 開放化에 따른 國內被害를 最小化할 수 있도록 關稅引上과 함께 數量制限이 가능한 緊急輸入制限制度 마련에도 協商力을 集中

0052

「쌀」市場開放관련
豫想質疑 및 答辯資料

0053

1. 政府는 內部的으로 쌀市場開放 方針을 정하여 놓고 國民들에게 쌀市場을 전혀 開放하지 않겠다고 하는 것이 아닌가?

- 政府는 지난 1.9 對外協力委員會를 개최하여 UR/農産物協商에 있어서의 基本立場을 다음과 같이 정한 바 있음

① 쌀등 基礎食糧은 食糧安保 차원에서 開放이 不可하고 특히 쌀에 대해서는 最少市場接近도 認定하지 않는다는 입장을 견지

② 쌀등 基礎食糧이외의 主要品目은 GATT規定에 일치시켜 輸入制限이 가능하도록 협상을 추진

③ 關稅 및 補助減縮幅과 履行期間등에 있어서는 農業開途國으로서 開途國 優待를 확보토록 努力

- '91.1.15 GATT에서 이러한 政府의 基本立場을 表明한 이후 政府內에서도 전혀 立場變化가 없었으며 對外的으로도 현재 再開中인

協商에서 政治的 決定을 필요로 하는 爭点事項에 대한 論議가 전혀 이루어지지 않고 있어 對內外的으로 우리의 立場을 변경할 만한 與件變化가 없는 상황임

- 따라서 內部的으로 쌀市場開放方針을 정하였다는 것은 전혀 事實과 다름

0054

2. UR協商에 있어서 政府의 基本立場과 관련하여 部處間 見解差가 있는데 왜 政府는 이러한 立場調整을 못하는가?

- 政府는 우루과이 라운드 協商의 成功的 妥結이 우리經濟의 持續的인 成長을 위해서 바람직하나 農産物등 우리經濟에 부담이 되는 分野도 있으므로 總論은 贊成하되 各論에서 反對해야 하는 어려운 立場에 처해있음

- 이때문에 農産物協商은 물론 모든 UR協商分野에 대한 政府의 基本立場은 關係部處가 모두 參與하는 UR對策實務委員會 및 對外協力委員會에서 關係部處間 意見調整過程을 거쳐 最終的인 政府案이 마련되어 왔음

- 특히 브랏셀 閣僚會議에서 協商이 延長된 이후 農産物協商에 대한 새로운 政府立場을 마련하는 과정에서도 協商에 직접적으로 責任을 맡고 있는 主務部處의 의견을 중심으로 關係部處間 충분한 協議를 거쳐 政府의 方針이 확정되었음

- 따라서 農産物協商과 관련하여 政府部處間 立場이 상이하다는 것은 사실과 다르며 '91.1.9 對外協力委員會를 거쳐 마련한 政府立場 以外의 다른 방침은 별도로 있을 수 없으며 앞으로도 政府의 一貫된 立場定立은 對外協力委員會를 통하여 확정해 나갈 것임

0055

3. 政府가 이러한 基本立場을 갖고 있다면 어떻게 현지 주제네바 대사가 政府의 立場과 다른 發言을 할 수 있는가?

- 주제네바 대사의 ~~協商進展에 따라 쌀市場의 部分開放도 不可避하다"라는~~ 쌀개방과 관련한 發言과 관련하여 UR協商에 대한 政府의 立場이 變更되지 않았는냐는 疑問이 제기될 수 있으나 다시한번 政府의 立場은 전혀 變化하지 않았음을 말씀드리며,

- 주제네바 대사의 UR協商관련 발언은 기존 政府方針의 변경에 대한 언급이라기 보다는 현지의 協商雰圍氣 및 이에 따른 內部準備의 필요성에 대한 언급이었던 것으로 알고 있으나 쌀 市場開放과 같은 중요한 問題에 혹시라도 오해의 소지를 일으킬 수 있는 발언이 있었다면 이는 ~~적절치 못하였던 것으로~~ 본인의 진의와는 다르다고 생각되며 물의를 빚은 것을 송구스럽게 생각함

〈參考〉 商工部長官 訪美中 農産物開放관련 外信報道에 대한 說明

- 일부 外信(로이터통신 4.24)에서는 訪美中인 商工部長官이 워싱턴 合同記者會見에서 쌀 市場開放計劃에 대한 言及이 있었다고 전언

- 現地 確認結果 한 外信記者가 쌀市場開放計劃에 대하여 質問하였으나, 商工部長官은 韓國의 國內政治, 社會的 어려움 때문에 쌀 輸入開放問題는 農産物 輸入自由化와는 별도로 취급되어야 한다고 答辯하였음을 양지하여 주시기 바람

0056

4. 앞으로 일본이 쌀市場을 開放하거나, 協商進展에 따라 우리도 쌀을 開放하지 않을 수 없는 경우에 어떻게 對處할 것인가?

- 지금까지 UR協商에서 政府가 쌀문제에 대해 관세화(Tariffication)나 最少市場接近(Minimum Market Access)등 어떠한 市場開放要求에도 양보할 수 없다는 強硬立場을 취했던 것은

  o 쌀은 우리農業의 근간으로서 文化的 전통등과 관련하여 상징적인 의미를 갖고 있고,

  o 또한 食糧安保次元에서 뿐만아니라 쌀이 農家所得에서 차지하고 있는 比重(40-50%)이 매우 높기 때문임

- 앞으로 만일 日本도 쌀市場을 開放하거나, 또는 協商진행상 쌀을 開放하지 않으면 안될 상황이 발생하더라도 우리의 農業與件이

  日本과는 다른만큼 우리에 있어서 쌀이 갖는 중요성을 協商對象國에 說得시켜 나감으로써 우리의 立場이 貫徹될 수 있도록 최대의 努力을 傾注해 나갈 것임

0057

5. 農産物協商을 포함한 UR協商動向과 展望은?

- 작년말 브랏셀 閣僚會議에서의 協商 실패이후 「우루과이 라운드」 協商은 다소 소강상태에 빠졌으나 지난 2월말 개최된 貿易協商

  委員會를 통하여 技術的인 事項을 중심으로 協商이 再開되어 별도의 協商妥結 時限을 設定하지 않은채 기존의 15개 協商그룹을 7개그룹으로 단순화하여 分野別 協商을 진행하고 있음

- 최근 UR協商과 관련하여 美,EC,日本등 주요 協商參加國들이 協商 진전을 위한 다각적인 노력을 하고 있는바,

  o 우선 美行政府는 迅速處理權限(Fast Track Authority)를 2년간 延長하여 줄 것을 議會에 要請中에 있으며,

  o 日本은 4월5일의 美.日 정상회담시 합의한 「쌀」問題를 포함 「우루과이라운드」協商妥結에 能動的으로 寄與하는 方向을 모색중에 있으며

  o EC는 共同農業政策(CAP)의 改革과 관련 域內國間 協議를 推進中에 있으나 農産物協商보다는 서비스등 여타 協商分野에 주력하고 있음

- 이와같은 各國의 努力과 協商遲延에 따른 世界經濟의 負擔을 고려할 때, 協商은 빠르면 금년말 늦어도 내년초까지는 終結될 수 있을 것으로 보는 것이 專門家들의 見解임

0058

<UR/農産物協商에서의 基本立場>

		쌀	쌀以外의 基礎食糧	其他農産物
國境措置 (市場開放)	關稅化 1)	X	X	O
	最小市場接近保障 2)	X	O	O
國內補助金		X	O	O

1) 關稅化: 開放初年度에 國內價格과 國際價格差異만큼 關稅로 保護하되 關稅를 점진적으로 減縮

2) 最小市場接近: 國內消費量의 x %만큼 (先進國의 1/2 水準) 現行 關稅水準으로 開放하고 余他物量에 대해서는 關稅化

* 上記立場을 提示하는 條件으로 市場開放과 國內補助減縮에 있어서 先進國보다 2배수준의 長期履行期間 確保 및 生産統制時 輸入制限 可能條項의 改善을 要求

0059

3. 政府가 이러한 基本立場을 갖고 있다면 어떻게 현지 주제네바 대사가 政府의 立場과 다른 發言을 할 수 있는가?

- 주제네바 대사의 ~~"協商進展에 따라 쌀市場의 部分開放도 不可避하다"라는~~ 發言과 관련하여 UR協商에 대한 政府의 立場이 變更되지 않았는냐는 疑問이 제기될 수 있으나 다시한번 政府의 立場은 전혀 變化하지 않았음을 말씀드리며,

- 주제네바 대사의 UR協商관련 발언은 기존 政府方針의 변경에 대한 언급이라기 보다는 현지의 協商雰圍氣 및 이에 따른 內部準備의 필요성에 대한 언급이었던 것으로 알고 있으나 쌀 市場開放과 같은 중요한 問題에 혹시라도 오해의 소지를 일으킬 수 있는 발언이 있었다면 이는 ~~적절치 못하였던 것으로~~ 생각되며 송구스럽게 생각함

<參考> 商工部長官 訪美中 農産物開放관련 外信報道에 대한 說明

- 일부 外信(로이타통신 4.24)에서는 訪美中인 商工部長官이 워싱턴 合同記者會見에서 쌀 市場開放計劃에 대한 言及이 있었다고 전언

- 現地 確認結果, 한 外信記者가 쌀市場開放計劃에 대하여 質問하였으나 商工部長官은 韓國의 國內政治, 社會的 어려움 때문에 쌀 輸入開放問題는 農産物 輸入自由化와는 별도로 취급되어야 한다고 答辯하였음을 양지하여 주시기 바람

0060

관리 번호	91-300

	분류번호	보존기간

발 신 전 보

번 호 : WUS-1740 외 별지참조 종별 :

수 신 : 주 수신처 참조 대사. 총영사//

발 신 : 장 관 (통 기)

제 목 : 쌀시장 개방 문제 관련 국내 언론보도

1. 4.23(화) 박수길 주 제네바 대사가 외무부 출입기자단과의 간담회에서 UR 협상 현황을 설명하는 가운데 쌀시장 개방문제를 포함한 농산물 협상의 추이를 설명한 내용과 4.24(수) 방미중인 상공부장관이 농산물 협상에서 아국의 전향적 자세에 관하여 언급한 내용과 관련하여, 국내 언론들은 박대사가 우리나라의 쌀시장 개방 불가피성을 ~~주장~~언급하고, 정부가 쌀시장 개방 가능성을 검토하고 있는 것으로 보도하고 있음.

예고문에 의거 분류 1991.6.30.	
직위	성명

2. 박대사는 동 간담회에서 쌀을 비롯한 15개 NTC 품목의 교섭 동향을 질문받고 쌀을 포함한 일부 주요품목은 개방이 불가하다는 것이 아국의 일관된 입장임을 전제하고 다만, 쌀시장 개방문제와 관련한 최근 미국과 일본간에 이루어지고 있는 교섭 동향과 농산물 수출국들의 강한 협상 테도로 미루어 볼때 쌀시장도 불가피하게 개방하게 되는것이 아닌가 하는 것이 제네바 현지의 분위기라고 전하고, 아국도 그러한 가능성을 감안하여 만반의 대비가 필요할 것이라는 취지로 설명한 것임.

3. 한편, 4.24(수) 석간 신문들은 워싱턴발 로이터 통신을 인용한 연합통신을 근거로 방미중인 이봉서 상공부장관이 4.23 기자회견에서 쌀을 포함한 농산물 수입제한을 자유화할 것이라고 언급했다고 보도 하였으나, 이와관련 상공부는 4.24. 상공부장관이 쌀시장 개방문제를 언급한 바 없다는 내용의 발표문을 각 언론사에 배포한 바 있음.

보안 통제	(서명)

앙 고 재	91년 4월 26일	통기과	기안자 성명		과 장	심의관	국 장		차 관	장 관	외신과통제
			송봉헌		(서명)	(서명)	전결			(서명)	

검 토 필 (1991.6.30.)

0061

4. 이와관련 4.24.(수) 국회 본회의 대정부 질문에서는 쌀시장 개방과 관련한 정부정책의 변화여부에 대한 질문이 있었으며, 국무총리는 이에대해 쌀등 기본식량 수입에 대하여는 식량안보 차원에서 개방하지 않겠다는 정부의 기본 입장에는 변함이 없다고 답변함.

5. 또한, 정부는 4.25(목) 오전 부총리 주재로 관계부처 장관 회의를 열고 쌀시장 개방은 불가하다는 정부의 기존 방침을 재확인, 다음과 같은 정부의 기본방침을 발표함.

가. UR/농산물 협상에 대한 정부의 기본방침을 변경할 어떤 대내외적인 여건 변동은 없음.

나. 지난 1.9. 대외협력위원회에서 이미 확정된 아래 정부의 기본방침을 중심으로 우리의 입장관철에 최선을 다해 나갈 것이며, 특히 쌀 수입개방 문제는 UR 협상 의제중 우리에게 가장 어려운 과제가 되고 있다는 점을 들어 협상 상대국의 설득에 집중적인 노력을 경주해 갈 방침임.

o 앞으로의 협상에서는 우리의 핵심 관심사항의 반영을 계속 주장하되 협상의 기본틀 내에서 실리가 확보될 수 있도록 대응

- 쌀등 최소한의 식량안보 대상품목의 개방예외 입장 견지
- 개도국 우대적용 대상국이 되도록 협상력을 집중함으로써 관세 및 국내보조 감축에 있어 장기이행기간의 확보에 주력
- 국내생산통제와 수입제한을 연결시킬 수 있는 현행 GATT 규정의 합리적 개선을 위하여 이해 관계국과의 공동 노력 강화
- 수입을 개방하더라도 국내생산 기반이 최대한 유지될 수 있도록 하는 범위내에서 최소시장 접근 허용(단, 쌀은 예외)
- 개방화에 따른 국내피해를 최소화할 수 있도록 관세인상과 함께 수량제한이 가능한 긴급 수입제한제도 마련에도 협상력을 집중

6. 상기와 같이 쌀시장 개방이 불가하다는 정부의 입장에는 변화가 없는바, 주재국 관계인사 접촉시 이에 유념하여 차질이 없도록 하기바람. 끝.

(국장 김 삼 훈)

수신처 : 주 미국, 일본, 제네바, EC, 카나다, 호주, 뉴질랜드, 인도네시아, 말련, 필리핀, 태국, 브라질, 알젠틴, 콜롬비아, 우루과이, 헝가리, 칠레

0062

	분류번호	보존기간

발 신 전 보

번 호 : WUS-1827 910430 1910 FL 종별 :

수 신 : 주 미 국 대사. ~~총영사~~

발 신 : 장 관 (통 기)

제 목 : UR/농산물 협상

4.30. 동아일보 기사 내용에 의하면 Hills 무역대표는 4.29. 백악관에서 개최된 전국 농업진흥협회 대표들에 대한 브리핑시 UR/농산물 협상에서 EC가 농산물에 대한 시장장벽을 낮추게 되면 한국, 일본의 쌀 수입 개방은 저절로 뒤따르게 된다고 발언하였다 하는 바, 가능하면 동 발언 문 입수 송부 ~~내용등 파악, 보고~~ 바람. 끝.

(통상국장 김 삼 훈)

				보안 통제	

앙 고 재	91년 4월 30일	통상기구과	기안자 성명		과 장		국 장		차 관	장 관
			송봉헌				전결			전결

외신과통제

0063

"EC서 農産物장벽 낮추면 韓國쌀開放 저절로 이뤄져"

칼라 힐스 밝혀

【워싱턴=卞相根특파원】 美國무역대표부의 칼라 힐스대표는 앞으로 우루과이라운드 농산물협상에서 유럽공동체(EC)가 농산물에 대한 시장 장벽을 낮추게되면 韓國과 日本의 쌀 수입개방은 저절로 뒤따르게 될것이라고 지적, 우루과이라운드의 성패는 EC공략에 달려있다고 강조했다.

힐스대표는 29일 백악관에서 전국 농업진흥협회대표들에게 브리핑하면서 쌀문제가 우루과이라운드의 관건이냐는 질문에 "일본은 지금까지 항상 남의 뒤를 따라만 다녔지 협상진전을 이끄는 역할은 한번도 하지 않았다"고 지적하며 EC의 농업요새가 허물어지면 일본과 한국의 쌀수입개방은 저절로 뒤따르게 될것이라고 답변했다.

힐스대표는 브뤼셀각료회의가 실패한 것이지 우루과이 라운드는 아직 실패하지 않았다고 강조하고 EC가 농업장벽을 끝내 고수할 경우 라틴 아메리카등 14개 그룹들이 협상을 거부, 파국을 맞게될 것이라고 경고했다.

〈91. 4. 30, 동아일보〉

0064

쌀수입개방반대에 관한 결의(안)

주문

대한민국국회는 제151회 정기국회에서 우루과이라운드협상에 관한 결의문을 통해 쌀을 비롯한 주요한 품목은 국민의 기초식량보호란 의미와 농가소득의 대종을 이루는 기간작물이란 견지에서 어떠한 경우에도 수입을 개방하거나 관세화의 대상이 될 수 없으며 농가소득 지지를 위한 수매정책등 가격지지 정책은 감축의 대상이 될 수 없다는 것을 우리농업과 농어민을 보호하기 위하여 결의한 바 있음

대한민국국회는 이러한 결의를 상기 시키면서 정부는 1990년말 부랏셀 각료회의에서 농협상이 연장된 이후 이의 성공적 타결을 위하여 각국이 상호 공동노력하고 있는 이시점에서 UR농산물협상은 선진국과 개발도상국, 수출국과 수입국의 입장이 균형있게 반영되고 모든나라의 농업발전 수준이 충분히 고려되어야 함은 물론 특히 식량안보와 지역의 균형발전이라는 차원에서 한국농업의 특수성이 반영되어야 함을 다시한번 강조하면서 다음과 같이 결의한다.

1. 우리의 "쌀"은 국민의 안정적인 식생활 보장, 국토자원의 합리적 이용과 보전, 농가소득의 유지를 위해서 뿐만아니라 우리국민문화정서의 뿌리가 되고 있기 때문에 어떠한 경우에도 시장개방의 대상이 될 수 없다.

2. 쌀을 수입개방할 경우 수도작이외의 생산기반이 취약한 시점에서 그동안 구축한 농업생산기반이 붕괴되고 농어촌은 피폐화될 것이 확실시되므로 이와같은 쌀이 갖고 있는 국가적 중요성과 농업구조의 특수성을 감안하여 정부는 모든 외교역량을 집결하여 개방대상에서 제외시킬 것을 촉구한다.

0065

3. 대한민국국회는 정부가 "쌀"농사를 근간으로 하는 우리농업의 구조적 취약성을 조속히 극복할 수 있도록 농어업의 경쟁력을 향상시키고 활력 있는 농어촌을 만들기 위한 획기적인 대책을 추진할 것을 결의한다.

4. 대한민국국회는 우리의 농어업과 농어촌의 발전을 위해 최선을 다할것 임을 다시한번 엄숙히 천명한다.

0066

수신: 외무부 통상기구과 송봉헌 사무관

발신: 농림수산부 국제협력 담당관실

0067

원 본

외 무 부

종 별 :

번 호 : USW-2076　　　　일 시 : 91 0501 2211

수 신 : 장 관(통기,통일, 미북,경기원, 농수산부)

발 신 : 주 미대사

제 목 : UR/ 농산물 협상

대: WUS-1827

대호 HILLS 무역 대표의 브리핑 및 쌀 수입개방 관련 질의 응답 내용과 동시에 개최되었던 BUSH 대통령의 연설 및 질의 응답 TEXT 를 별첨 송부함.

첨부: USW(F)- 1600 (11 매)

(대사 현홍주- 장관대리)

통상국　2차보　미주국　통상국　경기원　농수부

PAGE 1　　　　91.05.02 13:07 WH

외신 1과 통제관

0068

05/01/91 22:17 ☎ 797 0595 EMBASSY OF KO▬ ··· WOI 001/011

번호: USW(F) - 1600
수신: 장관 (통기, 통일, 미북, 경기원, 농수산부)
발신: 주미대사
제목: USW- 2076 첨부 (11매)

REMARKS OF AMBASSADOR CARLA HILLS, US TRADE REPRESENTATIVE AT A BRIEFING FOR THE NATIONAL ASSOCIATION OF FARM BROADCASTERS
AC-1-1 page# 1 THE WHITE HOUSE/MONDAY, APRIL 29, 1991
dest=commtrade,ustr,upag,frmr,farm,fortr,trdwar,gatt,fretrdag
dest+=mexico,protrd,ussr,ussrootr
data

AMB. HILLS: Fast track is indeed my life. I have been grounded and sent to the Congress. (Laughter). And we have a regular trade war, international trade crisis brewing, and it's not abroad, it's here at home with our elected representatives, and it's over this thing called fast track.

You all sound very erudite, like you know exactly what that is. But if you ask the average American, "What's fast track?" you're certainly going to get a glaze-over. And yet, what we do about fast track is going to affect that American's job, his increased wealth, and the American economy. And so it is important that we heighten awareness as to what is at stake.

And all that fast track is is a neutral procedure. It doesn't mean that Congress is voting for one agreement nor another. It's not limited, in fact, to any particular agreement but all agreements, because we can't negotiate effectively without fast track authority. All it does is let the President's negotiator lean across the table and say, "You've got a deal. And this is the deal that I'm going to present to my Congress."

And it's not fast, nor is it on any track. So it's very confusing to give information about. It's not new. We've had it since 1974, and since 1934 we've had something like it. And it's not a derogation of congressional constitutional responsibility.

What it is is a nice link in the separation of powers that lets the President's constitutional authority to negotiate with foreign powers work in harmony with the congressional constitutional authority to regulate commerce. And unless we have that, we don't have the opportunity to negotiate good deals.

Ask yourselves, you're selling your house. You put it on the market. And I tell you I want to negotiate for it, and you think it's worth $100,000. If you think that I can reopen the deal after you've shaken hands, you're certainly going to put in a cushion, and I don't know whether that's going to be $10,000 or $20,000. All I know is I didn't get your best offer.

And if I try to negotiate with 107 trading partners to get their best offer, and they all put in their political cushion, then I can't bring home a good deal that I can say to Congress, "This is a good deal and I think you ought to vote for it." So that is the problem with fast track, and Congress is a legitimate part of every negotiation that we have.

1600-1

Let me talk about the two main negotiations that have generated so much friction. One is the Uruguay Round of trade talks, with 107 countries representing 90 percent of world trade, which are talks that are ongoing in Geneva. And, secondly, I'd like to say a word

0069

REMARKS OF AMBASSADOR CARLA HILLS, US TRADE REPRESENTATIVE AT A BRIEFING FOR THE NATIONAL ASSOCIATION OF FARM BROADCASTERS
AC-1-1 page# 2 THE WHITE HOUSE/MONDAY, APRIL 29, 1991

about the North American free trade agreement.

On the Uruguay Round, what we're trying to do is to build out the trading rules. Not with some nations, not in the lead organization, but with all nations. And the problem that we face today is that we have $4 trillion worth of trade and only two-thirds of it is covered by internationally agreed rules. So we're out in the jungle with respect to a trillion and a third dollars worth of international commerce that takes place every year.

And it just happens that there are areas that are of immense importance to the United States, starting with agriculture. And that's why we have so many food fights. And we will continue to have them unless we get a system of rules to govern our agricultural trade. And since it's a premier export for us -- 40 billion [dollars] last year -- it behoves us to get on with the negotiation. And yet we are all sitting on the sidelines waiting for the fast track resolution. And, clearly, agriculture is a beneficiary of getting a good outcome in the Uruguay Round.

In the North American Free Trade Agreement, Mexico is our third largest trading partner, our fastest growing export market, and our fourth largest agricultural buyer. And there's no question that if we can negotiate the trade restrictions that Mexico has on all of our goods, but particularly our agricultural goods, our exports will go up. They brought down their tariff barriers when they joined the GATT in 1986 from 100 percent to, today, they're roughly 20 percent -- 20 percent at the high range, a trade weighted average of 10. And during those four short years, our exports to Mexico went from $12 billion to $28 billion. And yet, their barriers are still 2.5 times as high as ours. So there's no question that if they could come down further, that our exports would go up further and create an enormous export opportunity.

And that's really what our trade policy is all about. We're trying to open markets so that we can expand our exports, our export opportunities. We're out there ferreting out export opportunities globally. And I just say to you that Mexico buys more from us than the much more affluent European Community, on a per capita basis, 10 percent more, $295 for every one of those 85 million consumers. And so it's a market that really is in our national interest to try to work with and to get greater opportunity, and I would say in addition to the tariffs, Mexico still maintains licensing on about 40 percent of our agricultural product. All of that would be on the table in a North American Free Trade Agreement.

So I find it muddleheaded, to be diplomatic -- (laughter) -- that anyone would think of grounding our negotiating team in a year where 88 percent of our growth to our economy comes from exports. And ever since I took this job, more than half of the growth to our economy has come from exports. And you want to sideline your negotiating team? Now, I just don't understand that, but that is what we are debating now on the Hill. Thankfully, we have 51 farm organizations that are behind us, and we need to work with all

0070

REMARKS OF AMBASSADOR CARLA HILLS, US TRADE REPRESENTATIVE AT A BRIEFING FOR THE NATIONAL ASSOCIATION OF FARM BROADCASTERS
AC-1-1 page# 3 THE WHITE HOUSE/MONDAY, APRIL 29, 1991

Americans to be sure that Congress doesn't make a mistake.

I noticed that Dr. Boskin said when he was concluding, the last question, that every single one of our economic downturns has been preceded or aggravated by some kind of a protectionist thrust, like Smoot-Hawley in 1930. It's also true that everyone of our expansions have been preceded or greatly contributed to by a market opening liberalization like the formation of the GATT whereby we cut tariffs by 75 percent over four decades. So that's what we're about, and I'm just delighted to have the opportunity to talk to you, and we'll stop there and take your questions.

1600-3

0071

REMARKS OF AMBASSADOR CARLA HILLS, US TRADE REPRESENTATIVE AT
A BRIEFING FOR THE NATIONAL ASSOCIATION OF FARM BROADCASTERS
AC-1-2-E page# 2 THE WHITE HOUSE/MONDAY, APRIL 29, 1991

Yes?

Q Isn't the Japanese rice thing -- isn't that sort of a stumbling block for this whole thing, for us to negotiate -- (inaudible)?

AMB. HILLS: I've never thought it really a stumbling block because I've never looked to the Japanese to be a leader in helping to move forward a negotiation. They almost always follow; so they're not a problem, but they don't lead.

I think that the key here is to get the European Community to talk in terms of -- in the case of rice, better opening for markets, that is to bring down the barriers that block market access, because Europe is a fortress on the agricultural side of the equation. And if they do that, then I think all nations, Korea and Japan together, will follow suit, and that will get the whole negotiation going. Because if they don't do it, I can assure you you will not get the Latin American delegation, nor the 14 members of the Cairns Group, back to the negotiating table. And then the Uruguay Round will fail.

It was mentioned earlier that the Uruguay Round failed. The Uruguay Round has not failed; the Brussels ministerial failed. And -- but the Uruguay Round will fail unless we can deal with agriculture, without a question.

1600-4

0072

THE WHITE HOUSE

Office of the Press Secretary

For Immediate Release April 29, 1991

REMARKS BY THE PRESIDENT
TO FARM BROADCASTERS

The Roosevelt Room

2:35 P.M. EDT

THE PRESIDENT: Sit down, please, and welcome, welcome. Let me just make a couple of comments and then try, with the assistance of our able Secretary of Agriculture, my friend and yours, too, Ed Madigan, to respond to your questions.

But in the first place, I'm delighted that Ed is here. I was very high on Clayton Yeutter -- moved over to a new and very difficult and very different assignment. Ed stepped into the breach. He's doing a fantastic job for our country. And I understand that he's rapidly making believers out of those in ag business that didn't know him. Those that did I think already were believers, as I have been.

But anyway, we are the most agriculturally productive nation the world has ever known. And I want to be sure that we continue to be that. I'm still convinced that we can compete with anybody, provided we remove some of the barriers to trade. And that's one of the reasons that the Secretary and I are as committed to the successful conclusion of the Gatt Round; also why I believe that a Mexico free trade agreement would be in our own best interests.

As a matter of fact, we've got a new one with Canada. It's been in effect for two years, and agricultural exports have gone up by 35 percent. So those that want to criticize ought to take a look at the reality, and I think then they'd understand why we are committed -- because we think it's good for American agriculture as well as good for -- I think it's good for jobs, too. Just across the labor frontier there.

There are three important trade agreements. You're all familiar with them. The Uruguay Round -- the GATT talks -- the trade component of our Enterprise for the Americas Initiative, which is, I think, a bold, new program that must succeed in terms of helping these democracies -- fledgling democracies, many of them, in South America, and thus building new markets for our own goods. But in any event, that's the second one. And then the third one, of course, is the North American Free Trade Agreement that I mentioned earlier that features -- in this instance, features Mexico.

Now, there are some questions about whether this would be of benefit -- these would be of benefit to the American farmers. Let me just give you a couple -- click off a couple of little numbers here. Free trade in North America would give our farmers a freely accessible market of 365 million people with a GNP of $6 trillion. And that's a market that's larger than the European Community. And likewise, the negotiation of a successful GATT agreement would decrease the trade barriers worldwide, offering potentially unlimited export opportunities.

We're not there yet. We've had some difficulties getting our friends in Europe -- and they are friends -- to understand this. But the Secretary and I and our USTR Ambassador Carla Hill and the Secretary of the Treasury and the Secretary of Commerce -- all of us are working on this important agreement. But we think that it would

MORE

1600-5

0073

be a boon to American agriculture when we're successful.

The success, obviously, hinges on what you know and I know as Fast-Track negotiating authority. It is simply not right to -- you can't negotiate an agreement if the people you're negotiating with think that it will be amended in many, many ways. The Congress will, though -- there's a misunderstanding because some think that when we ask for Fast-Track that we're asking Congress to yield their right to vote on it. And that simply isn't -- I found that hard to believe, but I think there's been some confusion on that.

We are going to -- they obviously would vote up and down. And if they didn't like it, they'd vote it down. If they liked it, they'd vote for it. But you can't have 25,000 amendments to an agreement and expect your trading partners to negotiate seriously.

So the Congress -- and I'm very respectful of Congress's role in this. They have a constitutional role on international trade and some forget that. So we're sensitive to that role. We've had extensive consultations. I don't believe I've seen an initiative that's had more consultation with Congress than this one. And I think we're going to be all right on it, but we're going to continue to work very hard to get Fast-Track approval.

New applications for agricultural products, like the alternative fuels, fuels blended with ethanol and biodegradable plastics, and some not so modern uses like food and clothing provide farmers with exciting opportunities. I understand that there's some differences in the ag community. I was just talking to the Secretary about this. But generally speaking, we're committed to alternative fuels. And I believe that we're -- I believe that the Clean Air Act alone is going to create tremendous opportunities for alternative fuel. So I haven't lost my enthusiasm for this at all.

The Fast-Track assures our trading partners that we will go through with our agreement. We will vote on what they and we negotiate, and I mentioned that point earlier. New applications for agricultural products is important. And we're talking about some fuels blended with ethanol and biodegradable plastics. And all of these kinds of things I think have a brilliant future for agriculture. It's been a little slower than I had hoped, frankly, but I think there's a big market and big future out there.

And so I would say to farmers, do not despair because you haven't yet reached the full benefit from -- the full potential of these new markets for your products.

I'm going to be asking Agriculture over and over again for support on this Fast-Track extension, and I think that the bottom line is, they will enjoy more export opportunity if we're successful here. And I think it will be a boon for the rural economy as well as -- well, obviously it would if we continue to sell more abroad. So these were just a couple of the points, and now I'd be glad to respond to some questions.

Q Mr. President, on behalf of NAFB, we appreciate this time on your schedule. As president of the organization here in 1991 I'd like to defer the first question to the elder statesman of our group from Des Moines, Iowa, a gentleman who was our second president in 1946, Herb Plambeck.

THE PRESIDENT: Is that right? Herb, you didn't tell me all that. Thank you, Ron, and I'm just delighted you are here, really.

Q Mr. President, I'm sure I speak for everyone here in our group when I voice the pride and the gratitude we have toward you for the way the Persian Gulf crisis was handled and the humanitarian efforts that have been made since then.

There are, however, a few questions remaining. One relates to Iraq, having been one of our good customers for our farm

MORE

1600-6

0074

products. Is any thought being given already toward the restoration of this trade?

THE PRESIDENT: The restoration of food support for Iraq is underway, the United Nations having taken some steps. We are not going to let people starve. But in terms of building reliable markets and in terms of trying to have normalized trade, the United States will not have normalized trade as long as Saddam Hussein is in power.

Food is an exception now, because we're not going to let people starve. We are going to go forward with helping people in Iraq without regard to what sect they're from or anything of that nature. But I don't want to mislead any farmer in this country. We will not have normalized trade with Iraq as long as Saddam Hussein is in office. And they're now trying to appeal to get some relief on the oil. There's not going to be any relief as far as the United States goes until they move forward on a lot of fronts, incidentally. I mean, what's happened to these Kurds is absolutely -- it's so sad you're just moved.

Frankly -- and Herb, I'm glad you mentioned it -- we have responded. We responded from day one, and now we're responding to enormous -- hundreds of millions of dollars relief. That's what we do. We're Americans. We do that to help people. But we're not going to have normalized relations with this man.

Q Mr. President, have you made a decision on granting the Soviet Union more credit?

THE PRESIDENT: No, and we're thinking about that. The legislation -- I've talked to Ed about this, and the legislation is fairly specific in terms of creditworthiness. Shake me off if I'm wrong here, Ed, but I think that's correct. Regrettably, the Soviet Union has not entered into the market reforms that I think Gorbachev aspires to, and that I know that the President of the Republic, Mr. Yeltsin, aspires to. So they've got to move forward to be creditworthy if we're going to do this.

Now, there may be -- and we're thinking about this -- there may be some way to extend credits. And I'll tell you another problem is, we want to be sure how it's distributed, that no area is precluded from getting this kind of -- being the beneficiaries of this kind of credit. So it's up in the air right now. I don't want to say that I won't go forward with this. I think in some areas it would be very helpful to us, to our grain growers.

I'm not immune to the fact that they've been hurting, so I'd like to be helpful. But I've got to abide by the law. And if we can find ways to encourage forward movement on these credits or find ways to make it creditworthy any other way, so much -- market reform is a good way to do it. There are other ways that perhaps they could make the credit more secure.

Q Sir, I'd like to get back to Fast-Track. Only one of the major farm organizations -- and they're a glaring example -- everybody else is in favor of the Fast-Track -- what's the hangup? What's the problem? What do you see?

THE PRESIDENT: Problem with who? With that one guy that's out of step, or the other 51? (Laughter.) I'm for the 51 farm organizations that are for it. Fifty-one are.

Q Don't you feel it will pass?

THE PRESIDENT: Well, I hope so, but we're not going to act like it's done yet. We are killing ourselves trying to get this done, and we are going to continue to work with the Democrats in the Congress -- Republicans. Incidentally, we're approaching this in a nonpartisan manner. We've got some Republicans that I still have to convince, and plenty of Democrats. And then we've got plenty of Democrats that are for us and plenty of Republicans. And Ed's not

MORE

1600-7

0075

approaching it in a partisan manner.

But in terms of the farm organizations, thank heavens most of them are seeing that it will benefit the agricultural economy in this country. I really believe it will. But we're just going to keep pursuing it because I don't want to say it's in the bag. It isn't yet. We're counting votes, but we've got a ways to go before I can say to the American farmer, look, we're going to win this one, and you're going to be the beneficiaries thereof.

Q Mr. President, how successful, or what would it mean not only to the U.S. as a whole, but for the U.S. farmer for a successful GATT agreement? And how important is Fast-Track to that?

THE PRESIDENT: It's very important to a successful conclusion to the GATT Round. Without it, without Fast-Track, I think it would be almost impossible to hammer out an agreement that would pass muster with the many countries that have to be in accord. And so it's do or die, in a sense, that this Fast-Track -- some have wanted to try to split them off -- split off Mexican -- the North American free trade from Fast-Track and relating to Europe -- to GATT, I mean. And I don't want that. I don't want to see a policy that discriminates against a neighbor of ours. And so, we're going to go forward. And I -- again back to Bill's question -- I think we can do it, but we're not there yet.

Q One of the problems it seems like that Congress and some agricultural interests need assurances on is the pesticide regulation issue. What kind of assurances can you provide that we can get Mexico to conform to our strict pesticide regulations here?

THE PRESIDENT: Well, there's a lot of discussion going on with them. It has to do with the other environmental concerns, too. I believe that Mexico, and I'd have to -- the technical way we're doing this I'd have to defer -- even maybe Ed could answer it, but I'd have to defer to Carla. I'm not sure. I have discussed at length the environmental concerns here with the President of Mexico. And all I can tell you is that he has moved forward. He's already shut down or is in the process of shutting down the highest polluting refinery in Mexico. It's the PEMEX Refinery. He is well aware of the environmental concerns in this country, and he shares them as far as Mexico.

I'll give you an example. When I first met -- maybe not the first meeting, but early-on meeting with President Salinas, who's a good man -- and he started telling me about the children in the Mexican schools. They paint the sky at night with no stars. Imagine that. A school child painting the sky gray. He said, "My ambition is to have the children paint the night with the stars and the moon so they can see it." And I am convinced that he is going to do what is reasonable and what he should do to protect his environment, just as we're trying hard to do it on ours.

So in terms of this, I'm embarrassed to say I can't give you the technical language as to what we might be doing right now on agricultural pesticide use, pesticide use in agriculture, but I am confident that the -- and incidentally, the senators tell me that they are confident that the environmental questions can be readily answered.

Ed, do you want to add anything?

SECRETARY MADIGAN: You covered it very well.

[illegible]: I mean it's more general than you wanted, [illegible]

[illegible] fuels,

0076

THE PRESIDENT: Getting away from this much reliance on foreign oil has been there for a long, long time. It's more clear today because of the Gulf. We must learn. And one of the things that we are trying to do with our whole new national energy program, is to become less dependent on foreign oil. Now, one way to do that is through alternative fuels.

We also, I want to say and I hope I don't sound defensive, do have some pretty good ideas in terms of conservation. And we're accused of not having any conservation ideas or conservation program -- and we want it. But I also don't want this country to be shoved into a no-growth mode. I mean, we've got -- there's a lot of young people that need economic opportunity in this country; a lot of farmers that can sell more if the market increases for their products. And so we are -- but you put your finger on something I feel strongly about, and that is that we must, from our national security standpoint, become less dependent on foreign oil. And alternative fuels is one good way to do it.

I happen to think another way to do it is to expand our exploration domestically. And you run into conflict with special interests groups on that, but I am convinced that that is in our national security interests, too.

Q Mr. President, any decision on federal assistance for the tornado victims?

THE PRESIDENT: I'm glad you asked about that one because one of the reasons I kept you all waiting a little bit is I just signed the disaster assistance for Kansas, and I expect, as the other requests come in, they will be processed that rapidly. I mentioned yesterday coming out of church that our hearts really go out to the victims. Bob Dole was out there the night before last in Kansas, and he called me up, I think it was Friday night -- or Saturday night I guess he got back -- and said he really had never seen anything like this. And, of course, it was widely covered on the television.

And I said, Bob, what more do we need to be doing? He said, well, the FEMA emergency people are there now, and then, of course, then in came the formal request, and I'm happy to say that we did sign that right now, and we'll do what's necessary for other states.

Q Mr. President, what about most-favored-nation status for China?

THE PRESIDENT: Well, Mike, it's a difficult one. What I have tried to do with China is to make clear our concern about human rights abuses, stemming out of -- highlighted particularly by Tiananmen Square, but recognize that cutting off all contacts or trying to drive them to their knees economically is not the way to effect change. And I go back to when we opened relations with China. And, yes, there's some abuses there that no American can be tolerant of. But there's a lot of changes in China that have taken place that are beneficial.

And I would point to the fact that our policy of at least trying to keep some reasoned relation with China paid off in spades on the recent war, because we needed -- I felt we needed -- the international sanction that those United Nations gave the effort. And if we'd have had enmity with China it is very clear in my mind that they might -- I can't say would have, but they might well have vetoed the resolutions. And we operated with an international sanction, an international approval that gave the whole operation worldwide credibility.

So I think it's important that we have reasonable relations with China. I think it's important we have trade relations with China. But on the other hand, China sometimes doesn't see eye-to-eye with us on some of the fundamental human rights questions that concern me as President and concern all Americans.

MORE

1800-9

0077

So that's a long way of saying I don't know exactly what we're going to do on the MFN to China. We fought for it last year. We have protected the students in this country, Chinese students; will continue to do that. But I'm one who believes that if we can keep contact and keep showing them our way, showing them how good our product is, that that's a better way than breaking off relations.

There's a billion -- what -- 1.1 billion people in China. And give them their due, they're feeding a 1.1 billion people. I wish our trade balance with China was better. It's gone more in their favor. But again, we can't legislate that. But I think I understand China. I note the importance of China. I respect the sovereignty of China. I've said over and over again, I wish that -- I have not certainly approved, indeed, have condemned some of the human rights abuses.

So we've got to work with this big country. And it is in our interest so to do. Whether that will lead to MFN renewal, that question will be decided very soon. And I, myself, must decide what role the administration will take, because we had a battle on it before, as you know.

THE PRESIDENT: Two more. There are two persistent hands up, and then we'll go. Yes?

Q Your reaction to the instability shown last week, of Gorbachev resigning, and then the Communist Committee not taking it. What would him stepping down mean to U.S. agriculture?

THE PRESIDENT: Well, I think it would mean uncertainty inside the Soviet Union. And there's a lot of question as to something -- if something -- if Mr. Gorbachev stepped down, which way the Soviet Union would go. I like to feel that the changes manifested by the lightening up in Eastern Europe and by much more openness -- Glasnost inside, is irreversible. I like to believe that. But that is an internal matter of the Soviet Union. I have elected to stay in close touch with Mr. Gorbachev. He is the man there right now. We meet with opposition leaders from time to time at various levels, including mine, with the Baltic leaders. We have differences with them in terms of, well, treatment of the Republics, for example, right now.

But what happened last week I think in sense was quite reassuring, because there were some widespread speculation that Mr. Gorbachev was in trouble, even with the party. And I think that showed that that was not the case.

But, again, there's a lot of turmoil there. And there's a lot of economic difficulty in the Soviet Union today. And we don't take joy in that at all. We don't take joy in their problems. They've moved considerably since -- on a lot of things. And, again, going back to the war, the answer I gave you on China is very valid in terms of the Soviet Union. They approved every resolution. They stayed with us, even when Gorbachev -- you remember just before the ground war started -- was talking about, well, please hold off. But I didn't take that at as a disapproval of what we were trying to do. Indeed, when we said, okay, it's Saturday, Mr. Saddam Hussein, or you've got problems -- the Soviets, having tried their approach, were supportive.

And so again, we want to keep good relations, but they have enormous -- just enormous -- problems, and we take no joy in that at all. I'd like to find ways to be helpful. But when it comes to these credits, we cannot -- we are bound by our laws. And I think that protects the American taxpayers; that there has to be a certain creditworthiness. So it's a tough one right now for them, but let's hope that this democratic process will keep going and keep evolving until we have just pluperfectly good relations with them. We don't right -- I mean, we've got good relations, but they've got such enormous problems that their full potential is unrealized.

MORE

1600-10

0078

You talk about energy -- somebody asked me the energy question -- the potential is enormous. But they've got to move forward with more than rhetoric. They've got to go with these market reforms.

Q Mr. President, there's been a lot of talk about tariffication. One of those places where it has happened -- Japan has removed quotas and put on tariffs on beef. Could you relate to that, please?

THE PRESIDENT: What was the word?

Q Tariffication -- putting tariffs on instead of quotas in trade negotiations. That's been one of the goals.

THE PRESIDENT: I don't think just substituting one barrier for another, if that's what the question is, is a good way to do it. We're trying to get open markets. It is my fundamental belief that the American farmer can compete with anybody provided we're talking total freedom of trade. We're not there yet. We're not there yet in terms of trade with a lot of countries -- put it that way. But if the substitution is being substituted to throw up a barrier under a different name, I don't think we should be very enthusiastic about that approach.

Maybe I'm missing your question, but --

Q The question is, as opposed to just a strict quota, put on a tariff -- and that's been one of the things that have been talked about in trade negotiations, that has happened and apparently, beef exports to Japan have increased.

THE PRESIDENT: Can I refer to my economic expert to answer that which I do not know? (Laughter.)

Mike? This is Dr. Mike Boskin here.

CHAIRMAN BOSKIN: We have been generally in favor of substituting tariffs for quotas in the context of reducing the tariffs -- reducing the tariffs in a variety of ways. So I think the President's quite right -- you don't want to just substitute one form of barrier for another. That won't help us. That won't help our exporters. But it's being done, and the discussions of it will continue -- discussion of it in the Uruguay Round and elsewhere is a process of getting the tariffs removed. So you start by getting rid of the quotas and putting on a tariff with a schedule for the tariff to decline.

THE PRESIDENT: That's what I wanted to say, but I was just kind of hung up on it. Thank you all very much. (Applause.)

Q I just wanted to say thank you and we appreciate your access to talk about agriculture for a few moments.

THE PRESIDENT: Thank you all very much.

END 3:02 P.M. EDT

1600-11
(END)

0079

UR/농산물 협상 관련 Bush 대통령 및 Hills 무역대표 언급 요지

1991. 5. 3.
통상기구과

1. 브리핑 일자

   o 1991. 4.29.(월)

2. 브리핑 대상단체

   o 전국 농업방송 종사자 단체(National Association of Farm Broadcasters)

3. 질의에 대한 답변요지

   가. Bush 대통령 답변요지

   o Fast-track 연장 문제

   - 미.멕시코 자유무역 협정과 UR을 분리하여 Fast-track 시한 연장 문제를 논의하려는 일부 움직임에 반대함

   o 관세화(tariffication)문제

   - 관세화를 통한 또 다른 시장 장벽 구축은 반대함

   나. Hills 무역대표 답변요지

   o 일본의 쌀시장 개방 문제

   - 일본은 UR에서 주도적 역할을 수행하지 않고 항상 따라만 오고 있기 때문에 쌀시장 개방 문제에 대한 일본 입장이 UR/농산물 협상 타결에 장애 요인은 아님

   - EC만 시장개방 확대의 관점에서 협상에 임할 경우 모든 국가, 특히 한국과 일본은 이를 따를 것임

   - 그렇지 않을 경우 중남미 국가가 포함된 케언즈그룹은 협상에 복귀하지 않게 되어 UR은 실패함 끝.

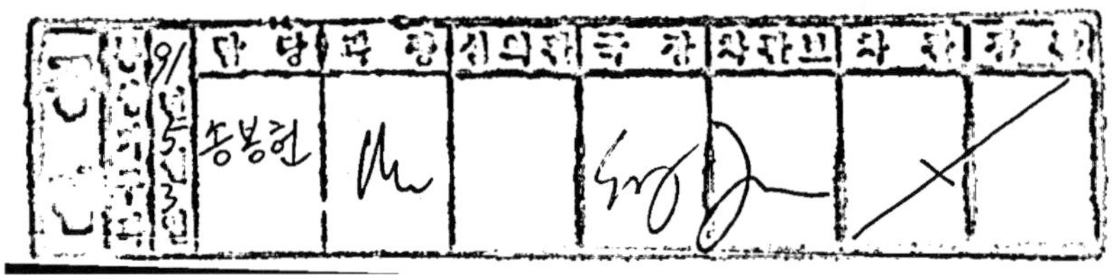

0080

	분류번호	보존기간

발 신 전 보

WUS-4859　　911025 1808　ED

번　　호 :　　　　　　　　　　　　종별 :　WGV -1475

수　　신 : 주　미, 제네바　대사. 총영사

발　　신 : 장　관 (통 기)

제　　목 : 쌀문제 관련 기사송부

10.25(금) 중앙일보에 게재된 쌀문제 관련 기사를 별첨(FAX) 송부하니 참고바람.

끝.　　　　　(통상국장 김 용 규)

첨부 : 동기사

보 안 통 제	

앙 고 재	91년 10월 25일	통상기구과	기안자 성명		과 장	심의관	국 장		차 관	장 관
			송봉헌				전결			

외신과통제

0081

〈91.10.25(금) 중앙일보 5면〉

中央칼럼

退路없는

崔喆周

정부의 각종 자문기관중 가장 기피대상이되는 자리가 추곡매입가및 매입량을 결정, 건의하는 양곡유통위원회 일것이다. 주변에서 어찌나 말이 많은지 아예 전화받기조차 거절하며 위원직을 固辭한 관계전문가들이 꽤나 있다.

나라 전체 살림살이를 생각해가며 한자리수 이내 추곡가 인상률을 논의하면 농민단체들로부터 사정없는 비판이 몰릴 것이고, 농민소득보장 차원을 강조하면 세상물정 모르고 인기에만 영합한다는 관변의 따가운 눈총이 쏟아지게 뻔해서다. 작년까지 이 위원회에서 일을 해왔던 어떤 교수는 『추곡수매정책 개선을 위해 이번에는 내가 바른 소리좀 하겠다』고 했다가 새삼 「분위기」를 거스르기 어려움을 깨달은 탓인지 원고청탁마저 끝내 받아들이지 않았다.

농촌경제 본질외면

그런저런 이유로 추곡수매 정책논의는 더욱 움츠러들고 있다. 농촌경제를 어떻게 밝혀 나갈 것인가 하는 본질적인 문제는 아직 껍질도 벗기지 못하고 있다.

농촌경제는 現정권이 안고 있는 가장 골치아픈 문제다. 고추파동·水稅파동으로 이미 홍역도 치렀다. 무값이 폭락하면 밭을 뒤엎는등 농민들의 對정부 의사표시는 더욱 적극적이다. 25일 전국 일부 지역에서 나타난 농민단체들의 秋收파업은 총선을 앞둔 6共의 입장을 매우 난처하게 만들고 있다.

우리들의 강한 저항에 아랑곳없이 쌀수입개방은 어쩔수 없는 세계의 흐름처럼 보인다. 국제적으로 가장 비싼 쌀을 먹고 있는데도 농가소득을 지원하는 돈보다 이자 지급이 더 많은 양곡관리 기금의 누적적자는 눈덩이처럼 커지고 있다. 쌀소비는 줄어드는데 추곡수매 요구량은 늘어나고 보관창고는 在庫米가 넘쳐흐른다.

거기에다 추곡수매 국회동의는 政爭의 대상이 되고 있다. 與野어느쪽도 농촌선거구의 표를 잃지 않을 심사로 政府案을 흥정하려든다. 이렇게해서 우리는 오로지 자기입장만을 따지는 나머지 누가 이익을 보고 누가 손해를 보는지 모르게 돼있다.

수매가는 매년 올라도 시장가격은 큰 변동이 없고 소비는 꺾이고 있다. 86년産 통일米 한가마(80kg)에 2만원씩 바겐세일을 해도 팔리지 않는다. 이 쌀로 술을 빚고 과자를 만들어도 먹지 않는다. 혹시나 해서 가축사료용으로 쓰면 어떻겠느냐는 아이디어를 냈다가 여론의 공격을 받았던 몇몇 관리들은 두번 다시 입도 뻥긋하지 못한다. 차라리 쌀이 썩어 쓰레기로 땅에 묻을 때까지 내버려두는 것이 신상에 가장 안전한 해결책이라고들 한다.

쌀보다는 햄버거나 프라이드 치킨을, 숭늉보다는 콜라를 먹고 마시는 소비생활 패턴의 변화를 보면서도 우리는 선뜻 전환기적 대응에 나서지 못하고 있다. 뿐만아니라 오직 한목소리만을 인정하려 하고 있다.

0082

「쌀」논의

생산자인 농민단체들이 일반벼의 수매가를 15~25%까지 인상을 요구하고 있는데 대해 도시 소비자단체들은 여전히 침묵을 지키고 있다. 소비자들의 목소리는 어디로 갔는가. 언제쯤 「구색」을 갖출수 있는가.

전환기적 대응 미흡

수매가를 인상하면 농민소득이 늘어나지만 인플레 위협도 받는다. 반대로 값을 인하하면 쌀 소비감소세가 둔화되어 결국 농민에게 이익이 된다는 분석결과에도 유의할 필요가 있었다.

추곡수매의 국회동의제는 與小野大 체제의 산물이어서라기 보다는 나라 재정을 무시한 선심책으로 이용되고 있다는 일부지적을 받아들여 적절한 시기에 정치권 스스로 개선책을 마련할 계기가 있어야할 것이다.

국내 쌀시장 개방이란 현재 상황에서는 상상할수 없는 일이다. 그렇다고해서 국제적 흐름에 관한 논의조차 봉쇄하는 것은 부끄러운 일이다. 지난 봄 駐제네바 대사가 세계 경제환경에서 볼때 장차 한국 쌀시장 개방은 불가피한 것으로 보인다는 견해를 말한 것에 대해 여론은 매우 공격적이었다. 그의 의견을 비판하면서도 다른 한편으로 수용가능성을 검토하는 여유를 갖지못했다.

우리는 만일의 쌀시장 개방에 대한 적절한 논의를 통해 대응책을 이미 검토했어야 한다. 국회가 또는 농민단체들이 『쌀시장 개방 절대 반대』라고 결의한 것 만으로는 공허할 뿐이다.

자율화·개방화시대에는 일사불란한 單線的 思考가 매우 위험하다. 달리다가 退路가 없으면 낭떠러지에 떨어지든지 自滅하는수밖에 없다. 주변환경변화에 따라 행선지가 달라지면 선로도 바꿔 달려야 하는 것처럼 정책을 추진하는 사람들의 견해도 다양해야 새로운 진로를 모색하는데 도움이 된다.

정책 논의 活力필요

그런 분위기가 만들어지지 않는다면 어느 누구도 거북스러운 이야기를 꺼내지 않는다.

정부는 지금까지 농어가 부채경감대책으로 1조원을 풀었으나 私債는 오히려 늘어난 현실을 놓고 도대체 국민의 세금을 어떻게 써야 할것인지에 대해서도 공개적인 논의를 시작해야 할것이다.

자유로운 토론이 이루어지지 않으면 겉으로만 농민을 생각하는것처럼 행동하는 정치우선자를 가려낼수 없다. 實名制실시의 당위성만이 강조됐던 시절 뒤에서는 이제도의 실시를 극력반대했던 여당인사도 있었고, 그에 못지않게 반대한 야당 정치인도 더 많았던 위선적 행태를 우리는 알고있다.

<經濟部長>

0083

쌀수입 개방시 예상되는 피해

1991.10.26.
통상기구과

1. 관세화(TE만 인정) 수용시 예상 피해(91.1. 농경연 분석 결과 요약)

가. 직접 영향 (농업 소득 감소)

o 전 제

- 10년동안 TE 감축

- 생산량, 가격 기준 : '86-'88 평균치

o 분석 결과

(단위 : 억원)

	1차 년도	5차 년도	10차 년도
TE 30% 감축시 소득 감소	1,250	6,190	12,160
TE 50% 감축시 소득 감소	2,089	10,200	19,680
TE 75% 감축시 소득 감소	3,120	15,000	28,160

o 참고사항

- TE 30% 감축시 10차년도 쌀에 대한 예상 피해액은 농산물 전체 예상 피해액의 약 53%에 달함.

나. 간접 영향

o 전 제

- 10년동안 TE 감축

- 생산량, 가격기준 : '86-'88 평균치

o 생산량 감소, 식부 면적 감소로 인한 자원 유휴화 및 이로 인한 피해(농촌인구의 도시 유입 가속화등 포함) 초래

0084

o 분석 결과

		1차 년도	5차 년도	10차 년도
TE 30% 감축시	생산량 감소 (단위:천톤)	38	193	404
	농가수 감소 (단위:천호)	11	55	116
	식부면적 감소 (단위:천ha)	9	43	89
TE 50% 감축시	생산량 감소 (단위:천톤)	63	331	724
	농가수 감소 (단위:천호)	18	95	207
	식부면적 감소 (단위:천ha)	14	73	160
TE 75% 감축시	생산량 감소 (단위:천톤)	94	518	1,218
	농가수 감소 (단위:천호)	27	148	348
	식부면적 감소 (단위:천ha)	21	115	269

2. 관세화 대신 최소 시장접근만 허용시 예상 피해

o 전 제

- 국내 쌀소비의 5%만 개방하고 잔여 95%는 수입제한 계속

o 예상 피해

- 5%에 해당되는 약 200만석(약 25만톤, 수입액 기준 약 9천만불)의 생산감소로 인한 직.간접 영향

. 소득 감소, 생산량 감소, 식부면적 감소, 농가수 감소등

- 상세 분석자료는 상급 부재. 끝.

0085

미국의 쌀에 대한 보조금 지급 현황

1. 개 요

o 생산업자, 수출업자에 대한 차액보상(deficiency payment)을 근간으로 운용

2. 지급 현황 (추계)

o 87년

- 생산업자 : 약 5억불
- 수출업자 : 약 4억불

o 88년

- 생산업자 : 약5억 4천만불
- 수출업자 : 약 1억불

3. 참고사항 (아국의 추곡수매제도 철폐시 쌀값에 미치는 영향)

o 수확기(10-1월)에는 큰폭 하락, 단경기(5-8월)에는 큰폭 상승이 예상되나 구체적 연구 결과는 상금 부재

o 정부 수매가 거의 없었던 57년의 경우 약 60%의 진폭이 발생. 끝.

0086

'쌀' 수출입 관련 국내법 규정

1. 양곡관리법

o 제11조 (양곡의 수출.입)

농림수산부장관은 양곡 수급조절상 필요하다고 인정할 때에는 양곡을 수입 또는 수출할 수 있다.

o 제12조 (양곡의 수출.입허가)

①양곡의 수입 또는 수출을 하고자 하는 자는 정부의 허가를 받아야 한다.

②제1항의 허가에 관하여 필요한 사항은 대통령령으로 정한다.

o 제13조 (수입양곡의 조절)

농림수산부장관은 양곡의 수급 또는 가격조절상 필요하다고 인정할 때에는 수입양곡의 판매가격, 매도의 방법.시기 및 수량 기타 필요한 사항을 명할 수 있다.

2. 양곡관리법 시행령

o 제12조 (수출입의 허가 추천등)

①법 제12조의 규정에 의하여 대외무역법에 의한 양곡 수출.입의 허가를 받고자 하는 자는 농림수산부장관의 추천을 받아야 한다.

②주무부장관이 외국 원조기관 또는 외국의 민간원조단체가 제공하는 양곡(이하 "원조양곡"이라 한다)의 도입을 인정하고자 할 때에는 미리 농림수산부장관과 협의하여야 한다.

③제1항의 규정에 의하여 상공부장관이 양곡 수출입을 허가한 때와 제2항의 규정에 의하여 주무부장관이 원조양곡의 도입을 인정한 때에는 지체없이 이를 농림수산부장관에게 통보하여야 한다.

④제1항과 제2항에 규정된 경우 이외에 양곡을 국외로 반출하거나 국내로 반입하고자 하는 자는 농림수산부장관의 허가를 받아야 한다.

0087

⑤농림수산부장관은 양곡수급 계획의 범위안에서 필요하다고 인정하는 경우에는 따로 지정하는 비영리법인으로 하여금 기간과 수량을 정하여 제1항의 규정에 의한 양곡수출입의 추천을 하게 할 수 있다.

⑥농림수산부장관은 제5항의 규정에 의하여 양곡수출입 추천업무를 행하는 자에 대하여 그 업무에 관한 보고를 하게 할 수 있다. 끝.

0088

관리번호	91-735

원 본

외 무 부

종 별 : 지 급

번 호 : GVW-2180 일 시 : 91 1029 2000

수 신 : 장 관(통기,경기원,농림수산부,청와대 외교안보,경제수석,

발 신 : 주 제네바 대사 총리실행조실장 사본:주미,주이씨대사(중계필)

제 목 : UR 관련 연합 통신기사

일반문서로 재분류 (1991 . 12 . 31 .)

1. 본직은 EC 공관장회의 참석(26 일 회의 참석) 기회에 주 브랏셀 연통 이종호 특파원(정의용 공사를 경유 부탁)이 UR 에 관한 인터뷰를 요청하였으므로 27(일) 최근 국회사절단의 던켈 총장 면담 및 관계국가들에 대한 아국 입장 관철 노력 등을 설명해 주기 위하여 약 20-30 분간 HOTEL 로비에서 회동했는바 동 기회에 동 기회에 본직이 강조한 점은 아래와 같음.

가. 아국 쌀시장 개방 불가 입장을 관철시키기 위하여 현재 당관의 외교 역량을 총 집중하고 있는바 최근 제네바를 방문한바 있는 농협 사절단 , 국회사절단등이 던켈 총장 기타 주요국 대표들과 만나 아국의 심각한 입장과 사정을 잘 설명하여 그들은 한국 쌀시장 문제의 심각성을 이해하고 있음.

나. 현재 관세화 원칙에 반대하는 나라가 많지 않는 것은 사실이나 무역국으로서 세계적으로 비중이 큰 한국과 일본이 예외없는 원칙 설정에 강력하게 반대하는 만큼 그러한 입장은 결코 무시될수 없을 것임.

다. ~~동인이~~ 쌀 시장 개방 불가 입장이 사실상 관철되기 어렵지 않겠느냐고 문의~~하였으므로~~ ~~본직은~~ 특히 다른 분야에서 양보하는 한이 있더라도 쌀 시장 개방은 불가능하므로 현재 대표부로서는 전역량을 동원하여 끝까지 최대의 노력을 다할 결심임. ~~임을 강조함.~~

2. 한편 본직은 28 일자 연통의 본직 회견 관계 영문 기사 내용이 극히 왜곡되었을 뿐만 아니라 회견 내용과 정반대의 방향에서 본직이 마치 쌀시장 개방이 "불가피"하다고 한 것처럼 인용되고 협상 결과가 "비관적"인 것처럼 보도되어제네바에서의 아국의 협상 지위를 약화 시키는 결과를 가져올 가능성 마저 있다는 점을 지적 동기자에게 깊은 유감을 표시하고 오보 기사의 즉각적인 시정을 요청했던바 동인의 언급 요지는 아래와 같음.

통상국	장관	차관	1차보	2차보	경제국	외정실	분석관	청와대
청와대	총리실	안기부	경기원	농수부	중계			

PAGE 1 91.10.30 05:56

외신 2과 통제관 BS

0089

가. 자기도 연통이 자신의 한국어 기사의 영문 번역에서 본직이 하지도 않은 말인 "INEVITABLE" "PESSIMISTIC" "UNAVOIDABLE"등을 사용한데 대하여 당황스러움을 감추지못하며, 이미 연통본사에 시정을 요청한바 있다고 말하고 와전된 기사내용에 사과를 함.

나. 정확한 기사 내용을 재작성하여 연통본사에 즉각 보내겠으며, 인용은 분명히 잘못되었는바 한국의 기사 작성 관계에서 인용의 경우에도 발언 그대로 인용치 않고 전체 문맥에서 기자가 다소 주관적으로 인용하는 경우가 있다고 전제하고 자기의 잘못된 인용으로 문제를 야기하게 된데 심심한 사과를 함.

3. 동인이 당시 인터뷰한 기록을 근거로 사실 그대로를 재작성(10.29 자), 연통 본사에 송고한 원고 내용은 아래와 같으니 참고 바람.

첨부: 상기 재작성 원고 사본 1 부 (FAX 편 송부)

(GVW(F)-459)

(대사 박수길-차관)

예고 91.12.31. 까지

0090

GVW(카)-457 1102 P18 ∞
"편집"

※ 차대사 인터뷰기사 재작성 유

①

(브뤼셀=聯合) 李 [illegible] 특파원 =

「제네바 [illegible] 공관원들은 물론 농협대표단, 국회사절단 등 본국 협상단의 (의 노력) 지원사격으로 우리의 쌀개방 절대불가 입장이 상당한 설득력을 갖기 시작했습니다」

※ 임박한 우루과이라운드(UR) 협상 대비책과 유럽경제지역(EEA) 창설에 따른 우리 기업들의 수출진흥 방안을 논의하기 위해 소집된 제2차 유럽공동체(EC) 공관장회의 참석차 브뤼셀에 온 차 [illegible] 駐제네바 대표부대사(55)는 27일 연합통신 기자와 만난 자리에서 UR협상이 막바지에 이른 제네바는 치열한 전쟁터를 방불케 한다고 현지 분위기를 전했다.

「매일 열리는 7개 협상분야의 회의 참석자들을 비롯, 수십-수백명의 외교관과 로비스트들이 관세무역일반협정(GATT) 사무국과 주요국 공관을 넘나들며 자국 이익의 보호를 위해 동분서주하고 있습니다」

차대사는 (아르투르 둔켈 GATT 사무총장이 제시한) 「예외 없는 관세화」 방침 때문에 우리나라를 비롯, 쌀시장 개방 불가를 주장하는 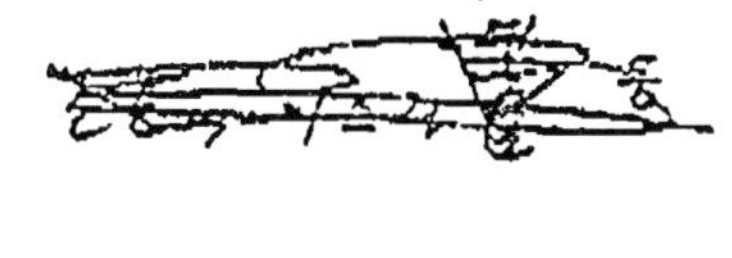 (일본, 이스라엘 등) 나라들이 수적으로 열세에 몰린 것은 사실이나 이들

0091

국가의 입장을 무시한 채 협상이 종결되지는 않을 것이라고 강조했다.

「일본같은 경제대국이나 우리나라같은 세계 13위의 주요 무역국 입장을 외면한 채 일방적으로 밀어붙인다는 것은 사실상 매우 어렵습니다. 게다가 최근 연이은 본국 대표단 로비로 둔켈 총장등 주요 인사들의 우리 입장에 대한 이해폭이 종전보다 훨씬 넓어졌습니다」

지난 4월 해외공관장 회의 참석차 서울에 갔다가 쌀개방 압력에 관한 상황설명이 쌀개방 주장으로 오해받아 곤욕을 치른 탓인지 어휘의 선택에 매우 신중을 기하는 朴대사는 「UR 타결 마지막 순간까지 우리도 준비해 작전으로 밀고 나갈 것」이라고 강조했다.

(삽) 한편 11월초 종합협상으로 돌출을 목표로 급속히 진행되던 UR 협상은 최근 개도국 그룹의 반발로 2-3주 가량 지연될 전망이며 다만 지금까지 40개국이 오퍼(자국 개방분야 제시 목록)를 제출한 서비스 분야는 순조롭게 진행되고 있다고 朴대사는 전했다.

2-2

0092

관리번호 91-737

원 본

외 무 부

종 별 : 지 급

번 호 : ECW-0873

일 시 : 91 1029 1900

수 신 : 장 관 (통기,공보)

발 신 : 주 EC 대사

제 목 : UR 관련기사

일반문서로 재분류 (1991.12.31.)

당관은 연합통신의 당지발 10.28. 자 기사 (주제네바대사 면담내용) 의 영문 번역분을 금 10.29. 접수하고 동 기사중 박대사 발언 인용부분이 일반독자의 오해를 야기할 수도 있다고 판단, 동 기사를 작성한 연통의 당지 상주특파원 이종호기자에게 기사작성 경위등을 확인한바, 동 특파원의 해명내용과 본사에 대한조치결과를 아래와같이 보고하니 참고바람

1. EC 공관장회의가 끝난 10.27(일) 오후 이특파원은 박대사와 우리의 UR 협상 전략에 관해 약 30 분간에 걸쳐 인터뷰를 가졌음

2. 당초 타전한 국문기사 말미에 "개인적인 신념과는 관계없이 쌀개방의 불가피성을 인정하고..." 로 되어있는 내용은 박대사가 직접 발언한 것을 인용한 것이 아니고 다만 인터뷰과정에서 UR 협상에있어 끝까지 우리입장을 관철한다는 것이 매우 어려울 것으로 특파원이 감지하여 이러한 표현을 삽입한 것임.

3. 또한 본사 해외부에서 영문기사를 작성하는 과정에서 상기부분을 LEAD 로 취급함으로써 박대사의 발언 취지와는 달리 면담내용이 더욱 와전되었으며 특파원도 본사 해외부장에게 직접 전화, 영문기사 내용의 시정을 요청하였음.

4. 특파원의 당초 의도와는 달리 박대사와의 면담 기사내용이 일부 와전된 표현때문에 물의를 빚게된데 대해 매우 유감스럽게 생각하며 재작성한 기사 (별전 FAX 송부) 를 금 10.29. 본사에 긴급 송고하였음. 끝

(대사 권동만-국장)

예고: 91.12.31. 까지

통상국	장관	차관	1차보	2차보	공보	구주국	경제국	외정실
분석관	청와대	안기부						

PAGE 1

91.10.30 06:40

외신 2과 통제관 BS

0093

(통상기구과)

主要外信隨時報告

外務部 情報狀況室
受信日時 91.10.30.09:05

"쌀개방 不可입장 설득력 갖기 시작"

(브뤼셀=聯合) 李鍾浩특파원 = "제네바 공관원들의 노력은 물론 농협대표단, 국회사절단 등 본국 협상단의 지원사격으로 우리의 쌀개방 절대불가 입장이 상당한 설득력을 갖기 시작했습니다."

우루과이라운드(UR) 협상에 대비한 우리측 야전사령관으로 눈코 뜰새없이 바쁜 朴銖吉 駐제네바대표부대사(55)는 29일 聯合通信과의 통화에서 UR 협상이 막바지에 이른 제네바는 치열한 전쟁터를 방불케 한다고 현지 분위기를 전했다.

"매일 열리는 7개 협상분야의 회의 참석자들을 비롯 수십 수백명의 외교관과 로비스트들이 관세무역일반협정(GATT) 사무국과 주요국 공관을 넘나들며 자국이익의 보호를 위해 동분서주하고 있습니다"

朴대사는 아르투르 둔켈 GATT 사무총장이 제시한 "예외없는 관세화" 방침 때문에 우리나라를 비롯 日本 이스라엘 등 쌀시장 개방불가를 주장하는 나라들이 수적으로 열세에 몰린 것은 사실이나 이들 국가의 입장을 무시한채 협상이 종결되지는 않을 것이라고 강조했다.

"일본같은 경제대국이나 우리나라같은 세계 13위의 주요 무역국 입장을 외면한채 일방적으로 밀어붙인다는 것은 사실상 매우 어렵습니다. 게다가 최근 연이은 본국대표단의 로비로 둔켈총장 등 주요 인사들의 우리 입장에 대한 이해폭이 종전보다 한결 넓어졌습니다."

지난 4월 해외공관장회의 참석차 서울에 갔다가 쌀개방압력에 관한 상황설명이 "쌀개방 주장"으로 오해받아 큰 곤욕을 치른 탓인지 어휘 선택에 매우 신중을 기하는 朴대사는 "UR 타결 마지막 순간까지 올코트 프레싱 작전으로 밀고 나갈 것"이라고 강조했다.

朴대사는 "쌀시장을 고수하기에 상황 어렵다" "쌀시장개방 불가피" 등으로 일부 외신에 보도된 것은 와전이라고 덧붙였다.

한편 11월초 종합협상안 도출을 목표로 급속히 진행되던 UR협상은 최근 개도국 그룹의 반발로 2~3주가량 지연될 전망이며 다만 지금까지 40개국이 오퍼(자국 개방분야 제시목록)를 제출한 서비스분야는 순조롭게 진행되고 있다고 朴대사는 전했다.(끝)

0094

둔켈총장,"日.韓 관세화서 예외일수없어"

(東京=聯合)文永植특파원=아르투르 둔켈 관세무역일반협정(GATT)사무총장은 29일 우루과이라운드(UR)의 농업교섭과 관련, 日本과 韓國이 관세화 대상에서 예외가 될수 없다고 말한 것으로 日 요미우리(讀賣)신문이 30일 제네바발로 보도했다.

요미우리신문에 따르면 둔켈총장은 이날 유럽을 방문중인 이토 시게루(伊藤茂) 사회당부위원장등 日교섭단과 회담을 갖고 우루과이라운드 농업교섭에 대해 『예외없는 관세화로 컨센서스를 이루는 절차가 추진되고 있다』고 강조했다.

그는 이어 『일본과 한국이 컨센서스 조성에 저항하고 있지만 양국 정부의 노력은 성공하지 못할 것으로 생각한다』며 구체적인 국명까지 들면서 관세화의 방향은 이미 되돌리수 없는 처지에까지 와 있다는 견해를 밝혔다.

한편 이토 부위원장은 회담후 기자회견을 통해 『지극히 중대한 단계에 접어들었다는 인상을 받았다』고 말하고 『미야자와(宮澤)신정권으로서는 美.日정상회담등에 앞서 적극적으로 국제여론에 호소할 필요가 있다』고 말했다.(끝)

0095

[연합인터뷰] 박수길 제네바수제대사

"쌀개방 불가피추세 불구 최선다할터"

(브뤼셀=聯合) 李鍾浩특파원 = "우리의 쌀시장개방 불가방침을 고수하기에는 상황이 매우 불리한 것이 사실입니다. 그러나 최대의 실익 확보를 위해 최후의 순간까지 진력할 각오입니다"

임박한 우루과이라운드(UR) 협상대비책과 유럽경제지역(EEA) 창설에 따른 우리 기업들의 수출진흥 강화방안을 논의하기 위해 소집된 제2차 유럽공동체(EC) 공관장회의 참석차 브뤼셀에 온 朴銖吉 駐제네바대표부대사(55)는 27일 연합통신 기자와 만난 자리에서 UR 협상이 막바지에 이른 제네바는 치열한 전쟁터를 방불케 한다고 현지 분위기를 전했다.

"매일 열리는 7개협상분야회의는 물론 하루에도 수십 수백명의 외교관과 로비스트들이 관세무역일반협정(GATT) 사무국과 주요국 공관을 오가며 자국의 이익을 보호하기 위해 동분서주하고 있습니다. 우리도 상주직원들은 물론 농협대표단과 국회대표단등이 연일 '쌀개방 불허'를 설득한데 힘입어 현지에서의 인식이 다소 나아졌습니다"

朴대사는 그러나 연내 타결 불가피성에 대한 전반적인 인식과 '예외없는 관세화' 원칙에 대한 주요국들의 긍정적 반응 때문에 우리나라와 日本 이스라엘 등 일부 국가들의 '쌀개방 예외인정' 요구는 가시적인 설득효과를 보기에 매우 어려운 형편이라고 털어놓았다.

지난 4월 해외공관장회의 참석차 서울에 갔다가 '쌀개방 불가피상황'에 대한 설명이 '쌀 개방해야 한다'는 주장으로 오해받아 큰 곤욕을 치렀던 탓인지 어휘의 선택에 극도의 신중을 기하는 朴대사는 지신의 개인적 신념과는 관계없이 '쌀개방이 불가피한 추세'임을 인정하면서 다만 이같은 대세에도 불구 '지킬수 있는데까지 지킨다'는 것이 현지 협상책임자로서의 의무이며 소신이라고 강조했다.

朴대사는 11월초 중형협상안 도출을 목표로 급속히 진행되던 UR 협상이 최근 개도국그룹의 반발로 2~3주가량 지연될 전망이며 다만 지금까지 40개국이 오퍼(자국의 개방분야 제시목록)를 제출한 서비스분야는 이와 무관하게 순조로운 진전을 보이고 있다고 덧붙였다.(끝)

(YONHAP) 911029 0746 KST

4

0096

수신 : 각사 정치부 외무부 출입기자

(10.29 일자 연합통신등 보도에 대한 외무부 대변인 논평)

91. 10. 30

10. 29 일자 브랏셀발 연합통신 기사와 이 기사에 근거한 AFP 보도는 박수길 주제네바 대사가 "한국의 쌀시장 개방이 불가피한 추세"에 있는 것으로 본다고 인용한 바, 이는 전적으로 잘못된 보도임을 분명히 하고자 한다.

박대사는 본부에 보낸 보고에서 자신이 그러한 발언을 한 적이 전혀 없음을 분명히 하였다.

박대사는 동일 연합통신 특파원과의 인터뷰에서 "제네바 협상 상황이 매우 긴박한 것은 사실이나 한국으로서는 다른 분야에서 다소의 신축성을 보일 수는 있으나 쌀시장 개방에 반대하는 일관된 우리의 입장이 관철되도록 최선의 노력을 경주하겠다"고 말하였다고 보고해 왔다. 끝.

0097

관리 번호	'91-764

분류번호	보존기간

발 신 전 보

번 호 : WJA-4952 외 별지참조 종별 :

수 신 : 주 수신처 참조 대사. 총영사// (~~연합뉴스 영문판 수신공관~~)

발 신 : 장 관 (통 기)

제 목 : UR/농산물 협상 관련 연합통신 보도

일반문서로 재분류 | 91. 12. 31

1. 연합뉴스 영문판은 10.28자 브랏셀발 기사(제목 : RICE-URUGUAY ROUND, 기사번호 YONHAP-005)에서 박수길 주 제네바 대사가 10.27 기자회견에서 "쌀을 시장개방의 예외로 인정받을 가능성에 대해 비관적(PESSIMISTIC)"이며, "쌀시장은 개방되지 말아야 한다는 개인적인 신념에도 불구하고, 개방은 불가피(UNAVOIDABLE) 한 것으로 본다"고 보도한바 있으며, 동 기사는 10.29자 서울발 AFP 기사(기사번호 10-29 0171)로 인용 보도된 바 있음. (이와 같은 기사 내용들은 국내언론에서는 일체 보도된바 없으며, 국회, 정부부처등에서도 동건에 대해 거론된바 없음)

2. 상기 기사내용들은 주 제네바 대사가 기자회견에서 실제로 발언한 것과는 정반대의 내용으로서, 본부는 ~~공보관~~ 대변인 논평으로 이를 국내 각언론사에 해명한 바 있으며 주 제네바 대사는 기사내용에 즉각 항의, 시정을 요청하였고 연합통신은 ~~오보~~ 잘못된 기사임을 인정하고 동 기사를 10.29 AMBASSADOR PARK-UR TALKS 제하의 정정기사 (기사번호 YONHAP-033)로 대체한바, 귀관의 UR 협상 업무와 관련 주 제네바 대사의 실제 발언내용을 아래 통보하니 ~~착오 없기~~ 참고하기 바람.

o 아국 쌀시장 개방 불가 입장을 관철시키기 위하여 현재 주 제네바 대표부가 외교 역량을 총집중하고 있는바 최근 제네바를 방문한바 있는 농협 사절단, 국회사절단등이 던켈 총장 기다 주요국 대표들과 만나 아국의 심각한 입장과 사정을 잘 설명하여 그들은 한국 쌀시장 문제의 심각성을 이해하고 있음.

보안통제	(서명)

앙고재	91년 10월 31일	통기과	기안자 성명		과장	심의관	국장		차관	장관
					(서명)	(서명)	(서명)			

외신과통제

0098

o 현재 관세화 원칙에 반대하는 나라가 많지 않는 것은 사실이나 무역국으로서 세계적으로 비중이 큰 한국과 일본이 예외없는 원칙 설정에 강력하게 반대하는 만큼 그러한 입장은 결코 무시될 수 없을 것임.

o (기자가 쌀시장 개방 불가 입장이 사실상 관철되기 어렵지 않겠느냐고 문의) 특히 다른분야에서 양보하는 한이 있더라도 쌀시장 개방은 불가능하므로 현지 대표부로서는 전역량을 동원하여 끝까지 최대의 노력을 다할 결심임. 끝.

(통상국장 김 용 규)

수신처 : 주 일본, ~~[illegible]~~, 호주, ~~[illegible]~~, 태국, 인도, 미국, ~~[illegible]~~, 카나다, ~~[illegible]~~, ~~[illegible]~~, 영국, 독일, 프랑스, 벨기에, ~~[illegible]~~, 스웨덴, ~~[illegible]~~, ~~[illegible]~~, ~~[illegible]~~, ~~[illegible]~~, 오지리, 스위스, 이태리, ~~[illegible]~~, 스페인, ~~[illegible]~~, 헝가리 대사.
(사본 주제네바 대사)

0099

쌀시장 관련 11.8자 한겨레 신문기사 내용에 관한 외무부 대변인 논평

1991.11. 8.

1. UR/농산물 협상과 관련한 우리 정부의 확고한 기본입장은 쌀을 포함한 기초식량 품목은 시장개방의 예외가 되어야 한다는 것이다. 정부는 이러한 입장을 관철하기 위하여 관련 각 부처간의 일사불란한 협조 체제하에 총력을 경주하고 있으며, 외무부의 입장도 정부의 기본입장과 다를수 없다.

2. 이와 관련, 쌀시장 개방 문제와 관련한 11.8자 한겨레 신문은 외무부의 입장에 관해 사실과는 다른 내용을 보도 하였으므로 이를 분명히 바로잡고자 한다.

   o 외무부는 쌀시장 개방 불가피성을 들어 관세화를 수용하되, 장기간의 유예기간을 유지하는 대안을 검토한 바 없다.

   o 따라서, 600% 안팎의 관세율을 5년정도 유지하는 대안 제시는 전혀 사실 무근이다. 끝.

0100

정부 "쌀개방 불가피" 본격 제기
시세차의 관세부과등 대안 강구

농민 반발…정치 쟁점 될듯

우루과이라운드 협상과 관련해 정부 한쪽에서 예외없는 관세화를 통한 쌀시장 개방 불가피론이 강력하게 제기되고 있어 농민들의 거센 반발과 함께 정치 쟁점화가 예상된다.

정부 일각에서 제기되고 있는 쌀시장 개방론은 협상이 현재 진행중이고 정치적으로 민감한 문제여서 공개적인 논의에 부쳐지지 않고 있으나, 이달말쯤 나올 것으로 보이는 관세무역일반협정(가트) 둔켈 사무총장의 협상초안을 계기로 전면 부각될 가능성이 큰 것으로 보인다.

〈관련기사 3면〉

7일 관계부처에 따르면 우루과이라운드 농산물 협상 추이가 점차 예외없는 관세화를 수용하는 쪽으로 모아지면서 농림수산부를 제외한 협상 관련 부처에서는 쌀시장 개방론을 제기하여, 농림수산부에 이를 받아들이도록 종용하고 있다는 것이다.

우루과이라운드 협상을 조정하거나 창구역을 맡고 있는 경제기획원과 외무부는 최근 불가피할 경우 우리나라의 쌀시장을 개방하되 국제 및 국내 쌀시세 차이를 전액 관세화해 될수록 장기간 유예기간을 유지하는 식의 대체안을 적극 고려하도록 농림수산부쪽을 설득하고 있는 것으로 알려졌다.

이들 부처의 한 관계자는 "쌀시장을 개방할 경우 관세율은 600% 안팎이 되며, 이 관세율 수준을 유지하는 유예기간은 5년 정도가 돼야 할 것"이라며 쌀시장 개방 가능성에 대한 대안의 방향을 설명했다.

이러한 쌀시장 개방안은 우리와 함께 우루과이라운드 협상에서 쌀시장 개방에 강력하게 반대해왔던 일본이 최근 미야자와 새 수상이 등장하면서 개방안을 받아들일 가능성이 커졌다는 여건 변화와 함께, 미국과 유럽공동체간의 농산물 협상이 급진전되면서 설득력을 얻어가고 있어 정부가 협상 막바지에 고려하지 않을 수 없을 것이라고 이 관계자는 말했다.

정부의 한 당국자는 이와 관련해 "이러한 일련의 농산물 협상, 특히 부시 대통령과 유럽공동체쪽의 회담이 이번 협상의 대세를 결정할 것으로 보인다"면서 "농산물에 대한 '예외 없는 관세화'는 그대로 채택될 가능성이 높으며 둔켈 사무총장의 '협상초안이 이달말 늦어도 12월 초까지는 작성될 것으로 전망된다"고 말했다.

한편, 이러한 쌀시장 개방 불가피론에 대해 농업전문가들과 농민단체에서는 "개방 압력이 가중된다는 이유만으로 끝까지 지켜야 할 쌀시장을 외국에 절대 개방할 수 없다"고 주장하고 "협상 상황이 조금 어려워졌다고 해서 '쌀시장 개방 불가'라는 정부 의지가 크게 흔들리고 있는 것이 아닌가 의심된다"며 정부 일각의 움직임에 우려를 표시했다.

0101

정부 '쌀시장 개방 불가피론' 파문

"유럽-일본도 태도 변했다" 국제현실 '핑계'

관리 잦은 발언·UR대표단 어려움 호소…수용 신호

우루과이라운드협상을 담당하고 있는 정부 부처에서 쌀시장 개방 불가피론을 물밑 아래서나마 적극적으로 들고나오고 있는 것은 심상치 않은 일이다.

물론 대외통상을 관장하는 부처에서 쌀개방을 거론한 것은 결코 새로운 일은 아니다. 그러나 최근 들어 제기되고 있는 쌀시장 개방론은 이제 우루과이라운드협상이 막바지로 치닫고 있는 가운데 어쩔수 없다며 차선책이라도 서둘러야 한다는 절박한 상황을 반영하고 있는 점과 개방을 수용하되 그에 대응할 만한 대책의 내용이 구체적으로 제시되고 있다는 점에서 예전의 개방논의와 차원을 달리하고 있다.

국내 쌀시장 개방은 지금까지 일종의 성역으로 간주된 채 어느 부처, 어느 장관도 이를 공개적으로 거론한 적이 없다. 특히 지금과 같이 14대 총선을 눈앞에 두고 있으며 추곡수매를 둘러싼 진통이 계속되는 상황에서라면 쌀시장개방을 입에 담을 사람이 있을 리 만무하다.

지난 4월 잠시 귀국한 박수길 제네바 대표부대사가 쌀시장 최소개방론을 꺼냈다가 호되게 비판당했던 사실을 떠올리면 정부내 분위기가 이 문제에 대해서만큼은 매우 경직돼 있음은 당연한 일이다.

하지만 정부내 분위기도 시간이 지나고 우루과이라운드 농산물협상이 급진전되면서 점차 바뀌어가고 있다. 정부내 쌀개방 논의는 둔켈 가트 사무총장이 예외없는 관세화를 지렛대로 해 이달초까지 최종협상 초안을 제시하겠다고 선언하면서부터 본격 대두돼왔다. 여기에 유럽공동체의 농산물협상 태도가 완화되고 미국과의 타협 가능성이 커지는가 하면 한국과 함께 쌀시장 개방 반대의 입장을 취해왔던 일본이 미야자와 수상의 등장으로 양보할 기미가 점쳐지면서 정부 일각에서의 개방 불가피 논의는 이전보다 설득력을 얻어가고 있는 게 사실이다.

정부는 쌀시장 개방 절대반대라는 기존 정책과 이러한 국제적 현실 사이의 괴리현상에 대해 말못하는 고충을 절감해오고 있다.

실제로 가트 본부가 있는 제네바의 우리 정부대표단은 양보없는 협상의 어려움에 대해 호소를 해오고 있다는 것이다.

이러한 국제현실과 우루과이협상 일정의 숨가쁜 진행상황은 우리 정부에 하나의 선택을 강요하고 있다. 둔켈 사무총장이 이달말쯤 작성·배포할 것으로 보이는 최종협상안에 따라서는 우리 정부는 예외없는 관세화 원칙을 수용할지 아니면 이를 거부할지를 선택해야 할 상황에 놓일 것이라고 외무부는 전망하고 있다. 이 상황을 가정한 정부관리들이 요즘 들어 부쩍 쌀시장개방 관련 발언을 많이 하고 있음도 주목할 만하다.

이와 관련해 이병석 농림수산부차관은 최근 가트 본부 등을 방문한 뒤 쌀시장 개방 불가입장이 우루과이라운드협상에서 받아들여지기 어렵다는 사정을 털어놓았다. 또 최각규 부총리겸 경제기획원장관도 협상 결과에 대한 시각이 달라져야 한다며 협상 타결의 결과가 우리가 의도한 것과 다른 방향으로 결말이 나더라도 적극 수용해야 한다는 취지로 발언해 쌀이라는 '뜨거운 감자'를 피해가면서 어쩔수 없는 경우 쌀시장 개방을 받아들여야 한다는 방침을 내비쳤다.

이러한 장·차관들의 발언은 실무차원에서의 쌀개방론을 거의 정책결정 차원으로 끌어올려가는 신호로 봐도 무방할 것같다. 우루과이라운드협상이 각국의 이해대립으로 우리 정부가 우려하는 만큼 신속하게 결말이 나지 않을 수도 있으나 정부가 지금까지와 같이 쌀개방 절대불가 입장만을 관철할 것 같지는 않아 이에 대한 농민들의 거센 반발이 있을 것으로 보인다.

〈박종문 기자〉

0102

정 리 보 존 문 서 목 록

기록물종류	일반공문서철	등록번호	2019080084	등록일자	2019-08-13
분류번호	764.51	국가코드		보존기간	영구
명 칭	UR(우루과이라운드) / 농산물 협상 그룹 회의, 1991. 전7권				
생 산 과	통상기구과	생산년도	1991~1991	담당그룹	다자통상
권 차 명	V.1 1-3월				
내용목차	* 2.26. TNC, Dunkel 사무총장 제안서 채택 4.25. TNC, 농산물 그룹 의장에 Dunkel 선임 6.12. Dunkel 현황 보고서 배포 6.24. Dunkel 대안(optional paper) 제시 8.2. Dunkel 대안(6.24.) 부록 배포 11.21. Dunkel working paper 제시 - 11.25. Dunkel 작업문 초안 관련 농림부 장관 서한 발송 12.13. Dunkel 의장 농산물 협상 협정 초안 배포 - 12.17. 민감품목 관세화 예외 인정 수정 제안 사무총장앞 서면 제출				

0001

	분류번호	보존기간

발 신 전 보

번 호 : WEC-0004 910104 1839 DP 종별 :

수 신 : 주 EC 대사. ~~총영~~사

발 신 : 장 관 (통기)

제 목 : UR/ 농산물협상

1.4. 개최 예정인 EC 집행위 회의에서 MacSharry 농업담당 집행위원이 밝히기로 되어있는 EC 공동 농업정책 개혁방안의 주요내용 및 이에 관한 집행위 내부 논의결과등 관련사항을 파악되는 대로 조속 보고바람. 끝.

(통상국장 김 삼훈)

보안 통제	

앙 고 재	91년 1월 4일	통상국 과	기안자 성명		과 장	심의관	국 장		차 관	장 관
			송봉헌				전결			

외신과통제

0002

관리 번호	91-44

원 본

외 무 부

종 별 :

번 호 : GVW-0045 일 시 : 91 0109 1500

수 신 : 장관(통기,경기원,재무부,농림수산부,상공부)

발 신 : 주 제네바대사대리

제 목 : UR 협상(전망)

연: GVW-0042

CARLISLE 갓트 사무차장이 금 1.9 아국 국회 농수산위 시찰단 면담시에 UR 협상 전망에 관해 언급한 사항을 아래 보고하니 참고 바람.

1. DUNKEL 총장은 1.9(수) 저녁 EC 를 방문 MACSHARRY 집행위원과 협의를 가질 예정이며, 동 협의에서 괄목할 만한 성과가 있을 경우, 동 방문성과와 지난12 월 미국 방문결과를 종합하여 농산물 협상과 관련한 새로운 협상 초안을 제시할 가능성도 있음.

2. 그러나 현재로서는 DUNKEL 총장의 EC 방문에서 큰 성과를 기대하기 어려우며, 따라서 제네바에서 실질 협상 재개는 1 월말 이전에는 어려울 것으로 전망됨. 끝.,(대사대리 박영우-국장)

예고:91.6.30 까지

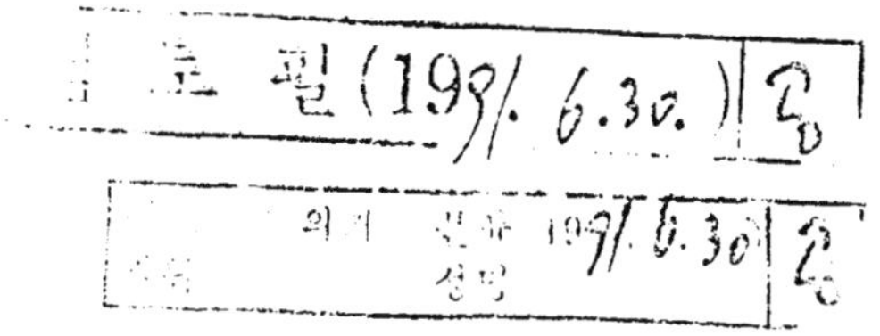

통상국 장관 차관 2차보 경기원 재무부 농수부 상공부

PAGE 1

91.01.10 01:14

외신 2과 통제관 CH

0003

관리 번호	91-42

외 무 부

종 별 :

번 호 : GVW-0050 일 시 : 91 0109 1800

수 신 : 장관(통기,농림수산부)

발 신 : 주 제네바 대사대리

제 목 : UR 농산물 협상

1. 당지 태국 대표부 SUNTAVARUK 부대표는 금 1.9 당관 박공사에 전화, 농산물 협상에서의 아국의 입장 변화와 아국의 농산물 OFFER 내용의 수정 가능성을문의하고, ASEAN 케언즈 그룹의 일원인 태국으로서는 기존 아국의 OFFER 를 토대로한 협상은 어렵다고 보았으나, 아국이 수정 OFFER 를 제출할 용의가 있을 경우 여타 ASEAN 케언즈 그룹 국가들과도 협의 기존 입장을 완화하여 타협을 모색할 용의가 있다고 하였음.

2. 동인은 현재 미.EC 간 대립으로 농산물 협상이 교착상태에 있는바 동 교착 상태 타개 노력을 미, EC 간 절충에만 의존 할것이 아니라 ASEAN 등으로서도 자국 이익보호를 위해 위와같은 노력이 필요하다고 생각하며, 이는 우선 태국의 독자적인 의사에 따른 것이라고 하였는바 금후 농산물 협상관련 대책 수립에 참고 바람. 끝.

(대사대리 박영우-국장)

예고:91.6.30 까지

검 토 필(1991.6.30.)

일반문서로 재분류(1991.6.30)

통상국 장관 차관 2차보 농수부

PAGE 1

91.01.10 03:43

외신 2과 통제관 CH

0004

원 본

외 무 부

종 별 : 지 급

번 호 : ECW-0033 일 시 : 91 0111 1500

수 신 : 장관(통기,경기원,재무,농수산,상공부,주제네바직송필)

발 신 : 주 EC 대사

제 목 : 갓트/UR 협상

연: ECW-0017

1. 1.10. DUNKEL 갓트 사무총장은 브랏셀을 방문,EC 집행위의 DELORS 위원장, ANDRIESSEN 부위원장및 MAC SHARRY 위원과 표제 협상추진관련 협의를 가졌음. 금반 동사무총장의 방문은 지난해 12월초 브랏셀 TNC 회의시 동인에게 주어진 MANDATE 에 따른것으로서 표제협상이 처하고 있는 DEADLOCK 타개를 위한 협상의 일환이 아닌 1.15. 제네바 TNC 회의 절차등을 협의한 것으로 알려짐.

2. 동 사무총장과 협의하는 자리에서 DELORS위원장등은 동인에게 표제협상에서의EC입장을 다시 설명하면서 특히 표제협상은 GLOBAL하게 다루어져야 하며, 농산물분야와 같은 특수분야를 별도로 협상을 진행시켜서는 안된다는 점을 상기시키고, 브랏셀TNC 회의시 EC 가 제시한 EC 의 OFFER 는 상금도 유효하다는 점을 강조하였음. 한편, 동 회담후 ANDRIESSEN 부위원장은 표제 협상 타결전망은 그어느때보다 증대되었다고 말함

3. 한편, 표제협상의 타결을 위해 1.15. TNC회의를 전후하여 양자 또는 다자간 협의가 활발히 전개될 것이며, ANDRIESSEN 부위원장은 1.24-25 기간중에 우루과이에서우 루과이, 알젠틴,브라질, 칠레, 멕시코등 중남미 국가 대표들과 만난후 1.28. 워싱턴을 방문, HILLS 대표를 방문하며 1.29. 카나다를 방문할 것임. 끝

(대사 권동만-국장)

통상국 2차보 경기원 재무부 농수부 상공부

PAGE 1 91.01.12 02:23 DN

외신 1과 통제관

0005

관리 번호	91-63

원 본

외 무 부

종 별 : 지 급

번 호 : GVW-0080 일 시 : 91 0114 1940

수 신 : 장관(김삼훈 통상국장)

발 신 : 주 제네바 대사대리

제 목 : UR/브럿셀 회의

연: WGV-0016(91.1.10)

1. 당지 핀랜드 대표부 HUTHANIEMI 공사에게 문의한바 북구(핀랜드), 스위스, 인도등은 90.12.6. UR/ 브랏셀 각료회의 농산물 그린룸 협의시 HELLSTROM 의장의 비공식 초안(NON-PAPER)에 대해 아래 요지의 입장을 표명하였다 함.

가. 핀랜드

- HAVING LISTENED THE VIEWS EXPRESSED ON THE ISSUE OF THE AGRICULTURALNEGOTIATIONS, WE, NORDIC COUNTRIES, ARE ENCOURAGED BY EMERGING BASIS OF CONTINUATION OF THE AGRICULTURAL NEGOTIATIONS.

- WE CERTAINLY APPROACH THIS ISSUE IN THE LIGHT OF OUR NATIONAL OFFER TABLED SOME TIME AGO. WE KNOW MOST OF NORDIC COUNTRIES WILL HAVE SERIOUS DIFFICULTIES WITH THIS SUBSTNATIVE CONTENT OF THE CHAIRMAN'S NON-PAPER. I CAN REFER TO THE ABSENSE OF NON-TRADE CONCERNS AND LACK OF CLEAR MENTIONINGOF GREEN CATEGORY, ETC.

- THESE THINS NEED TO BE CLARIFIED, BUT WE ARE PREPARED TO TAKE THIS PAPER AS A STARTER TO BE A BASIS FOR CONTINUED NEGOTIATIONS.

나. 스위스

- 상기 북구와 대동소이한 입장을 표명

다. 인도

- 의장초안 내용은 개도국에 대해 너무 지나침.

- 개도국의 무역제도는 무역제도를 왜곡하는 것이 아니어야 하며, 보조금 감축의무는 일정수준이상의 국가에만 적용되어야 할것임.

- BOP 사정이 나쁜 개도국에 대해서는 수량규제 적용을 계속 인정해야 하며,

통상국

PAGE 1 91.01.15 07:59

외신 2과 통제관 BW

0006

개도국 우대는 국내보조, 수출보조, 시장접근등 3 가지 분야에서 다같이 적용되어야 함

- 인도는 이러한 조건들이 충족되어야 의장의 PAPER 를 협상의 기초로 인정할 수 있음.

2. 국회 농림수산위 시찰단이 당지 방문 카알라일 갓트 사무차장과 면담시 동 차장은 연호보고와 같이 브랏셀 회의 실패가 이씨, 일본과 함께 한국때문인 것으로 일부 보도되고 있으나 한국은 헬스트롬 의장 문안을 협상 기초로 삼기에 부적합하다고 표면하였고 그밖의 여려나라가 그와 유사한 표현을 한것으로 볼때 UR 실패책임이 한국에 없다는 것을 잘알고 있으며 그와같은 보도는 언론의 침소봉대하는 성향 때문에 나온것으로 생각한다고 함. 끝.

예고:91.6.30 까지

원 본

외 무 부

종 별 :

번 호 : ECW-0085 일 시 : 91 0128 1800

수 신 : 장 관 (통기)

발 신 : 주 EC 대사

제 목 : UR 협상 전망

대: WEC-49

대호관련, 당관 이관용 농무관은 EC집행위 농업총국 BISARRE 담당과장 및 대외관계총국 GUTH 담당관을 접촉한바 하기 보고함

1. 양인은 ANDRIESSEN EC 집행위 부위원장은 1.25-26 중남미 6개국 대표들을 만난후 예정대로 워싱턴및 카나다를 방문할 것임을 확인함.

2. MR. BISARRES 과장은 DUNKEL 사무총장은 UR농산물 협상의 새로운 기초(PLATFORM) 을 마련하기 위해 주요 협상국 대표들을 제네바로 초청하는 공식서한을 발송하였으며, EC 도 동서한을 접수한바, 2.1. 갖는 동 CONSULTATION 에는 EC, 미국, 호주 (케언즈그룹 대표), 일본이 초청된 것으로 알고 있으며, EC 는 LE GRAS농업총국장 및 PAEMAN 부총국장이 참석하며, 미국은 KATZ 다자간 협상대표등이 참여할것이라고 말함. 한편, 동 비공식 협의시에는 보조금 감축문제 뿐 아니라 농산물협상 현안 전반이 포함될 것 이며, 갓트사무국은 동협의 결과를 종합하여 금주말에 새로운 DUNKEL문서를 만들어 낼것으로 알고 있다고 말함. 끝

(대사 권동만-국장)

통상국 2차보

PAGE 1 91.01.29 09:33 DA

외신 1과 통제관

0008

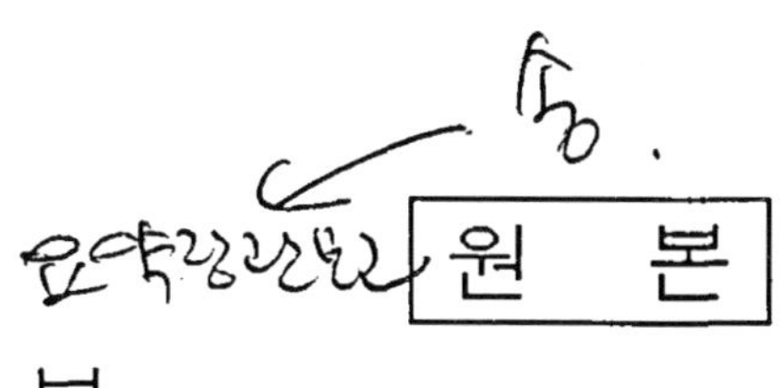

외 무 부

종 별 :

번 호 : GVW-0189 일 시 : 91 0128 1900

수 신 : 장 관 (통기,경기원,재무부,농림수산부,상공부)

발 신 : 주 제네바 대사대리

제 목 : UR/ 농산물 협상 전망

연: GVW-0177

1.28 박공사는 갓트농업국장을 오찬에초대 UR/ 농산물 협상 및 UR 협상 전반에 관한 전망등에 관해 의견교환을 한바 요지 하기보고함.(천농무관 동석)

1. UR/ 농산물 협상 전망

가. 동인에 의하면 DUNKEL 갓트사무총장은 미국, EC, 케언즈그룹등 농산물 3대 주요협상국가의 고위급 대표 (미국: KATZ, USTR 부대표, CROWDER농업차관, EC: PAEMON EC 대외담당 부총국장, LEGRAS 농업담당국장, 케언즈그룹: PETER FIELD호주대표외 1인)를 제네바에 최, 2.1(금) 부터 주말까지 케언즈그룹 EC, 미국순을 개발접촉을 통하여 DUNKEL 사무총장의 최종 협상재개중재안 (PLATFORM) 을 마련하고 이를 기초로 여타주요국 (일본, 한국, 북구, 일부주요 개도국등)의 의견을 수렴할 계획으로 있다함.(EC 와케언즈룹에서는 대표파견을 동의했으나 미국은 금 1.28 중 참석 여부를 통보할 것이라함)

이러한 DUNKEL 사무총장의 시도가 성공적으로 이루어지면 TNC 를 소집하고 미국은 PLATFORM 을 가지고 미국 의회에 UR 협상에 대한 FAST TRACKAUTHORITY 연장을요청 (현재 알려진 바로는 2년간연장)할 것이라고 관측하고 있음

나. 상기 PLATFORM(안)에는 FOOD SECURITY사항을 고려 요소로 언급될 것으로 보고 있으며 구체적인 협상에서는 예를들어 일본의 쌀수입은 MINIMUM MARKET ACCESS를 3퍼센트수준 (약 30만톤)으로 하되 식량안보를 이유로 향후 5년간은 계속 증량없이 동수준을 유지하겠다는 주장은 협상상대국들이 전면 거부할 수는 없지않겠는가 하면서 한국의 경우는 일본과 달리동 최소시장 접근율의 절반이나 또는 동일 최소시장 접근율로서 일본의 배수인 10년간 유지를 선택적으로 주장한다면 협상상대국으로 부터 긍정적인 평가를 받을수 있을 것으로 생각한다하였음

통상국 2차보 경기원 재무부 농수부 상공부 차관 장관

PAGE 1 91.01.29 09:37 FK

외신 1과 통제관

0009

다. 2.4. 개최키로 추측되고 있는 TNC 회의는 개최전망이 불투명하며 2월중순내지 하순경 개최를 예상하고 있음.

2. EC 입장 변화 여부

동인이 알기로는 브랏셀 각료회의 이후 EC 의 농산물 협상 입장은 변화된바 없고다만 EC의 공동농업 정책의 개혁 방향이 논의되고 있으나 역내 국가들간의 협의를 거쳐 최종적으로 마루리 되는데는 적어도 금년 가을까지는 갈것으로 보고 있으며 특히 불란서가 강하게 반대하고 독일이 이에 동조하고 있으며 영국, 화란등은 자유화입장에 있고 이태리, 스페인등은 중립적 입장을 견지하고 있다함.

3. UR 협상 전반에 대한 전망

UR 협상을 단시일내에 타결하자면 미국 BUSH대통령이 정상간에 집중적인 정치력을 발휘해야 하는바, GUELF 사태로 미국이 불란서, 독일, 일본등 지원협조를 구하고 있는 형편에서 UR 등 무역문제로 양보를 요구하기가 지극히 어려운 여건임을 감안할때 3.1 이전까지의 협상타결을 어렵다고 보며 KATZ 미국 통상부대표도 최근 2월말까지 협상 종결은 시기가 늦었다고 언급한바 있음을 부연하였음

4. 기타:

1.28 개최 예정인 EC 안드리슨 및 미국 칼라힐수 면담은 EC 의 기존농산물 협상 입장에 변화가 없기 때문에 별진전을 기대하기는 어려울것이라 하고, 차기 미국 농무장관에는 EDWARD MADIGAN하원의원 (공화당, 이리노이주 출신)이 임명되었으며 YEUTTER 장 간은 2월말까지 농무장관직을 수행하는 것으로 알고 있다하였음.끝.

(대사대리 박영우-장관)

PAGE 2

0010

1

	분류번호	보존기간

발 신 전 보

번 호 : WUR-0017 910128 1736 DP 종별 : 암호발신

수 신 : 주 우루과이 대사. ~~총영사~~

발 신 : 장 관 (통기)

제 목 : UR 협상

대 : URW-7

1.25-26 귀지 푼타델 에스테에서 개최된 EC-중남미 지역 국가간 회의 및 1.30 개최 예정인 중남미 국가간 회의 결과를 파악되는 대로 상세 보고 바람. 끝.

(통상국장 김삼훈)

보안통제	

앙고재	91년 1월 28일	통상기구과	기안자 성명		과 장	심의관	국 장		차 관	장 관
			송봉헌				전결			

외신과통제

0011

새로운 농산물 협상 기초안에 대한 케언즈그룹 입장

91.1.28.
통상기구과

1. 케언즈 그룹, 던켈 갓트사무총장 협의

o 91.1.18. 케언즈그룹, 던켈 사무총장과의 협의시 새로운 농산물협상 기초안에 대한 입장 전달

2. 케언즈 그룹 입장

가. 기본 입장

o Hellstrom 의장 중재안보다 약화 반대

- 구체적 감축 수치 명시 필요

o 던켈의 중재 방향이 브랏셀에서 EC가 제안한 내용(※)에 치우친 minimal deal이 될 경우 수용 곤란

※ 브랏셀 회의시 EC 제안 요지

- 수출보조 통제 고려
- 최소시장접근 3% 보장
- 국내보조 30% 감축
- 단, 향후 5년간 갓트 패널을 통한 분쟁해결 지양

나. 세부입장

o rebalancing 개념 반대하나, EC의 oilseed 수입규제 계획 철회 이후 동 개념에 대한 국제적 반대 약화 조짐

- 단, 미국 및 브라질의 관심사인 feed grain substitute에는 최대 영향을 줄 가능성 상존

공람	통상기구과	91년 1월 28일	담당	과장	심의관	국장	차관보	차관	장관
			송봉헌	[signature]		[signature]			

0012

o 수출 보조에 대한 Hellstrom의장 중재안 내용 명료화 필요

- 수량 기준 또는 예산 지출 기준 여부

o 관세화

- 협상 기초안의 필수 요건 (crucial point)

o 감축기준 년도

- 신축적으로 협상 용의

o 특별세이프가드 제도

- 가격 기준의 특별세이프 가드 제도 운용 방안도 협상 용의. 끝.

報 告 畢

長官報告事項

1990. 1 . 29.
通 商 局
通商機構課(4)

題 目 : UR/農産物 協商 展望

1.28(月) 駐제네바 大使代理가 招請한 午餐에서 갓트 農業局長은 Dunkel 事務總長이 2.1(金)부터 美國, EC, 濠州를 個別 接觸, 農産物 協商 仲裁案 마련을 ~~摸索~~ ~~豫定~~임을 言及하였는바, 同 主要 內容을 아래와 같이 報告드립니다. (계획 및 이와 관련한 미국의 협상권한 신속승인절차 연장 가능성에 대해)

1. 農産物 協商 展望

- o Dunkel 事務總長의 農産物 協商 仲裁案 마련 努力
  - 2.1(金)부터 週末까지 美國, EC, 濠州(케언즈 그룹) 代表를 個別 接觸, 仲裁案 마련 摸索
  - 同 仲裁案을 基礎로 我國, 日本, 北歐등 餘他 主要國의 意見 收斂 計劃
  - 同 仲裁案에 食糧安保 事項도 考慮 要素로 반영 展望

- o 食糧安保 ~~品目~~ ~~일부~~ 品目에 대한 ~~具體~~協商 方案 (同 局長 助言)
  - 日本이 ~~의 경우~~ 쌀에 대한 最小市場接近을 일정 水準(예 : 3%) 保障하되 UR 協商 이행기간 (예 : 5년) 동안 同 水準 凍結을 主張할 경우 主要 協商 對象國들이 同 主張 拒否 困難
  - 韓國은 最小市場接近 水準 또는 이행기간에서 日本의 切半 (예 : 1.5% 또는 10년) 水準만 의무 부담 主張을 할 경우 主要 協商對象國의 肯定的 評價 豫想

공람	통상기구과	91년 1월 30일	담 당	과 장	심의관	국 장	차관보	차 관	장 관
			송봉헌	(서명)	(서명)	(서명)	(서명)		

0014

2. 美國의 迅速承認節次(Fast-track) 延長 問題

o 上記 Dunkel 事務總長의 仲裁案 마련 努力이 성공할 경우 美行政府는 同 仲裁案을 근거로 議會에 대해 Fast-Track 2年 延長 要請 展望

※ C. Hills USTR, Fast-track 2年 延長 要請 計劃 示唆

- 1.24-25. 美國 National Association of Manufacturers 주관 主要國 商工人 招請 모임 및 記者會見에서 UR과 連繫치 않더라도 美. 멕시코 自由貿易協定 締結 推進을 근거로 Fast-track 2年 延長 要請 고려중임을 言及 (1.27字 Financial Times 및 1.28字 Wall Street Journal 報道)

3. 其他

o EC의 共同農業政策(CAP) 改革 問題

- EC 會員國內 最終 合議 導出을 위해 최소한 今年 가을까지 論議 繼續 展望

o TNC 會議 ~~開催~~ (속개) 展望

- 2.4. ~~開催~~ (속개) 추측도 있으나 2月 中旬내지 下旬頃 開催 豫想

o 걸프 事態에 따른 影響

- 美國이 걸프 事態로 獨逸, 日本, 프랑스등의 協調가 필요한 點을 고려할 때 3.1 까지 協商 妥結 難望視

. Katz USTR 副代表, 3.1까지 UR 妥結 어려움을 言及(1.27字 Financial Times 報道). 끝.

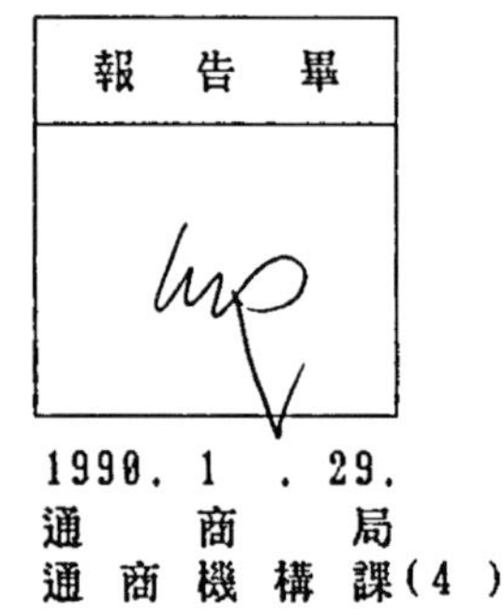

長官報告事項

1990. 1 . 29.
通 商 局
通商機構課(4)

題 目 : UR/農産物 協商 展望

1.28(月) 駐제네바 大使代理가 招請한 午餐에서 갓트 農業局長은 Dunkel 事務總長이 2.1(金)부터 美國, EC, 濠州를 個別 接觸, 農産物 協商 仲裁案 마련 計劃 및 이와 관련한 美國의 協商 結果 迅速承認 節次 延長 可能性에 대해 言及하였는바, 同 主要 內容을 아래와 같이 報告드립니다.

1. 農産物 協商 展望

o Dunkel 事務總長의 農産物 協商 仲裁案 마련 努力
  - 2.1(金)부터 週末까지 美國, EC, 濠州(케언즈 그룹) 代表를 個別 接觸, 仲裁案 마련 摸索
  - 同 仲裁案을 基礎로 我國, 日本, 北歐등 餘他 主要國의 意見 收斂 計劃
  - 同 仲裁案에 食糧安保 事項도 考慮 要素로 반영 展望

o 食糧安保 品目에 대한 具體協商 方案 (同 局長 助言)
  - 日本이 쌀에 대한 最小市場接近을 일정 水準(예 : 3%) 保障하되 UR協商 이행기간 (예 : 5년) 동안 同 水準 凍結을 主張할 경우 主要 協商 對象國들이 同 主張 拒否 困難
  - 韓國은 最小市場接近 水準 또는 이행기간에서 日本의 切半 (예 : 1.5% 또는 10년) 水準만 의무 부담 主張을 할 경우 主要 協商對象國의 肯定的 評價 豫想

1

0016

2. 美國의 迅速承認節次(Fast-track) 延長 問題

o 上記 Dunkel 事務總長의 仲裁案 마련 努力이 성공할 경우 美行政府는 同 仲裁案을 근거로 議會에 대해 Fast-Track 2年 延長 要請 展望

※ C. Hills USTR, Fast-track 2年 延長 要請 計劃 示唆

- 1.24-25. 美國 National Association of Manufacturers 주관 主要國 商工人 招請 모임 및 記者會見에서 UR과 連繫치 않더라도 美. 멕시코 自由貿易協定 締結 推進을 근거로 Fast-track 2年 延長 要請 고려중임을 言及 (1.27字 Financial Times 및 1.28字 Wall Street Journal 報道)

3. 其他

o EC의 共同農業政策(CAP) 改革 問題

- EC 會員國內 最終 合議 導出을 위해 최소한 今年 가을까지 論議 繼續 展望

o TNC 會議 續開 展望

- 2.4. 續開 추측도 있으나 2月 中旬내지 下旬頃 開催 豫想

o 걸프 事態에 따른 影響

- 美國이 걸프 事態로 獨逸, 日本, 프랑스등의 協調가 필요한 點을 고려할 때 3.1 까지 協商 妥結 難望視

. Katz USTR 副代表, 3.1까지 UR 妥結 어려움을 言及(1.27字 Financial Times 報道). 끝.

판리 번호 91-107

원 본

외 무 부

종 별 : 지 급

번 호 : USW-0488 일 시 : 91 0129 1822

수 신 : 장관(통기,통일,경기원)

발 신 : 주 미 대사

제 목 : UR 협상 전망

연: USW-0440,0474

당관 서용현 서기관이 1.29. USTR CHATIN 농업담당관과 접촉, 표제건 관련 탐문한바를 하기 보고함.

1. 중남미 순방에 이어 1.27-29 간 당지를 방문한 FRANS ANDRIESSEN EC 대외 통산상은 HILLS USTR 대표등을 면담, UR 타결을 위해 협의를 계속하기로 하였으나 농산물 문제등에 관하여 특별한 돌파구를 마련하지는 못하였다 함. 연호 EC의 CAP 개혁안은 아직 EC 의 공식안으로 정립되지 못한 것이므로, ANDRIESSEN은 동개혁안에 관한 향후 EC 내 협의 절차등을 설명함에 그쳤다함.

2. 연호 보고와 같이 미행정부는 미.멕시코 자유무역협정 교섭을 위하여라도 FAST TRACK AUTHORITY 연장을 신청할 것으로 전망된다함. 동 AUTHORITY 가 연장되는 경우 그목적이 구체적으로 부여되지 않기 때문에 법적으로는 UR 협상도 동일한 AUTHORITY 하에서 수행할 수 있겠으나, 의회 토의과정에서 AUTHORITY 연장 사유를 제시하게되는 관계상, 의회에서 UR 연장 협의라는 목적을 제시하지 않았다가 실제로 이를 UR 협상을 위해 원용하는 경우 정치적 책임을 면할수 없을 것이라함. 따라서 HILLS 대표는 동 AUTHORITY 연장을 신청함에 있어 의회의 분위기등 때문에 아직 UR 을 AUTHORITY 연장 사유중의 하나로 제시할지 여부를 결정치 못하고 있다 함.

(대사 박동진-국장)

예고:91.6.301 가지

토 필 (1991.6.30.)

통상국 2차보 통상국 경기원

PAGE 1

91.01.30 09:03

외신 2과 통제관 BT

0018

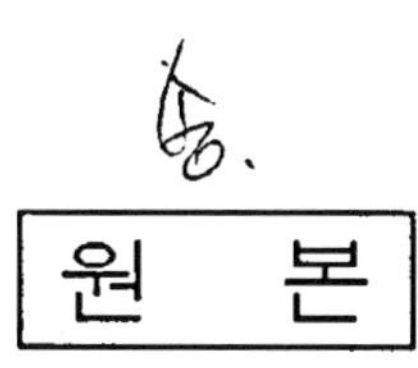

관리 번호	91-108

원 본

외 무 부

종 별 :

번 호 : URW-0012 일 시 : 91 0130 1620

수 신 : 장관(통기)

발 신 : 주 우루과이 대사

제 목 : UR협상

대:WUR-17

연:URW-9

1. 연호 회의 결과 관련, 당관 한참사관이 외무성 국제기구국 경제기구과장(DR.FAJARDO)을 접촉, 파악한 내용 아래보고함.

-EC 측및 중남미 제국측 입장설명이 있었을뿐 EC 측으로부터 농산물 협상 관련 새로운 제안이나 종래 입장 양보는 전혀 없었음.

-EC 측은 COMMON AGRICULTURAL POLICY 의 변경 가능성을 설명하였으나, 이를UR 협상과연계 구속력을 부여 하는데는 반대였음.

-양측 모두협상을 계속, UR 의 실패는 막아야한다는 데는 의견일치

-결론적으로 동회의를통한 농산물협상에의 실질적 진전은 없었다고 평가됨

-2. 대호 중남미 국가간 회의는 당지 UNDP 주관으로 1.30-2.2 간 진행되는바, 관련사항 파악 되는대로 추보 위계임.

(대사-국장)

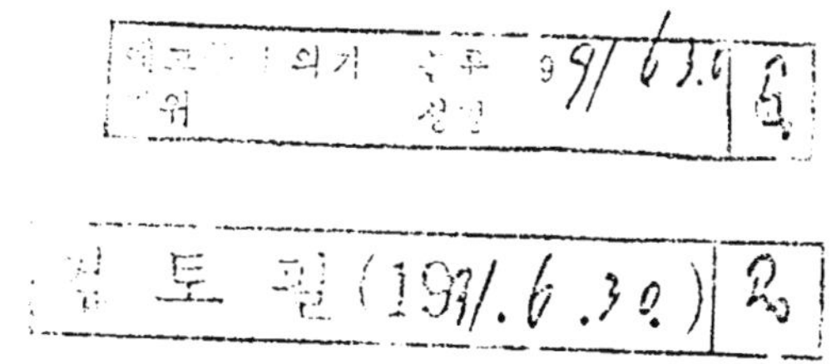

통상국 1차보 2차보 청와대 안기부

PAGE 1

91.01.31 07:11

외신 2과 통제관 FE

0019

관리 번호 91-109

원 본

외 무 부

종 별 :

번 호 : CNW-0139 일 시 : 91 0130 1615

수 신 : 장 관(통기,기협,상공부)

발 신 : 주 카나다 대사

제 목 : EC 집행위 부위원장 오타와 방문

ANDRIESSEN EC 집행위 부위원장 겸 무역위원장은 1.29. 오타와를 방문, CROSBIE 통상장관과 UR 협상 관련 협의(조찬회등)를 가진바 있음. 이와 관련 하명근 상무관이 외무무역부 KEITH CRISTIE(DEPUTY COORDINATOR, MTN BRANCH)로 부터동 협의내용을 탐문한바 있어, 동인의 발언 요지를 아래 보고함.

1. 우루과이 및 미국 방문 결과

0 ANDRIESSEN 부위원장은 우루과이 푼타 델 에스테 에서 남미 주요국가 통상장관들과의 협의 결과, 이들 국가들은 농산물 협상에서 돌파구가 열리지 않는한 타 분야 협상에 응하지 않을 방침을 굳히고 있는 것으로 평가하였음.

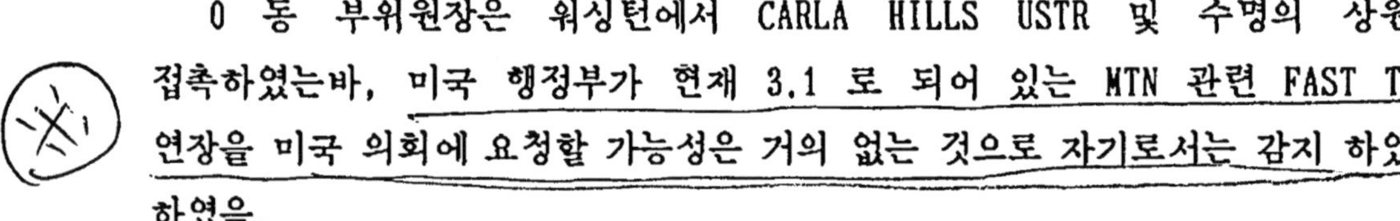

0 동 부위원장은 워싱턴에서 CARLA HILLS USTR 및 수명의 상원 의원들과 접촉하였는바, 미국 행정부가 현재 3.1 로 되어 있는 MTN 관련 FAST TRACK 기한 연장을 미국 의회에 요청할 가능성은 거의 없는 것으로 자기로서는 감지 하였다고 언급하였음.

2. EC 농산물 입장 재검토

0 동 부위원장은 현재 EC 는 국내 보조, 수출 보조금 및 국경보호등 3 개 농산물 협상 분야에 대한 입장을 재검토 중이며, 조만간 최종 결론을 내릴것 이라고 하였음. 그러나 각분야별 개방계획 재검토 관련, 수치로 뒷받침 될만한 구체적인 내용에 대해서는 언급이 없었음.

0 현 UR 협상은 농산물 문제가 전부는 아니므로 EC 가 농산물 분야에서 희생을 치르는 경우 타 협상 참여국들도 타 분야에서 양보를 하여야 할것이라고 동부위원장은 강조하였음.

3. 주재국 전망

0 DUNKEL GATT 사무총장은 2.1. 부터 각국 대표와 비공식 협의를 가질 계획으로

통상국 2차보 경제국 청와대 안기부 상공부

PAGE 1 91.01.31 07:22

외신 2과 통제관 FE

0020

있으며, 카나다 정부에서는 제네바 주재 SHANNON 대사 및 DENIS 차관보(MTN담당)를 참여 시킬 계획임.

0 향후 UR 협상 전망은 시한의 촉박과 산적한 미결 현안을 감안할때 결코 낙관할 수 없으나 늦어도 내주중 DUNKEL 사무총장으로부터 그동안의 막후 협의 결과 협상 재개의 기초가 될 수있는 COMMON GROUND 가 마련 되었다는 발표가 있기를 희망하고 있음.

4. NAFO 수역내 조업규제

0 CROSBIE 통상장관은 NAFO 수역내 EC 회원국(특히 스페인, 폴투갈)의 남획급증으로 주요 어족 자원 고갈은 물론 뉴펀들랜드주의 수산물 가공공장 도산등이 초래 되었다고 지적하고 동 부위원장에게 동 수역내 EC 회원국 어선의 조업규제를 강력히 요청 하였음. 끝

(대사 - 국장)

예고문 : 91.6.30. 까지

내주 (2.4) 상원위 대비 update한 UR동향 23개 – 가관씨

송.

원 본

외 무 부

종 별 :

번 호 : ECW-0094 일 시 : 91 0130 1610

수 신 : 장관 (통기,경기원,재무,상공,농수산부)사본:주제네바대사-직송필

발 신 : 주 EC 대사

제 목 : 갓트/UR 협상

대: WEC-0065

1. NDRIESSEN EC 집행위 부위원장은 1.25-26 우루과이에서 중남미 6개국 대표들과 회담을가진후, 1.28.워싱턴을 방문하여 BAKER 미국무장관등과 만나 GULF 사태, UR등 미.EC 현안에 관해 협의한바 표제 관련사항 하기보고함.

0 동인은 알젠틴, 우루과이등 중남미 6개국 대표및 알젠틴과 우루과이 대통령을만난자리에서 UR 협상은 미.EC 양자간 문제가 아님을 강조하고, 동 협상의 성공을 위해서는 모든 협상 참여국들이 요구하고 있는 현실적인 수준을 완화하는 것이 중요하며, 동 협상은 농산물 분야를 포함한 모든 분야에서 균형있는 결과가 도출되어야 할것이라 고 말하고, 브랏셀 TNC 회의에서 MAC SHARRY 위원이 제안한 EC농산물 OFFER는 아직도 유효하며, 또한 동 TNC회의에서 EC 는 열대산품 분야에서 상당한 양보를하였음을 상기시키면서, CAP 개혁결과에 따라 추가로 양보할수도 있을것이라고 말함. 한편 ESBIELL 우루과이 외무장관은 이번회담에서 동 협상진전에 중요한 계기를 기대했으나 실망했으며, 동 협상의 실패는 GULF 전쟁보다도 세계경제에 주는 영향이 심각할 것이라고 말함.

0 한편, 워싱턴에서 미.EC 는 표제협상의 교착에대해 우려를 표명하고, 적절한 시기에 동교착 상태를 타개하여 전반적으로 만족할만한 합의를 이루기위해 노력하자는데 의견을 같이하였음.

2. 연호관련, 당관 김광동참사관은 EC집행위 DE PASCALE 담당과장과 접촉한바, 동과장은 UR 농산물협상 관련한 EC 입장은 변화된바 없으나 미국은 동협상을 하계휴가이전에 종결시키려는 강력한 의지를 표명하고 있다고 말함. 끝

(대사 권동만-국장)

통상국 2차보 구주국 경기원 재무부 농수부 상공부

PAGE 1 91.01.31 01:30 DP

외신 1과 통제관

0022

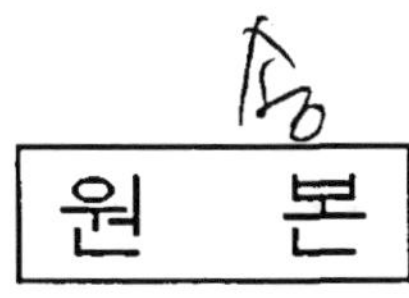

원 본

외 무 부

종 별 :

번 호 : ECW-0097 일 시 : 91 0131 1700

수 신 : 장 관 (통기, 경기원, 재무, 농수산, 상공부)사본:주 제네바 -직송필

발 신 : 주 EC 대사

제 목 : 갓트/UR 협상

1. 1.30. ANDRIESSEN EC 집행위원장은 중남미, 미국, 카나다를 방문후 가진 성명을 통해 비록 농산물협상에서 케언즈그룹이 강경한 입장을 고수하고 있고, 미국은 UR 협상기한 연장을 모색하고 있으며, 카나다는 회의적인 태도를 갖고있음을 확인한바 있으나, EC 입장은 동협상을 3.1. 이전에 종결시키는 것이라고 말함. 동인은 그러나 이러한 목적을 달성하기 위하여는 개도국을 포함한 모든 협상국들은 농산물분야 뿐 아니라 써비스분야를 포함한 모든 분야에서 균형있게 기여를 한다는것이 전제되어 야 한다고 말하고, 다른 분야에서 충분한 진전이 없는한 EC농산물 분야에서 양보를 할수 없음을 강조함.

2. 동인은 농산물협상 관련하여 본 여행기간중 다른 수출국들의 기대가 합리적이어야 하며, EC자체에서 과잉생산되는 품목들의 경우에는 EC 시장에 수출하려는 기대는 자제되어야 한다는점을 명백히 하였다고 말한후, 브랏셀 TNC회의에서의 EC 입장 (특히 수출국간 쿼타및 최소시장 접근허용) 은 유효하며, CAP개혁작업은 UR 협상추진에 도움이될것이라는 점을 강조하였다고 함. 동인은 또한 EC 는 한시라도 동 협상재개에 참여할 준비가 되어있으며, DUNKEL 사무총장의 종합문서 배포와 협상회의 소집을 기다리고 있다고 말함.

3. 한편, 1.31. DE PASCALE EC 갓트담당 총괄과장은 당관 김광동 참사관과 전화통화시 ANDRIESSEN 부위원장이 말한바있는 즉 3.1. 이전에 UR 협상을 종결시키는 것이 EC 기본입장임을 확인하면서 그러나 동부위원장 순방시에도 EC 는 농산물뿐 아니라 써비스, 반덤핑, 섬유등 모든 분야에서 각국의 균형있는 양보를 바탕으로 한 OVERALL PACKAGE 가 마련되어야 한다는 점을 강조하였으며, 브랏셀 TNC 회의에서 EC가 농산물협상을 BLOCKING함으로써 UR 협상이 교착상태에 이르게 되었다는 순방대상국 대표들의 지적을 강하게 반박하였다고 말함. 동인은 또한 동부위원장과 미국및

통상국 2차보 경기원 재무부 농수부 상공부

PAGE 1 91.02.01 09:13 WG

외신 1과 통제관

0023

카나다측과 협의시 GULF전쟁의 장기화 전망에 따라 UR 협상 종결시한을 여름 휴가이전 (MID JULY) 까지 잠정합의하였다고 말하고 아국도 이에따라 준비하는 것이 필요할 것이라고 언급함.

4. 한편, BLEWETT 호주 무역협상 장관은 라디오 회견을 통해 유럽과의 무역분쟁 대립를 위한 수출촉진기금 (EXPORT ENHANCEMENT FUNDS) 을 인상키로 한 미국의 결정에 동의할수 없다고 말함. 미국은 이러한 기금인상은 UR 협상을 타결하기 위해서 유럽과의 분쟁해결 수단을 강화하기 위한것이라 말하고 있으나, 동인은 이러한 조치는 EC 입장을 더욱 강경하게 만들어 UR에서 만족스러운 결과를 얻고자 하는 목적달성이 더욱 어렵게 될것이라고 말함. 동인은 미국의 강경한 자세와 동 기금인상 조치등은 협상추진에 효과적이지 못하였다고 평가하고, 그럼에도 불구하고 케언즈그룹과 미국은 농산물협상에서 동지이며, 미국과 케언즈 그룹은 앞으로 보다 강력한 유대관계를 지속하면서 세계 곡물가격인하를 위한 공동보조를 취할것 이라고 말함. 끝

(대사 권동만-국장)

관리번호	91-113

원 본

외 무 부

종 별 :

번 호 : GVW-0215 일 시 : 91 0131 2000

수 신 : 장관(통기,경기원,재무부,농림수산부,상공부) 사본: 주카나다대사(본부중계필)

발 신 : 주 제네바 대사대리

제 목 : UR 협상(전망)

연: GVW-0189(1), 0199(2)

1. UR/ 농산물 협상과 관련한 DUNKEL 총장의 주요국과의 협의 동향과 관련 당관이 탐문한바에 의하면 DUNKEL 총장은 금 1.31(금) 오전에는 일본 (ENDO 대사)오후에는 미국(KATZ 부대표) 및 호주(FIELD 차관)등 케언즈그룹 국가의 본국 고위 대표와 2.1(금) 오전에는 EC (PAEMAN 부총국장, LEGARAS 국장), 오후에는 카나다와 개별 협의를 갖는등 2.1. 까지 1 차 협의를 진행할 예정임.

2. 당지 일본대표부로 부터 1.31. 오전 DUNKEL 총장과 ENDO 대사간의 협의 내용에 관해 파악한 바, 금번 면담은 DAVOS 심포지움 참석차 당지를 경유한 ENDO대사를 DUNKEL 총장이 면담 요청하여 이루어 졌다하며, DUNKEL 총장은 문서는 제시치 않고 시장접근, 국내보고, 수출경쟁, 위생검역등 4 개 협상 요소를 포함하는 PLATFORM 에 대한 자신의 구상을 구두로 설명하였다 함.

3. 일본의 관심사항인 식량안보와 관련, DUNKEL 총장은 식량안보등 비교역적 관심사항을 PLATFORM 에 포함시킬 경우, 다른 나라들의 예외 요구를 막을 길이 없음을 이유로 난색을 표시하였으며, 이에 대해 일본측은 기본 입장에 따라 식량안보를 포함하지 않는 PLATFORM 은 여러나라에게 수락되기 어려울것이라는 반대입장을 밝혔다 함.

4. 금일 협의결과 일측이 받은 인상으로는 DUNKEL 총장은 2.1 까지의 주요국과의 1 차 과정에서 문서는 제시치 않고 자신의 복안에 대한 각국의 입장을 탐색하는데 중점을 둘것인바, 2.1. 오전의 EC 와의 협의가 가장 관심의 대상이 될것으로 보인다 함. DUNKEL 총장은 2.1 까지의 각국과의 1 차협의가 끝난 다음 필요한 경우 일본측과 다시 만나도록 양해하였다 함.

5. 금번 DUNKEL 총장의 주요 국가와의 협의와 관련한 당지의 일반적 관측으로는

통상국	장관	차관	1차보	2차보	경기원	재무부	농수부	상공부

PAGE 1

91.02.01 08:16

외신 2과 통제관 BT

0025

일단 2.1. EC 와의 협의 결과에 따라 결과가 달라질수도 있으나, 대체적으로DUNKEL 총장이 금번 1 차 협의에서 특별한 성과를 거두지 못하더라도 이번 협의로 끝나지 않고 협의는 계속 될것이며, 특히 2.4(월) 개최되는 EC 대외경제담당각료회의 의제로 농업문제도 포함이 되어 있으므로 그이후에도 협의가 이루어질가능성이 있다는 것임.

6. 동 협의는 필요시 2.15. 경 까지는 계속 할수있을 것이라는 것이 일반적인 관측인바, 이는 미국 행정부가 3.1 까지 FAST TRACK 협상 권한의 연장을 의회에 요청하기 위하여는 늦어도 2.15. 경에 업계의 의견을 구하는 조치를 취해야 하기 때문인 것으로 알려져있음. (ADVISORY COMMITTEE FOR TRADE POLICY AND NAGOTIATIONS 에 대한 통고 절차)

7. 현재 각국의 본국대표 당지 파견과 관련 파악한 바에 의하면 연호(1) 보고와 같이 EC, 미국, 호주등이 본국대표를 파견하였고, 북구, 오지리등은 특별한움직임을 보이지 않고 있으며 스위스의 경우 DE PURI 본부 대사가 필요에 따라제네바로 올 예정이라 함. 끝.

(대사대리 박영우-장관)

예고:91.6.30 까지

관리번호	91-114

원 본

외 무 부

종 별 :

번 호 : GVW-0222 일 시 : 91 0201 1900

수 신 : 장관(통기) 경기원, 재무, 농림수산, 상공) (사본:주카나다박수길대사 -중계필)

발 신 : 주 제네바 대사대리

제 목 : UR/농산물 협상(전망)

연: GVW-0189(1), 0199(2), 0200(3)

1. UR/ 농산물 협상과 관련한 DUNKEL 총장의 주요국과의 협의 동향에 대하여 2.1 현재 탐문한바에 의하면 1.31. 제 1 라운드로 일본, 미국, 호주, 카나다와 개별협의를 가졌으며, 2.1 EC 와의 제 1 라운드 개별협의를 가진데 이어 일본등 국가와 제 2 라운드 협의를 가졌다고 함.

이와 병행하여 일본은 2.1 오전 미국과 양자협의를 가졌으며, 2.1 오후 호주와 양자 협의를 가질 것이라함.

2. 일본측에 의하면 2.1 의 제 2 라운드 협의에서도 DUNKEL 총장은 문서 제시없이 구두로 전일 협의에서 제기된 문제를 재협의하였으나 구체적인 진전은 없었다고 함.

3. DUNKEL 총장은 2.5 오후 당지 EFTA 국가 대사들(북구, 스위스, 오지리)을 만나도록 초청해 놓고 있으며, 남미제국(알젠틴, 브라질등)과의 접촉 여부는 미정이며, 접촉이 있을 경우에는 현지 대사들과 협의할 것으로 관측되고 있음.

아국과의 협의에 대하여는 아직 통보가 없음.

4. 지금까지의 협의 결과를 우선 파악한바로는 농산물 협상 실질 문제에 진전은 없었고 다만 협상재개에 필요한 절차측면에 주안을 두고 논의가 진행된 것으로 보여지고 있음. 동 협의는 필요시 금주말에 이어 내주 (2.4 주간)에도 계속될것으로 관측되고 있음.

5. 이번 협의에서도 미국은 관망하는 자세(WAIT AND SEE)를 견지한 것 같고, EC 도 새로운 입장 변화를 보이지 않은 것으로 알려지고 있는바, 본건 진전사항 파악되는대로 추보 하겠음. 끝

(대사대리 박영우-장관)

예고 91.6.30. 까지

검 토 필(1991.6.30.)

1991.6.30.

통상국	장관	차관	1차보	2차보	청와대	경기원	재무부	농수부
상공부								

PAGE 1 91.02.02 06:21

외신 2과 통제관 CW

0027

관리번호	91-179

홍(가) 원 본

외 무 부

사본 → 통기

종 별 :

번 호 : CNW-0161　　　　일 시 : 91 0204 1930

수 신 : 장 관(통일, 상공부)

발 신 : 주 카나다 대사

제 목 : UR 협상 전망

하명근 상무관이 주재국 외무무역부 JOHN KLASSEN(SENIOR COORDINATOR, MTNBRANCH)와 표제건 관련 협의한바, 동인 발언요지 아래 보고함.

1. KATZ USTR 부대표는 2.1. 제네바에서 미국 해정부는 3.1. 까지로 되어있는 FAST TRACK 시한을 2 년간 연장토록 의회에 요청할 것이라고 밝혔음. 동 연장이유로는 현 시한내에 미국의회를 만족시킬만한 수준의 협상결과(특히 농산물 분야)를 거양하기는 거의 불가능하다는 판단에 따라 차라리 협상시한을 연장, 농산물 분야에 있어 EC 등 국가로부터 상당한 양보를 받아내고 타 분야에 있어서도미국이 의도하는 성과를 거두도록 노력하는것이 보다 바람직 하다는 결론에 도달하였음을 들고 있음.

2. 현재로서는 막후 접촉 결과 가시적인 성과가 없는 것으로 평가되고 있어차기회의 소집 시기를 예측하기는 어려우나 DUNKEL 사무총장이 다음주내 한국등 국가와 접촉기회를 확대할 것으로 보이며, 이 경우 2 월중 또는 3 월초에 비공식 회의 개최 가능성이 있는 것으로 보임.끝

(대사 - 국장)

예고문 : 91.6.30. 까지

통상국	장관	차관	1차보	2차보	상공부

PAGE 1　　　　91.02.05 13:34

외신 2과 통제관 BW

0028

관리번호	91-119

원본

외 무 부

종 별 :

번 호 : AUW-0086　　　　일 시 : 91 0205 1700

수 신 : 장관(통기,아동)

발 신 : 주 호주 대사

제 목 : UR/농산물 협상

대:WAU-0054

1. 대호 금 2.5 당관 장참사관은 외무.무역부 통상국 SPARKES 부국장을 면담, 지난주 제네바에서의 DUNKEL GATT 사무총장의 일련의 개별 접촉문제등에 관해 문의한바, 동부국장은 지난주 제네바에서 DUNKEL 사무총장이 미국, EC, 호주,카나다, 일본등과 개별접촉을 갖었으며 주말에는 관련국 대표를 초청, 만찬을 개최하고 농산물 협상문제를 논의하였다고함.

2. 동사무총장은 당초 상기국가들과의 개별접촉을 통해 농산물협상 타개를 위한 PLATFORM 을 마련할 생각이었으나, 미국과 EC 의 입장에 있어 기본적으로 큰 차이가 있기때문에 양측이 공히 협상의 기초로 받아들일수 있는 PLATFORM 작성은 불가능하다는것을 인식하게 되어 문서작성 계획은 포기한것으로 알고 있으며, 다만 그동안의 접촉결과를 평가하는 정도에서 사무총장의 역할을 끝낼것으로본다고 함.

※3. 미측은 3.1 만료예정된 FAST TRACK MANDATE 를 연장하기 위해서 농산물 협상 진전에 관해 EC 측으로부터 어떠한 WRITTEN COMMITMENT 를 받기를 원했으나EC 측이 이를 거부하고 있음으로 대의회 로비용으로 UR 농산물 협상에 어떤 진전이 있었다는 것을 표시하는 GATT 문서를 필요로 하였던것으로 보이며, DUNKEL 사무총장의 여사한 노력은 이러한 배경과도 관련이 있는것으로 보인다고함.

4. 현재 UR 협상에 참여하는 모든국가들이 UR 협상의 계속 진행을 원하고 있으므로 미국은 의회에 대해 FAST TRACK MENDATE 을 연장하는 조치를 취할것으로 예상되며 (그시기는 2 월중순으로 상정됨)EC 는 UR 협상 전체의 진전을 위해 자신들의 입장을 재검토할 필요성을 느끼고 있음으로 앞으로 내부 농업지원정책 검토에 있어 유연성을 부여하게 될것으로 예상되는바, 미국이 FAST TRACK MENDATE 문제를 무기로 삼아 EC 에 압력을 가한것은 일단 소기의 성과를 거두지 못했던것으로 평가한다고 말함.

통상국　장관　차관　1차보　2차보　아주국

PAGE 1

91.02.05 16:58

외신 2과 통제관 CH

0029

5. 미국의 FAST TRACK MANDATE 연장문제가 해결되고 EC 의 내부 농업지원정책에 대한 재검토가 있기까지는 UR 협상에 있어 어떤 구체적인 진전이 있을것으로는 예상되지 않으며 DUNKEL 사무총장의 호주방문 계획은 지난주말 제네바에서의 개별접촉으로 인해 계획 자체가 취소되었다고함.(대사 이창수-국장)

예고:91.6.30. 까지.

관리 번호 91-129

원 본

외 무 부

종 별 : 지 급

번 호 : USW-0655 일 시 : 91 0207 1810

수 신 : 장관(통기,통일,경기원,농수부) 사본:주제네바대사-중계필

발 신 : 주 미 대사

제 목 : UR/농산물 협상

대:WUS-0363

대호 관련, 당관 서용현 서기관이 금 2.7. USTR 의 B.CHATIN 농업담당관과 접촉, 협의한 결과를 하기 보고함.

1. KATZ USTR 부대표 및 CROWDER 농무차관과 DUNKEL 사무총장의 제네바 면담은 유익하였으나 뚜렷한 타개적(BREAKTHROUGH)을 찾지는 못하였다고 하며, 동 협의시 DUNKEL 사무총장이 어떤 TEXT 나 PLATFORM 을 제시한바는 없다 함.

2. 일본의 쌀 시장 5 % MINIMUM MARKET ACCESS 와 관련, 일본측으로부터 공식적인 제의를 받은바 있는지 여부에 관한 질문에 대해 CHATIN 박사는 그러한 제의를 받은바 없으며, 당초 일본 외무성이 동내용을 발표했다가 농무성이 이를 번복하였는바, 이는 일본정부가 우선 국내용으로 어드벌룬을 띄운것으로 본다고 답함.

3.CHATIN 박사는 정작 일본이 쌀시장의 MINIMUM MARKET ACCESS 를 제의하여온다하더라도, 이를 수락할 경우 여타국들도 모두 특정품목에 대해 유사한 주장을 원용할것이기 때문에 미측이 이를 수락할지 여부는 회의적이라고 말함.

이에 대하여 서서기관은 일본에 대하여 처음부터 쌀시장의 포괄적인 개방스케쥴 제시를 요구하는 것은 일본정부가 어렵게 도출해낸 개방 카드를 실효하게하고 대여론 관계에 있어 일본정부를 곤경에 몰아넣을것임을 지적하고, 오히려 미측으로서는 우선 상징적 쌀시장 개방을 수락하고 다만 추후 추가 개방을 위한 협상 여지를 남겨두는 선에서 처리함으로써 일본정부로 하여금 개방초기의 충격이 흡수된후에 점진적으로 추가개방을 하도록 유도하는것이 보다 현명한 전략이 아니겠느냐는 의견을 제시함.

4.FAST TRACK AUTHORITY 연장문제와 관련, BUSH 대통령은 작 2.6 BENTSON 상원 재무위원장에게 송부한 커뮤니케를 통하여 미.멕시코 자유무역협정 체결교섭 개시를 공식 통보하면서 동교섭과 관련, FAST TRACK AUTHORITY 문제등 동협정교섭에 필요한

통상국	장관	차관	2차보	통상국	청와대	안기부	경기원	농수부

PAGE 1 검 토 필 (1991.6.30.) 91.02.08 09:30

외신 2과 통제관 BN

0031

법적 절차를 따르겠다고하여 사실상 미.멕 협정 체결을 위한 FAST TRACK AUTHORITY 연장을 암시적으로 의회에 통보하였다 함.(동 통보는 공식적 연장 신청은 아니라 함.)

5. UR 과 관련한 FAST TRACK AUTHORITY 연장을 위하여 행정부가 어떠한 종류의 UR 협상 진전사항을 의회에 보고하여야 할 것인지에 관한 질문에 관하여 CHATIN 담당관은 사견임을 전제하면서 EC 의 CAP 개혁안 제출 사실에 추가하여 DUNKEL 사무총장이 각국과의 협의결과를 종합한 결과 향후 타결전망이 밝다는 내용의 STATEMENT 를 조만간 발표하면 이를 기초로하여 FTA 연장을 신청할수 있지 않겠느냐는 의견을 제시함. 또한 CHATIN 박사는 FTA 연장시한 이전에 농업문제 협상안의 골격을 협의하기 위하여 2 월중에 10 여개 주요 국가간에 실무협의가 개최될 가능성이 크다고 하면서 이경우 한국도 참가하게될것이라고함.

(대사 박동진-국장)

예고:91.6.30 까지

PAGE 2

0032

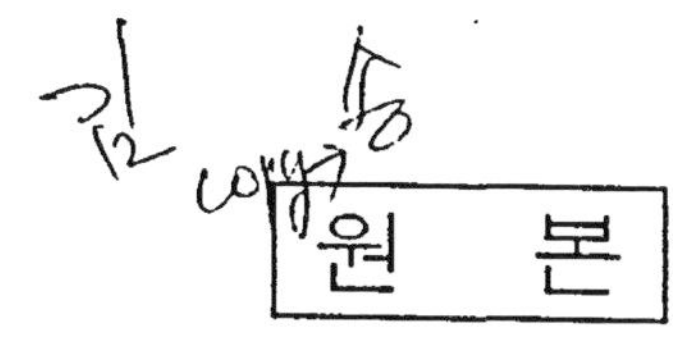

원 본

외 무 부

종 별 :

번 호 : GVW-0269 일 시 : 91 0208 1940

수 신 : 장 관(통기) 경기원, 재무부, 농림수산부, 상공부, 경제수석,

발 신 : 주 제네바 대사대리 사본:주카나다대사(직송필)

제 목 : UR/ 개도국 비공식 그룹회의

2.8(금) RICUPERO 의장 주제의 표제회의가 개최되어, DUNKEL 사무총장으로부터 동 총장이 TNC 고위급 의장 자격으로 UR 협상 재개를 위해 지난 10일간 진행한 협의의 결과와 향후 협상 진행에 관한 구상을 청취하였는바, 요지아래 보고함. (박공사, 오참사관, 민서기관 참석)

1. DUNKEL 총장 언급요지

- UR 협상의 타결을 위해서는 농산물 협상이 관건이라는 인식하에 지난 10일간 주요국과의 협의를 통해 농산물 분야의 협상기초 (PLATFORM)를 마련하기 위한 노력을 기울였으나 필요한 합의를 이루지 못하였으며, 이제 새로운 접근방법의 필요성을 느끼고 있음.

- 농산물 협상 타개를 위해서는 시장접근, 국내보조, 수출보조금, 농산물관련 규범, 위생검역 규제등 5가지 분야에서 구체적인 약속 (SPECIFIC COMMITMENTS) 이 있어야 한다는데 컨센서스가 있으므로 동 구체적 약속의 필요성에 관한 짧은 STATMENT (상기 PLATFORM 대신)를 발표하고, 이를 토대로 우선 농산물 분야에서 관세화, 보조금분류 (녹색 BOX, 황색 BOX), 보조금 총량 측정장치 (AMS) 등과 같은기술적 문제를 다루기 위한 협상을 재개하고자 함.

- 앞으로도 종전과 같이 15개 분야로 나누어 진행하던 협상 방식을 지양하고 우선 농산물분야부터 중요분야를 선정하여 TNC 의장인 자신의 (필요시 사무국 간부나 대표의 도움을 받도록함) 시한을 정하지 않은 상태에서 각분야 협상일자를 달리하여 집중적인 협상을 실시하고 구체적인 성과가 도출된 연후 TNC 를 열어 이를 TAKE NOTE 하도록 할 생각임.

- 동 구상에 대하여 앞으로 며칠간 주요국들과 협의를 가질 예정인바, 동 구상이 조속히 착수될수 있도록 각국의 협조를 구함.

통상국	장관	2차보	청와대	경기원	재무부	농수부	상공부	차관

91.02.09 09:18 WG

외신 1과 통제관

0033

2. DUNKEL 총장의 상기 발언에 대해 자마이카가 STATMENT 의 발표시기에 대해 문의하고, 페루가 STATEMENT 내용으로 개도국 관심사항인 개도국 우대문제가 언급되지 않은데 대해 문의한바, 던켈총장은 STATEMENT 발표시기는 좀더 협의가 필요하므로 지금 당장 정하여 말하기는 어려우며 개도국 우대문제와 여타 수개국의 관심사항인 식량안보 (FOOD SECURITY) 문제등 푼타델 에스테 각료선언과 중간평가시 합의된 사항들을 STATEMNT 상의 다섯가지 요송에 대한 논의과정에서 다루어질 것이라고 답변함.

3. 이어 브라질은 브럿셀 회의 이래 상황의 변화가 없고 가까운 장래에 농산물분야협상에서 새로운 요소가 나타날 징후가 없는 상황에서 협상재개의 필요성이 있는지 의문을 표시한바, DUNKEL 총장은 미국의 FAST TRACKAUTHORITY 시한의 임박, 이씨내 공동농업정책 (CAP) 의 개혁 추진 움직임, 걸프전 발발등 국제정세 변화, 농산물 5개분야에 대한 구체적 약속이 있어야 된다는데 대한 컨센서스의 형성등의 상황 변화가 있다고 언급하고, 협상을 재개하는 것과 협상을 진행하는 것에는 분명한 차이가 있으며 현재 자신의 목적은 협상대표들이 수정된 입장을 가지고 협상 테이블로 되돌아오게 하는것이 라고 답변함.

4. 상기 DUNKEL 총장 발언내용과 관련 당관이 추가 탐문한바에 의하면 던켈총장은 다음주중에 STATMENT 내용에 대해 미국, 이씨, 일본, 카나다, 호주 (케언즈그룹), 라틴 아메리카국가들 (케언즈그룹내 대다수 국가는 이씨가 CAP의 개혁을 진지하게 다루고 있으므로 던켈총장의 상기 협상 재개 메카니즘을 수용하여 협상을 계속하련 자세인데 반하여 일부 라틴아메리카 국가들은 동 구상에 다소 이견이 있다 함)등 주요국들과의 협의를 실시하고 협의가 순조로울 경우 2.18주간 쯤에 농산물 협상에 적극참여해온 30여개 주요국가간의 농산물 협상개최를 시도할 것이며, 일단 농산물 협상의 재개가 이루 어지면 써비스등 여타 분야의 협상도 뒤따라 진행토록 한다는 구상을 하고 있는 것으로 보임.끝.

(대사대리 박영우-장관)

숭

주 덴 마 크 대 사 관

덴막 2065- 46　　　　　　　　　　　　　　　　1991. 2. 5.

수신 외무부장관

참조 통상국장

제목 주재국의 UR 농업협상정책

연 : DEW - 0467

당관은 최근 UR 협상추진과 관련 농업부문에 있어서 주재국의 입장을 정리한 영문자료를 입수한 바, 별첨 송부하오니 업무에 참고하시기 바랍니다.

첨부 : 동 영문요약서 1부.　　　끝.

주 덴 마 크 대 사

08027　　　　0035

MINISTRY OF AGRICULTURE
Copenhagen, January 1991.

Summary
of
the Danish position on agriculture in the Uruguay Round.

Denmark regrets that it was not possible to conclude the Uruguay Round during the Brussels Ministerial Meeting in December 1990. Being a country, which is largely dependent on international trade, it is essential for the Danish economy to obtain a further liberalisation of world trade. Consequently, it is the view of the Danish government, that the GATT negotiations should be finalized with a positive result.

It is of overall importance to Denmark that the negotiations are considered globally, i.e. as a single undertaking. Furthermore, the results of the negotiations must also be balanced, not only in regard to the 15 different subjects of the Round, but also in regard to the concessions granted by the contracting parties.

The Uruguay Round presents an important opportunity to improve the world markets for agricultural products. Denmark therefore supports a gradually more market-oriented agricultural policy, based on substantial progressive reductions in agricutural support and protection. However, the different support and protection measures shall be considered globally, using an Aggregate Measure of Support (AMS) as a basis for negotiation. In this connection, credit has to be given for measures implemented since the Punta del Este Declaration which contribute positively to the reform process.

During the current negotiation on agriculture Denmark attaches great importance to the following considerations:

0036

Firstly, it is important to ensure effective access to the markets of contracting parties in accordance with the principles laid down in the Punta del Este Declaration. Market access should be implemented with some consideration in the short and medium term to non-trade concerns of individual contracting parties. At the same time, a minimum level of access should initially be introduced.

Secondly, proposals aiming at a tight, centrally managed export policy have to be rejected. In this connection any deliberate decision to reduce quantities entitled to export subsidies is unacceptable to Denmark. However, any commitment on export competition should be phrased in such a way that international trade in agricultural products is encouraged.

Thirdly, Denmark attaches great importance to the negotiations on sanitary and phytosanitary barriers and rules. From a Danish point of view, experience has shown an obvious need for long-term harmonization of these rules in order to prevent obstacles impeding trade.

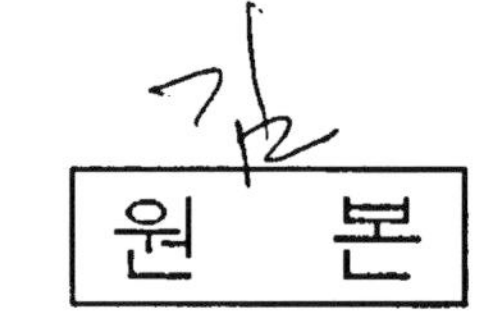

관리 번호	91-123

원 본

외 무 부

종 별 :

번 호 : GVW-0250 일 시 : 91 0206 1840

수 신 : 장관(통기,경기원,재무부,농림수산부,상공부) 사본: 주카나다 박수길대사(중계필)

발 신 : 주 제네바 대사대리

제 목 : UR/농산물 협상 전망

연: GVW-0189,0199,0200,0222

2.5(화) 던켈 사무총장과 EFTA 국가간의 비공식 협의 결과에 대하여 스위스, 오지리 및 핀란드 관계관을 접촉 탐문한바 요지 하기 보고함.

1. 던켈총장은 미, 이씨, 일본, 카나다, 호주등 주요 5 개국과 개별 접촉 하였으나 각국이 농산물 협상 재개 필요성에는 적극 공감하였으나 자국의 기존입장을 계속 견지함에 따라 실질적 내용에 대한 합의를 도출하는데 큰 진전이 없었음. 2. 동인은 현상황에서 2 월말까지 협상 타결은 불가능하므로 미국은 신속처리 절차의 연장문제를 미 의회와 협의할 것으로 보고있으나 의회 동의를 용이하게 하기 위해서는 UR 협상 전반에 진전이 있어야 하며, 따라서 앞으로도 계속 협상을 진행시켜야 하는바 EFTA 국가의 협조를 요청하였음.

3. 한편 향후 협상 진행방법 및 절차와 관련, 던켈총장은 15 개 전분야가 아닌 몇개 중요분야로 압축하여 협상을 진행시킬 것이라고 하고, 구체적인 합의가 이루어지는 것을 보아 가면서 자신의 복안이 확실해질때 TNC 를 소집하겠다는의향을 밝혔으나 구체적 소집시기에 대한 언급은 없었음. 끝.

(대사대리 박영우-국장)

예고:91.6.30 까지

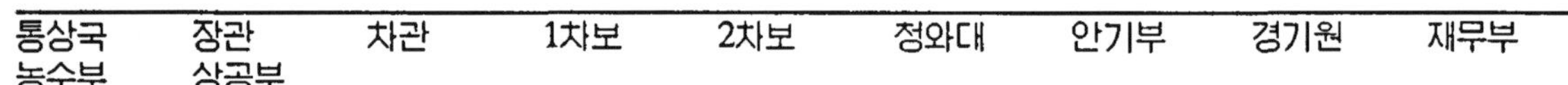

통상국	장관	차관	1차보	2차보	청와대	안기부	경기원	재무부
농수부	상공부							

PAGE 1 91.02.07 07:31

외신 2과 통제관 BT

0038

관리 번호 91-139

원 본

외 무 부

종 별 :

번 호 : GVW-0296　　　　　　일 시 : 91 0213 1900

수 신 : 장관(통기,경기원,재무부,농림수산부,상공부) 사본 박수길대사

발 신 : 주 제네바 대사대리

제 목 : UR 협상 전망

연: GVW-0269

1. 박공사는 금 2.12. CARLISLE 갓트 사무차장을 오찬에 초청하여 UR 협상 재개등 관심사항을 논의하였는바 동차장 발언 요지 아래와 같음.

가. 농산물 협상재개 관련 협의진행 현황

0 던켈 총장은 1.31-2.1 간에 있은 주요국과의 1 차 협의때와는 달리 자신의 STATEMENT 에 대한 미.EC 간의 합의 도출에 우선을 두고 주로 워싱턴 및 브랏셀과 직접 전화로 협의를 진행하는 방법을 택하고 있으며 미.EC 간에 합의가 성립되면 기타 주요국들과 협의한후 농산물 협상 관련 회의를 소집하여 자신의 STATEMENT 를 발표하는 방식으로 추진하고 있음.

0 미국 HILLS 대표와 EC 의 ANDRIESSEN 집행위원간에도 직접 교신이 이루어지고 있는 것으로 알고 있으나 오늘 현재까지 아직 합의에 이르지 못하고 있는 것으로 보임. 미.EC 간 쟁점의 핵심은 EC 측이 브랏셀 각료회의에서 기존의 공식입장인 GLOBAL APPROACH 에서 국내보조, 시장접근, 수출보조 3 개 요소에 대한 개별 약속 용의를 표함으로써 신축성을 보인바 있으나 EC 각료이사회의 승인을 받은 공식입장이 아니고 EC 집행위가 비공식적으로 가능성을 시사한 것이기 때문에 미국으로서는 EC 집행위가 공식적인 약속은 할 수 없더라도 어느정도의 구체적인 언질이 있어야지만 의회에 대한 설득이 가능할 것이라는 입장이나 EC 측이 아직 이에 동의를 하지 않고 있다는 점임.

0 EC 측의 여사한 보장을 얻지 못할 경우 HILLS 대표로서는 그만큼 FAST TRACK 시한 연장 요청에 따른 RISK 를 안게 되는 것임.

나. UR 협상 기한 연장 문제

0 FAST TRACK 기한 연장 요청은 이론상으로는 91.3.1 이전에는 가능한 것으로 되어 있으나 업계의 의견을 묻는 절차가 필요하기 때문에 시한에 임박해서 결정하기는

통상국　장관　2차보　구주국　경기원　재무부　농수부　상공부

PAGE 1　　　예고필(1991.6.30)　　　91.02.14 06:37
외신 2과 통제관 FI

0039

어려울 것이며 다소는 시간 여유를 두고 결정이 필요하다고 생각함. 시한 연장 요청에 대해 의회는 5 월말까지 결정을 내리게 될것임.

0 의회가 연장 승인을 할 경우에도 UR 협상은 7 월까지 끝나야 연말까지 국내 입법절차가 가능하며, 협상이 년말에가서 끝나게 되면 입법절차는 92 년 3 월에 밟게 되고 명년도에는 미국의 대통령 선거의 해이기 때문에 협정안이 선거 쟁점으로 휩쓸릴 염려가 있는 만큼 금년 7 월까지 협상을 종결하는 것이 바람직함.

다. 향후 회의의 성격

0 금주중 던켈총장의 협의가 순조롭게 진행되어 내주에 농산물 회의가 열릴경우 첫 회의는 30 여개국의 참석한 가운데 던켈총장의 직접 주재하에 STATMENT 를 낭독하는 정도로 그칠것이므로 제네바주재 대표들이 참석할 것으로 예상되며 첫 회의이후 다음회의 부터 기술적인 사항 검토를 위해 필요한 경우 본국의 실무 레벨의 전문가 파견이 필요한 경우도 있을 것임.

0 농산물 회의후 써비스, 섬유, TRIPS 등 기타 중요분야 회의가 뒤따를 것으로 보이며, TNC 는 분야별 협상 결과에 따라 개최 여부가 결정되겠지만 사견으로는 가까운 장래에 개최되기는 어려울 것으로 생각됨.

2. CARLISLE 차장은 이어 UR 관련 FAST TRACK 기한 연장문제에 대해 여러가지 문제점들이 있기는 하지만 미 행정부가 의회에 연장 신청을 할것으로 보이는바, 미국, 멕시코 자유무역협정 교섭을 위한 연장에서도 노동조합, 환경보호단체를 비롯 보호무역주의자등 반대세력이 만만치 않아 의회의 동의를 낙관만 할 수는 없는 실정이므로 제네바에서의 협상 재개가 긴요하다는 점을 강조하였음. 끝.,(대사대리 박영우-장관)

예고:91.6.30 까지

PAGE 2

0040

관리번호	91-138

원 본

외 무 부

종 별 :

번 호 : GVW-0303 일 시 : 91 0214 1830

수 신 : 장관(통기,경기원,재무부,농림수산부,상공부,특허청)(사본:박수길대사)

발 신 : 주 제네바 대사대리

제 목 : UR 협상 전망

연: GVW-0296

박공사는 2.14 HUSSAIN 갓트 사무총장 보좌관을 오찬에 초청, UR 협상 재개문제등에 관해 논의한바 동인 발언 요지 아래 보고함.(오참사관 동석)

1. 던켈 총장은 미.이씨등 주요국과의 협의 과정에서 각국 대표단이 국내 보조.시장접근, 수출보조 3 개 요소에 대한 개별 약속이 필요하다는데 인식을 같이하였으므로 각국 수도로 부터 이를 재확인하는대로 농산물 협상을 재개 예정으로 있었음.

2. 그러나 주요국과의 일차 협의후 CARLA HILLS 미대표가 FAST TRACK 기한 연장을 염두에 두고 품목간 재균형화(REBALANCING)문제와 보정인자 (COLLECTIVEFACTOR) 문제에 대한 EC 측의 양보를 추가로 요구하고 나섬에 따라 어려움을직면하게 됨.

3. 던켈 총장으로서는 EC 측이 3 개 요소에 대한 개별 약속을 하는데는 큰어려움이 없다고 보고 있으나 재균형화, 보정인자 문제에 관해 사전 약속을 한다는 것은 불가능에 가까운 일이므로 미.이씨간의 합의를 무한정 기다릴수 없다고판단하고 당초 자기 구상대로 추진키로 한것으로 보임.

4. 이에 따라 던켈 총장은 2.20 경 농산물 회의(그린룸 형태)를 소집, 그간주요국과의 협의 경위 설명과 아울러 농산물 분야 5 개 요소중, 특히 국내 보조, 시장접근, 수출보조 3 개 요소에 대한 구체적 약속이 필요하다는데 CONSENSUS가 있었다는 STATEMENT 를 발표하고 기술적인 문제 토의를 포함하 향후 협상 방식.절차 등 계획을 밝힐 것으로 보임. (따라서 짧은 회의 예견) 농산물 협상에 이어 다른 주요분야들도 같은 방식으로 회의를 소집, 협상을 재개토록할 계획인것으로 생각됨.

5. 던켈 총장은 비록 실질적인 협상이 이루어지지 않는다 하더라도 우선 이러한 협상 재개만으로도 FAST TRACK 기한 연장 문제에 있어 미 행정부의 입장을강화하는데

통상국 장관 차관 2차보 대사실 청와대 안기부 경기원 재무부
농수부 상공부 특허청

PAGE 1 91.02.15 06:30
외신 2과 통제관 DG

0041

도움이 된다고 보고 있음 6. 자기 생각으로는 앞으로 협상이 재개 되더라도 FAST TRACK 기한연장 문제가 확정될 금년 5 월말 이전에는 정치적 중요성이 있는 실질적인 협상이 이루어 지리라고 기대하기는 어려울 것이며 그때까지당지에서의 협상은 저조할 것으로 (LOW-KEY) 예상됨.

7. 던켈 총장은 2.19(화) 개최 예정인 개도국 비공식 회의에 참석, 상기와 같은 자신의 향후 협상 구상에 관해 밝힐 것으로 보임. 끝

(대사대리 박영우-국장)

예고: 91.6.30. 까지

PAGE 2

0042

관리 번호	91-142

원 본

외 무 부

L15W(T-)-0580 ... 관

종 별 :

번 호 : FRW-0562 일 시 : 91 0214 1650

수 신 : 장관(통기,통이)

발 신 : 주 불 대사

제 목 : 우루과이 라운드 협상재개

재 분 류 (1991. 6.30)

연:FRW-2298,2317

대:WFR-2317

1. 당관 조참사관은 2.13. 최근 EC 공동 농업정책 개혁 문제 관련, 주재국 경제 재무성 대외경제 총국 FRANCOIE SALIOU 대외 농업정책 담당과장 면담한바,UR 관련 동인 언급내용 아래 보고함.

가. 미국이 UR 협상 제분야에서 GLOBAL APPROACH 에 의한 공정한 타결을 외면하고, 마치 농업보조금 문제에 관한 EC 의 양보가 협상의 관건인양 주장하는 것은 미국의 협상 전략임.불란서는 현단계에서 협상재개를 위한 EC 가 농업보조금을 추가로 양보할수 없다는 입장을 견지할 것임.

나. 미국의 FAST TRACK 법안 연장 여부는 자국 내부문제로서 이를 위해 EC 의 가시적 양보를 요구할수는 없으며 미국의 필요에 의해서라도 동 법안의 기간은 연장될 것으로 봄.

다.EC 가 먼저 양보할수 없는 사유는 미측 요구가 비현실적이며 비호혜적이라는 점도 있지만, 과거 미국과의 협상 경험에 비추어 1 차 양보를 통해 협상이 재개되면 틀림없이 제 2, 제 3 의 양보를 끊임없이 요구할 것이기 때문임.

라.EC 는 엄청난 예산이 소요되는 공동 농업정책(CAP)을 자체 필요상 개혁코자 추진중인바, 이를 위해서는 수개월 또는 수년이 걸릴수도 있으므로 현재의CAP 개혁 논의를 UR 협상과 연결짓는 것은 바람직하지 않음.

마. 한편,90.2.4. EC 농업장관 회담에서 협의된 EC 집행위의 CAP 개혁안은농업의 효율성 원칙에 역행하고 EC 의 재정적 부담을 가중시키는 내용이었으므로 불란서를 비롯한 영국, 화란등 주요국가가 반대하였음.

0 EC 집행위안은 현재의 "농산물 가격보장 제도"를 "대농민 직접 소득지원 제도"로

통상국 장관 차관 2차보 구주국 통상국

PAGE 1 91.02.15 07:44

외신 2과 통제관 DG

0043

전환코자 하는 내용임에 반해, 불측은 "농산물 가격체제의 점진적 인하"를 주장하며 독자적 개혁안을 구상하고 있음.

바. 한편 3.4. 개최될 차기 농업장관 회의에서는 금년도 CAP 의 각종 가격수준(PRICE PACKAGE) 결정이 주요 협의대상이나 CAP 개혁안도 재협의 될것으로 보임.

2. 관찰사항

0 현단계에서 EC 의 추가 양보와 관계없이 미국의 FAST TRACK 법안은 연장될 가능성이 크며 또한 EC 가 조급히 양보할 경우 추후 계속 수세적 입장에 몰릴우려가 있으므로, EC 측은 당분간 강경입장을 고수함으로써 향후 본격적 협상에 대비할 입지강화를 도모하는 것으로 보임.끝.

(대사 노영찬-국장)

예고:91.12.31. 까지

농 림 수 산 부

국협20644-134 503-7227 1991. 2. 18.

수신 외무부장관

참조 통상국장

제목 GATT 제11조2항(C)운용실태 조사를 위한 해외출장 협조요청

1. 우리나라의 GATT BOP조항 원용중단에 따른 농산물 수입개방 의무 및 UR농산물협상등 교역환경 변화에 따라 향후 국내 농업보호정책 개선방안을 강구하기 위하여 당부는 별첨과 같이 주요국의 GATT제11조2항 (C) 운용실태 조사반을 파견할 계획입니다.

2. 우루과이라운드 농산물협상에서는 상기 농수산물 수입수량 규제 허용조항의 철폐 또는 개선유지 문제가 논의되고 있으나 계속 존치될 것이라는 것이 일반적인 견해이며, 농업구조가 취약한 아국으로서는 유일한 수입 규제 허용조항인 제11조2항(C)의 원용을 통한 농업보호가 시급히 요청되고 있읍니다.

3. 이에따라 그동안 동조항을 원용하여 수입을 규제해온 주요국의 운용실태 파악은 향후 아국이 동제도를 운용하는데 매우 유익할 것으로 사료되오니, 당부 조사단의 별첨 계획에 다른 조사활동이 효과적으로 추진될 수 있도록 출장국주재 아국공관으로 부터 관계기관 방문 및 관계자 면담일정 주선, 체재호텔(Twin2실)예약등을 지원받을 수 있도록, 협조하여 주시기 바랍니다.

첨부 : GATT 11조2항(C)운용실태 조사를 위한 해외출장 계획 1부. 끝.

농 림 수 산 부 장 관

농업협력통상관 전결

0045

출장자명단

출 장 지	출 장 자		
	소 속	식 위	성 명
카 나 다	Livestock policy Division, Livestock Bureau, Ministry of Agriculture, Forestry & Fisheries.	Director	BAIK, HYUN KI
	"	Assistent Director	CHOI, YEOM SOON
	International cooperation Division, International Cooperation and Trade Bureau, MAFF	"	BAE, JONG HA
스 위 스 오스트리아	Agricultural production Division, Agricultural production Bureau, MAFF.	Director	SUH, KYU YONG
	Sericulture & special Crops Division. Agrciultural Production Bureau, MAFF.	Assistint Director	KIM, SANG BEOM
	Livestock management Division, Livestock Bureau, MAFF.	"	CHOI, HAN

0046

출 장 지	출 장 자		
	소 속	직 위	성 명
일 본	Agricultural structural policy Division, Agricultural structural policy Bureau, MAFF.	Director	KIM, JOUNG HO
	Agricultural production Division, Agricultural production Bureau, MAFF.	Assistant Director	SIM, JAE CHUN
	Vegetable Division,Agricultual Marketing Bureau, MAFF	"	YU, KI YULL

0047

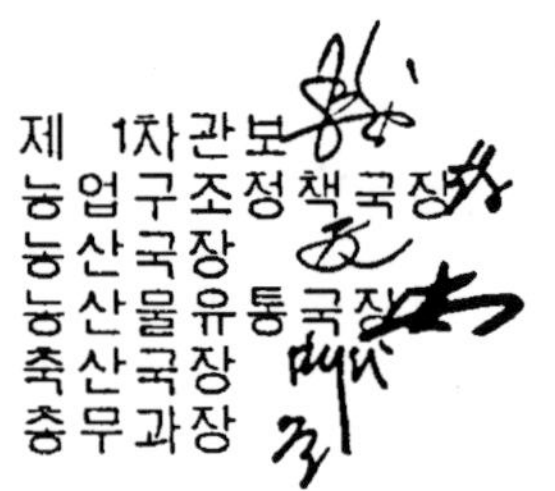
제 1차관보
농업구조정책국장
농산국장
농산물유통국장
축산국장
총무과장

국 장	차관보	차 관	장 관

보고자 : 국제협력담당관 최 용 규

GATT 제 11조 2항(C) 운용실태 조사를 위한 해외출장 계획

1991. 2.

농업협력통상관실

0048

GATT 11조 2항C 운용실태 조사를 위한 출장계획(안)

1. 출장목적

- ○ 주요국의 11조 2항C 운용현황 조사를 통하여 품목별 적용가능성을 진단하고 실효성 있는 보호방안을 강구
- ○ 11조 2항C 적용조건에 일치시키기 위한 국내 법령정비와 제도개선 방향을 정립
- ○ 동 조항의 적용요건 개선에 대한 주요국 입장을 점검하여 앞으로의 협상대책수립과 공동대처 방안을 모색

2. 조사내용

- ○ 주요국의 11조 2항C 대상품목과 관련 정책 및 수입제한 내용
  - 대상품목현황, 생산통제조치내역, 생산통제와 수입제한의 연계방법등
- ○ 최소시장 접근 제도의 운용현황
  - 쿼타배정 기준과 방법, 쿼타운용 방법
- ○ 11조 2항C 쟁점사항에 대한 각국의 협상대안
  - 수입제한 품목의 범위 (동종산품의 개념, 가공산품의 범위등)
  - 생산통제 조치의 성격과 범위
  - 수입과 국내생산간의 합리적 비율 산출방식등
- ○ 주요국별 분쟁사례와 합의결과
  - 분쟁발생 경위, Pannel 과정에서의 대응논리와 패널결과
  - 합의결과에 대한 이행 또는 후속조치 사항

3. 출장계획 (안)

가. 기본방침

- ○ 11조 2항C를 원용하여 주요농산물을 보호하고 있는 선진국을 대상으로 방문조사
- ○ 당부및 산하단체 실무급으로 구성된 조사반을 파견
  - 지역별로 3개반을 편성, 반장은 본부과장으로 하되, 반별로 4~5명 단위로 파견

0049

나. 세부출장 계획

	1 반 (축산)	2 반 (농축산)	3 반 (농산)
1) 출 장 지 역	카 나 다	스위스,오스트리아	일 본
2) 출 장 기 간	'91.2.24 ~ 3.3(8일간)	'91.2.25 ~ 3.4(8일간)	'91.2.25 ~ 3.1(5일간)
3) 출 장 자			
ㅇ 농림수산부			
- 반 장	축산국 축정과장 백 현 기	농산국 농산과장 서 규 용	농업구조정책국 농업구조정책과장 김정호
- 반 원	축정국 축정과축산기사 최염순	농산국 잠업특작과 농업가좌 김상범	농산국 농산과 농업기좌 심재천
	농업협력통상관실 국제협력담당관실 행정사무관 배중하	축산국 축산경영과 축산기좌 최한	농산물유통국 채소과 농업기좌 유기열
ㅇ 산하단체	축협중앙회	한국농촌경제연구원	농협중앙회
4) 소요경비 (추산액)	$ 7,209	$ 9,228	$ 3,012

1) 당부출장자의 소요경비는 소속국별 예산 또는 기금에서 부담 (내역별첨)

2) 산하단체 소속출장자의 소요경비는 소속기관 부담

※ 현지 농무관을 통한 시스템 연구보고 조치도 병행

0050

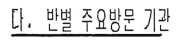

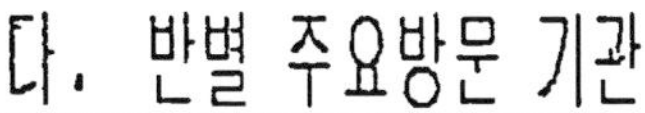

다. 반별 주요방문 기관

반 별	방 문 국	방 문 기 관
1 반	카 나 다	o 카나다 연방정부 농림성 o 농업안정위원회 o 육류 마케팅위원회 o 카나다 낙농위원회 o 온타리오 주정부 농림성 및 지역유통기구 o 축산농가
2 반	스 위 스	o GATT 본부 (농업국) o 스위스 연방정부 o 농산물 수급관련 협회 o 과채류 생산농가
	오스트리아	o 오스트리아 연방정부 o 농산물 수급조절기관 o 과채류 생산농가
3 반	일 본	o 농림수산성 o 식 량 청 o 축산진흥 사업단 o 전 농 o 축산및 경종농가

0051

4. 세부출장 일정

가. 제 1반 (카나다)

출 장 일 정		활 동 계 획
2. 24 (일)	10:00 서울 발 (KE 026) 11:15 뉴욕 착 16:00 뉴욕 발 (US 115) 17:22 오타와 착	출 국
2. 25 (월)	오 후	카나다농무부 방문(Marketing Branch)
2. 26 (화)	오 전	카나다농무부 방문(Livestock Development Branch)
	오 후	카나다 낙농위원회및 가금위원회 방문
2. 27 (수)	09:00 - 11:00 12:00 오타와 발(CP811) 12:55 토론토 착	카나다 가금 Marketing Board 방문
	오 후	Ontario 정부 농무부방문
2. 28 (목)	09:00 - 17:00	o 카나다 Milk Marketing Board & Hog Marketing Board 방문 o 낙농가 방문
3. 1 (금)	10:05 Toronto 발 12:00 Vancouver 착	
3. 2 (토)	12:50 Vancouver 발	
3. 3 (일)	17:15 서울착	입 국

0052

나. 제 2 반 (스위스, 오스트리아)

출 장 일 정		활 동 계 획
2. 25 (월)	12:40 서울 발 (KE 901) 18:10 파리 발 20:55 파리 발 (OS 232) 22:55 비엔나 착	
26 (화)	체 재	ㅇ 오스트리아 연방정부 방문
27 (수)	"	ㅇ 농산물 수급조절기관 및 과채류 생산 농가방문
	18:20 비엔나 발 (OS 215) 20:00 제네바 착	
28 (목)	체 재	ㅇ GATT 본부 (농업국)방문
3. 1 (금)	09:00 제네바 발 (열차편) -10:00 베른착	ㅇ 스위스 연방정부 방문
3. 2 (토)	체 재	ㅇ 농산물수급 관련협회 및 과채류 생산농가 방문
3. 3 (일)	17:05 베른 발 (CX 776) 18:30 파리 착 20:30 파리 발 (KE 902)	
3. 4 (월)	17:30 서울 착	

0053

다. 제 3 반 (일 본)

출 장 일 정		활 동 계 획
2. 25 (월)	09:30 서울 발 (KE 702) 11:30 동경 착 오 후	 o 농 림수산성 방문
26 (화)	체 재	o 식량청 방문
27 (수)	"	o 축산신흥 사업단 선농 방문
28 (목)	"	o 축산 및 경종농가 방문
3. 1	15:50 동경 발 (KE 001) 18:25 서울 착	

0054

5. 소요경비 내역

가. 소요경비 총액 : $ 19,449

< 내 역 >

(단위 : $)

	항 공 료	체 제 지				합 계
		일 비	숙박비	식 비	소 계	
제 1 반 (카나다)	$1,721× 3인 =$5,163	$20× 8일 × 2인 =$320	$50× 6일 × 2인 =$600	$36× 7일 × 2인 =$504	$712× 2인 =$1,424	$2,433× 2인 =$4,866
		$16× 3일 × 1인 =$128	$45× 6일 × 1인 =$270	$32× 7일 × 1인 =$224	$622× 1인 =$622	$2,343× 1인 =$2,343
					소계 $2,046	소계 $7,209
제2반(스위스 오스트리아)	$2,226× 3인 =$6,678	$20× 8일 × 3인 =$480	$66× 6일 × 3인 =$1,188	$42× 7일 × 3인 =$882	$850× 3인 =$2,550	$3,076× 3인 =$9,228
제 3 반 (일 본)	$332× 3인 =$996	$20× 5일 × 3인 =$300	$83× 4일 × 3인 =$996	$48× 5일 × 3인 =$720	$672× 3인 =$2,016	$1,004× 3인 =$3,012
합 계	$ 12,837	$ 1,228	$ 3,054	$ 2,330	$ 6,612	$ 19,449

나. 출장자별 소요경비 지변과목

- ○ 농업협력통상국 (1) : 1114 - 213
- ○ 농업구조정책국 (1) : 1114-213
- ○ 농 산 국 (2) : 1114 - 213
  (1) : 2515 - 213
- ○ 농산물유통국 (1) : 2416 - 213
- ○ 축 산 국 (3) : 2612 - 213

0055

발 신 전 보

분류번호	보존기간

번 호 : WCN-0151 910218 1900 DY 종별 :

수 신 : 주 카나다 대사. 총영사

발 신 : 장 관 (통 기)

제 목 : 농림수산부 직원 출장

1. 89.10. 갓트/BOP 협의 결과 및 현재 진행중인 UR/농산물협상 동향에 비추어 아국의 향후 농산물 수입 제한 근거로 갓트 11조 2항(C) (생산통제를 사유로 한 수입 제한)의 운용이 긴요하게 될 전망임.

2. 이와관련, 귀주재국의 상기 조항 운용 현황과 아국의 향후 품목별 적용 가능성 등을 조사하기 위해 아래와 같이 농림수산부 직원이 귀지 출장 예정임.

가. 출 장 자

- o 백현기 농림수산부 축정과장
- o 최염순 축정과 축산기사
- o 배종하 국제협력담당관실 사무관
- o 축협중앙회 직원 1명

나. 도착 및 출발일정

- o 오타와 도착 : 2.24(일) 17:22 (UA-115)
- o 토론토 향발 : 2.27(수) 12:00 (CP-811)

보 안 통 제	기{서명}

앙 고 재	91년 2월 18일	통상기구과	기안자 성 명		과 장	심의관	국 장		차 관	장 관
			송봉헌		{서명}		전결			{서명}

외신과통제

0056

3. 상기인들의 귀지 체재 일정은 농림수산부에서 귀주재국 농무부와 별첨과 같이 기협의하였으니 참고바람(호텔 예약등 불요)

첨 부 : 상기 협의 서한 5매. 끝. (통상국장 김삼훈)

(FAX WGNF-5)

0057

WCNF-[illegible] 02/18 1800

Agriculture
Canada

International Programs Branch | Direction générale des programmes internationaux

Ottawa, Ontario
KIA 0C5

Ottawa (Ontario)
KIA 0C5

To be sent by FAX

File No. 4282-1-1

February 15, 1991

Mr. Yeom-Soon Choi
Livestock Policy Division
Bureau of Livestock
Ministry of Agriculture, Forestry & Fisheries
Republic of Korea
Seoul, Korea

Fax No. 011-82-2-503-7249

Dear Mr. Choi:

We are very pleased to know about your desire to return to Canada with your colleagues to study and discuss our livestock and meat supply systems.

Eileen Durand is out of the country at this time and I will be pleased to coordinate arrangements in accordance with your desired itinerary. Dr. Hoon Song, who you know, will work closely with me to make your visit informative and pleasant.

I note you have not indicated a need for interpretation services. I am aware you have spent considerable time in Canada and you appear to be fluent in the English language. Unless you advise otherwise we will understand that interpretation service is not required for the members of your mission.

At this time I cannot indicate whether or not the people you should meet will be available. I will be talking with them soon and will advise you accordingly. In the meantime we are pleased to give your proposed visit our greatest attention.

Yours sincerely,

Elwood Hodgins
Assistant Director

EH/jmf

c.c. Dr. Hoon Song
Fax No. 819-953-3828

1991. 2. 18 시	1406	

Canada

0058

TOTAL P.02

Ministry of Agriculture, Forestry & Fisheries
Republic of Korea
Seoul, Korea

Your Fax Number 0011-613-995-0949
Our Fax Number 011-82-2-503-7249

February 14, 1991.

Miss Eileen Durand
IPB,Agriculture Canada

Dear Miss Eileen Durand,
(Whom it may concern)

I am very pleased to write this letter to you. First of all, I am very grateful to you and your pepole involved for giving Korean Dairy Mission a warm welcome during their stay in Canada last November.It is my delight Canadian and the Korean Mission exchanged views on friendly atmosphere, and that the program ended successfully.

As you are well aware, Canada and Korea have a fine relationship in technical cooperation in the livestock industry. Korea also has deep interest in Canadian livestock and meat supply management systems.

According to our Government program, we would like to visit the four below listed persons to the concerned organizations in Canada as per the attached schedule.

VISITORS

Name	Postion	Organization
Baik, Hyun-Ki	Director	Livestock Policy Division, Ministry of Agr.,Forestry & Fisheries(MAFF)
Bae, Jong-Ha	Ass.-Director	Internatioal Co-operative Division, MAFF
Choi, Yeom-Soon	Livestock-Specialist	Livestock Policy Division, MAFF
Hwang, Hyung-Sung	Ass.-Manager	Internatioal Co-operative Division, National Livestock Co-operatives Federation

We wish for you to make arrangements for us to meet your professional officers and to have profitable discussions.

0059

Ministry of Agriculture, Forestry & Fisheries
Republic of Korea
Seoul, Korea

Also, please be informed we will pay all internatinal and domestic airfare and lodging expenses incurred our stay. We do not need to make arrangements for us all air and hotels booking because we can do. If possible, we would like to use a your Government car when we visit your organizations from our hotel in Ottawa and Toronto.

We would appreciate receiving your affirmative reply at your earliest convenience.

Sincerely yours,

Encl :

Choi, Yeom - Soon
Livestock Policy Division,
Bureau of Livestock

0060

DESIRED ITINERARY IN CANADA

DATE/TIME	ORGANIZATION / PURPOSE OF VISIT
Feb 24 (SUN) 10:00~11:15	° Depart Seoul for New York on KE 026
Feb 25 (MON) ~~09:30~12:50~~ ~~PM~~	° ~~Depart New York for Ottawa on CO 3641, arrival at 12:50~~ ° Visit of Agriculture Canada's Sir John Bldg.(# 930 Carling Ave. Ottawa) - Meeting with the marketing officers of livestock,meat and grains sectors - Overview of livestock and meat marketing in Canada - Control of supply and demand, pricing of livestock and meat - Genaral discussion on GATT Article X I : 2(c)
17:00	° Return to hotel
Feb 26 (TUE) AM	° Visit of Agriculture Canada's Fontaine Bldg. - Meeting with the professional offficers of Red Meat, Dairy,Poultry Divion in L.D.B,including Dr. Hoon Song - Livestock products supply management/quota systems in Canada including red meat, chicken products and pric-ing systems - Outline of the National Marketing of Livestock and Meat Program,the Farm Products Marketing Agencies Acts in Canada - Planning / policy of livestock industry in Canada
PM	° Visit of Beef, Dairy and Horse Showcase Herds near Sir John Bldg. ° Visit of the Canadian Dairy Commission (# 2197, Riverside Drive,Ottawa : TEL 613-998-9490) - Planning for dairy industry and milk price stabilza -tion in Canada - Milk qouta and pricing system of Canada - Control of imports and exports milk and milk products
17:00	° Return to hotel

0061

DATE/TIME		ORGANIZATION / PURPOSE OF VISIT
Feb 27 (WED)	AM	° Visit of the Canadian Chicken & Egg Marketing Agency (# 160 Rue Rideau Street Ottawa : TEL 613-594-2800 - Chicken & eggs supply management & marketing systems
	12:00~12:55	° Depart Ottawa for Toronto on CP 811
	PM	° Visit of the Ontario Pork Producers' Marketin Board - Overview / control of hog matketing in Cannada - Discussion of hog production & price stabiization
Feb 28 (THE)	AM	° Visit of the Ontario Milk Marketing Board - Milk qouta & pricing system in Ontario - Role of OMMB for dariy industry - Visit of farms(OBBM Member) using A.I. & E.T.
	PM	° If possble, meeting with the Canadian Exporters' Ass. or the Canadian Meat Council(# 5233 Dundas St. W., Islington : TEL 416-239-8411) ° Visit of the Ontario Ministry of Agriculture and Food - Planning/poliey of livestock & meat in Ontario - Supply management systems of livestock & meat - General discussion
	17:00	° Return to hotel in Tononto
Mar 1 (FRI)	10:05~12:00	° Depart Toronto for Vancouver on AC 992, arrival at 12:00
	PM	° Meeting with Program Manager Livestock/Poultry,Mr. C. C.M. Reynolds at Agr. Canada's office in New Westminster - Visit of a morden chicken farm & a chicken procssing plant with the Manager
Mar 2 (SAT)		° Rest in Vancouver
Mar 3 (SUN)	12:50	° Depart Vancouver for Seoul on KE 071, arrival at 17:15 on Monday

0062

	분류번호	보존기간

발 신 전 보

번 호 : WJA-0686 910218 1858 DY 종별 :

수 신 : 주 일본 대사. 총영사

발 신 : 장 관 (통 기)

제 목 : 농림수산부 직원 출장

1. 89.10. 갓트/BOP 협의 결과 및 현재 진행중인 UR/농산물협상 동향에 비추어 아국의 향후 농산물 수입 제한 근거로 갓트 11조 2항(C) (생산통제를 사유로 한 수입 제한)의 운용이 긴요하게 될 전망임.

2. 이와관련, 귀주재국의 상기 조항 운용 현황과 아국의 향후 품목별 적용 가능성 등을 조사하기 위해 아래와 같이 농림수산부 직원이 귀지 출장 예정임.

가. 출 장 자

- 김정호 농림수산부 농업구조정책국 농업구조정책과장
  (Kim Joung Ho, Director, Agricultural Structural Policy Div., MAFF)
- 심재천 농산국 농산과 농업기좌
  (Sim Jae Chun, Assistant Director, Agricultural Production Div.)
- 유기열 농산물 유통국 채소과 농업기좌
  (Yu Ki Yull, Vegetable Div.)
- 농협중앙회 직원 1명

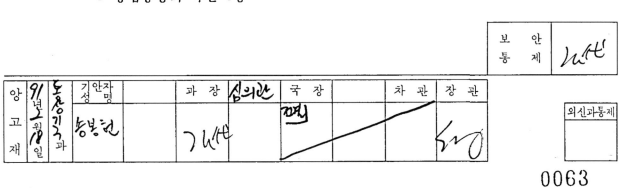

보 안 통 제	

앙 고 재	91년 2월 18일	통 기 과	기안자 성명		과 장	심의관	국 장		차 관	장 관
			송봉헌							

외신과통제

0063

나. 도착 및 출발일정

o 동경 도착 : 2.25(월) 11:30 (KE-702)

o 서울 향발 : 3. 1(금) 15:50 (KE-001)

다. 체재 희망 일정

o 농림수산성, 식량청, 축산진흥사업단, 전농, 축산 및 경종 농가 방문

라. 호텔 예약 : Twin 2실 예약 요망

3. 상기 관련기관 방문시 주요 협의 내용은 아래와 같으니 일정 주선에 참고바람.

o 귀주재국의 갓트 11조 2항 C 대상품목, 수입제한 내용

- 쿼타 배정 기준, 운용 방법, 생산통제 조치 내용등

o UR/농산물 협상에서의 11조 2항(C) 개정 관련 입장. 끝.

(통상국장 김삼훈)

0064

	분류번호	보존기간

발 신 전 보

번 호 : WAV-0132 910218 1857 DY 종별 :

WSZ -0043 WGV -0221

수 신 : 주 수신처 참조 대사. 총영사

발 신 : 장 관 (통 기)

제 목 : 농림수산부 직원 출장

1. 89.10. 갓트/BOP 협의 결과 및 현재 진행중인 UR/농산물협상 동향에 비추어 아국의 향후 농산물 수입 제한 근거로 갓트 11조 2항(C) (생산통제를 사유로 한 수입 제한)의 운용이 긴요하게 될 전망임.

2. 이와관련, 귀주재국의 상기 조항 운용 현황과 아국의 향후 품목별 적용 가능성 등을 조사하기 위해 아래와 같이 농림수산부 직원이 귀지 출장 예정임.

가. 출 장 자

- 서규용 농림수산부 농산국 농산과장
  (Suh Kyu Yong, Director, Agricultural Production Div., MAFF)
- 김상범 농산국 잠업특작과 농업기좌
  (Kim Sang Beom, Assistant Director, Sericulture & Special Crops Div.)
- 최 한 축산국 축산경영과 축산기좌
  (Choi Han, A.D., Livestock Management Div.)
- 농촌경제연구원 직원 1명

보안통제	(서명)

앙고재	91년 2월 18일	통상기구과	기안자 성명		과 장	심의관	국 장		차 관	장 관
			송봉헌		(서명)		(서명)			(서명)

외신과통제

0065

나. 도착 및 출발일정

o 2.25(월) 22:55 비엔나 도착(OS-232)

o 2.27(수) 18:20 제네바 향발(OS-215)

o 3. 1(금) 10:00 베른 도착(열차편)

o 3. 3(일) 17:05 파리 향발(CX-776)

다. 체재 희망 일정

o 오 지 리

- 농업담당 정부기관, 농산물 수급 조절기관 방문 및 과채류 생산 농가 시찰

o 제 네 바

- 갓트 농업국 방문

o 스 위 스

- 상기 오지리 일정과 동일

라. 호텔 예약 : Twin 2실 예약 요망

3. 상기 관련기관 방문시 주요 협의 내용은 아래와 같으니 일정 주선에 참고바람.

o 귀주재국의 갓트 11조 2항 C 대상품목, 수입제한 내용

- 쿼타 배정 기준, 운용 방법, 생산통제 조치 내용등

o UR/농산물 협상에서의 11조 2항(C) 개정 관련 입장

o 주요국별 분쟁사례와 패널 결과(제네바 해당). 끝.

(통상국장 김삼훈)

수신처 : 주 오지리, 스위스, 제네바 대사

0066

관리 번호	91-141

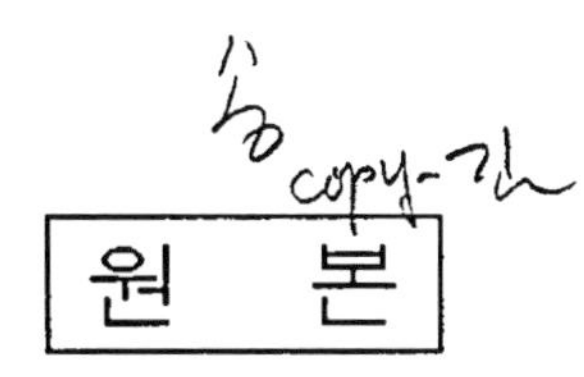

원 본

외 무 부

종 별 :

번 호 : GVW-0316 일 시 : 91 0218 1900

수 신 : 장관(통기),경기원,재무부,농림수산부,상공부)사본: 박수길대사

발 신 : 주 제네바 대사대리

제 목 : UR/농산물 협상(전망)

연: GVW-296,303

연호관련 던켈총장은 금주에도 주요국가들과 협의를 계속할 예정인바 당관이 탐문한 요지 아래 보고함.

1. 던켈총장은 농산물 협상관련 5 개협상 주요요소(국내보조, 시장접근, 수출경쟁, 규범, 위생 및 검역규제)를 언급하고, 그중 특히 3 개 기본요소(국내보조, 시장접근, 수출경쟁)에 대하여 각각 구체적인 COMMITMENT 를 해야할 필요성이 있다는데 대하여 CONCENSUS 가 있기 때문에 이를 기초로 UR 협상을 재개한다는 내용의 STATEMENT 를 준비하여 이에대한 수락을 시도한바 있으나, EC 측의 동의를 얻지 못하여 협의가 교착되었으며, 이에따라 총장은 상기 교착상태 타개를 위한 마지막 시도로 2.18-19 기간중 주요국과의 개별 또는 GROUP 별 접촉을 가질계획임.

2. 2.19 오후에는 케언즈그룹 대표 2.20 오전에는 일본, EFTA 국가(체코, 폴란드등 포함 예상) 와 협의하고 동일 오후(15:15) 에는 개도국 비공식 회의에 참석협의할 예정으로 있음.

3. 던켈총장은 상기 접촉에서 미.EC 간의 핵심쟁점을 피하고, 우선 협상재개를 가능케 하기 위하여 협상일정으로 포함, 모든 국가가 수용할 수 있도록 내용이 더욱 완화된 STATEMENT(헬스트롬 NON-PAPER 보다 상당히 약화된 내용의 타협안)을 설명한다음, 협의가 순조로울 경우 곧이어 농산물 협상그룹을 소집하여(2.20 예상) 이를 발표하는 한편 농산물 협상에 이어 UR 여타 중요분야(섬유, 서비스, 갓트규범, 분쟁해결, TRIPS, TRIMS, 시장접근) 협상을 금주 및 내주초에 걸쳐 재개하며 그결과를 2.26 경 TNC 회의를 소집하여 공식적으로 TAKE NOTE 하고 UR 협상재개 선언을 하는 일정으로 추진하고 있는 것으로 관측되고 있음.

4. 상기 탐문한 일정에 따른 구체적 협의결과등 향후 동향은 파악되는대로 추보

통상국 2차보 통상국 경기원 재무부 농수부 상공부

PAGE 1 91.02.19 06:30

외신 2과 통제관 FI

0067

위계임.끝

(대사대리 박영우-장관)

예고:91.6.30 까지

원 본

외 무 부

종 별 : 지 급

번 호 : GVW-0320 일 시 : 91 0219 1200

수 신 : 장관(통기,경기원,재무부,농림수산부,상공부) 사본:박수길대사 OK

발 신 : 주제네바대사대리

제 목 : UR/농산물 협상

1. 2.20.11:00 TNC 의장 주재로 표제협상에 대한 회의가 별첨과 같이 개최예정임.

2. 동 회의에는 아국포함 33개국의 대사급 대표가 초청되었음.

3. 2.20.16:00 에는 섬유, 2.21.11:00 에는 서비스에대한 회의가 각각 개최예정임.

첨부: UR/ 농산물,섬유,서비스 협상회의 소집통지서 각 1부.

(GVW(F)-0066)

(대사대리 박영우-국장)

통상국 2차보 구주국 경기원 재무부 농수부 상공부

91.02.20 06:00 CG

외신 1과 통제관

0069

1991-02-19 18:49 KOREAN MISSION GENEVA 2 022 791 0525 P.01

GVW(F)-0466 10219 1200

FEB-19-'91 08:11 ID: 22 731 42 06 TEL NO: GATT GENEVE #007 P01

GVW-320 124

GATT FACSIMILE TRANSMISSION

Centre William Rappard
Rue de Lausanne 154
CH-1211 Genève 21

Counsellor	Minister	Ambassador
	1	

Telefax: (022) 731 42 06
Telex: 412324 GATT CH
Telephone: (022) 739 51 11

TOTAL NUMBER OF PAGES 1
(including this preface)

Date: 19 February 1991

From: Arthur Dunkel
Director-General
GATT, Geneva

Signature:

To:

		Fax No:
ARGENTINA	H.E. Mr. J.A. Lanus	798 72 82
AUSTRALIA	H.E. Mr. D. Hawes	733 65 86
AUSTRIA	H.E. Mr. F. Ceska	734 45 91
BRAZIL	H.E. Mr. R. Ricupero	733 28 34
CANADA	H.E. Mr. J.M. Weekes	734 79 19
CHILE	H.E. Mr. M. Artaza	734 41 94
COLOMBIA	H.E. Mr. F. Jaramillo	791 07 87
COSTA RICA	H.E. Mr. R. Barzuna	733 28 69
CUBA	H.E. Mr. J.A. Pérez Novoa	758 23 77
EEC	H.E. Mr. Trân Van-Thinh	734 22 36
EGYPT	Mr. M. Abdel-Fattah	731 68 23
FINLAND	H.E. Mr. A.A. Hynninen	740 02 87
HUNGARY	Mr. A. Szepesi	738 46 09
INDIA	H.E. Mr. B.K. Zutshi	738 45 48
INDONESIA	H.E. Mr. H.S. Kartadjoemena	798 83 09
ISRAEL	H.E. Mr. I. Lior	798 49 50
JAMAICA	H.E. Mr. L.M.H. Barnett	738 44 20
JAPAN	H.E. Mr. H. Ukawa	733 20 87
KOREA	H.E. Mr. Sang Ock Lee	791 05 25
MEXICO	H.E. Mr. J. Seade	733 14 55
MOROCCO	H.E. Mr. M. El Ghali Benhima	798 47 02
NEW ZEALAND	H.E. Mr. T.J. Hannah	734 30 62
NICARAGUA	H.E. Mr. J. Alaniz Pinell	736 60 12
NIGERIA	H.E. Mr. E.A. Azikiwe	734 10 53
PAKISTAN	H.E. Mr. A. Kamal	734 80 85
PERU	Mr. J. Muñoz	731 11 68
PHILIPPINES	H.E. Mrs. N.L. Escaler	731 68 88
SWITZERLAND	H.E. Mr. W. Rossier	734 56 23
THAILAND	H.E. Mr. Taj Bunnag	733 36 78
TURKEY	H.E. Mr. C. Duna	734 52 09
UNITED STATES	H.E. Mr. R.H. Yerxa	799 08 85
URUGUAY	H.E. Mr. J.A. Lacarte-Muró	731 56 50
ZIMBABWE	H.E. Dr. A.T. Mugomba	738 49 54

Your delegation is invited to attend consultations on agriculture by the Chairman of the TNC at official level, which will be held in Room E of the Centre William Rappard on Wednesday, 20 February 1991 at 11 a.m. Attendance is restricted to two persons per delegation.

3-1

PLEASE NOTIFY US IMMEDIATELY IF YOU DO NOT RECEIVE ALL THE PAGES

0070

** OUR FAX EQUIPMENT IS HITACHI HIFAX 210 (COMPATIBLE WITH GROUPS 2 AND 3) AND IS SET TO RECEIVE AUTOMATI...

2 022 791 0525 P.02

1991-02- TEL NO. GATT GENEVE #009 P01

GATT **FACSIMILE TRANSMISSION**

Centre William Rappard
Rue de Lausanne 154
CH-1211 Genève 21

Telefax: (022) 731 42 06
Telex: 412324 GATT CH
Telephone: (022) 739 51 11

TOTAL NUMBER OF PAGES 1
(including this preface)

Date: 19 February 1991

From: Arthur Dunkel
Director-General
GATT, Geneva

Signature:

To:			Fax No:
	ARGENTINA	H.E. Mr. J.A. Lanus	798 72 82
	AUSTRALIA	H.E. Mr. D. Hawes	733 65 86
	AUSTRIA	H.E. Mr. F. Ceska	734 45 91
	BANGLADESH	H.E. Mr. Harun-Ur-Rashid	738 46 16
	BRAZIL	H.E. Mr. R. Ricupero	733 28 34
	CANADA	H.E. Mr. J.M. Weekes	734 79 19
	CHINA	H.E. Mr. Fan Guoxiang	793 70 14
	COLOMBIA	H.E. Mr. F. Jaramillo	791 07 87
	COSTA RICA	H.E. Mr. R. Barzuna	733 28 69
	EEC	H.E. Mr. Tran Van-Thinh	734 22 36
	EGYPT	Mr. M. Abdel-Fattah	731 68 26
	FINLAND	H.E. Mr. A.A. Hynninen	740 02 87
	HONG KONG	Mr. K. Broadbridge	733 99 04
	HUNGARY	Mr. A. Szepesi	738 46 09
	INDIA	H.E. Mr. B.K. Zutshi	738 45 48
	INDONESIA	H.E. Mr. H.S. Kartadjoemena	793 83 09
	JAMAICA	H.E. Mr. L.M.H. Barnett	738 44 20
	JAPAN	H.E. Mr. H. Ukawa	733 20 87
	KOREA	H.E. Mr. Sang Ock Lee	791 05 25
	MALAYSIA	Mr. Supperamanian Manickam	788 04 92
	MEXICO	H.E. Mr. J. Seade	733 14 55
	MOROCCO	H.E. Mr. M. El Ghali Benhima	798 47 02
	NEW ZEALAND	H.E. Mr. T.J. Hannah	734 30 62
	PAKISTAN	H.E. Mr. A. Kamal	734 80 85
	PERU	Mr. J. Muñoz	731 11 68
	SRI LANKA	Mr. L.P.D. Pemasiri	734 90 84
	SWITZERLAND	H.E. Mr. W. Rossier	734 56 23
	TUNISIA	H.E. Mrs. S. Lyagoubi-Ouahchi	734 06 63
	TURKEY	H.E. Mr. C. Duna	734 52 09
	UNITED STATES	H.E. Mr. R.H. Yerxa	799 08 85
	URUGUAY	H.E. Mr. J.A. Lacarte-Muró	731 56 50
	YUGOSLAVIA	H.E. Mr. N. Calovski	46 44 36

Your delegation is invited to attend consultations on textiles and clothing by the Chairman of the TNC at official level, which will be held in Room E of the Centre William Rappard on Wednesday, 20 February 1991 at 4 p.m. Attendance is restricted to two persons per delegation.

Secretary	Counsellor	Minister	Ambassador

PLEASE NOTIFY US IMMEDIATELY IF YOU DO NOT RECEIVE ALL THE PAGES

** OUR FAX EQUIPMENT IS HITACHI HIFAX 210 (COMPATIBLE WITH GROUPS 2 AND 3) AND IS SET TO RECEIVE AUTOMATICALLY **

0071

3-2

* 412324 GATT CH

정협관

* GATT 24

Secretary	Counsellor	Minister	Ambassador

* FROM: ARTHUR DUNKEL
*   DIRECTOR-GENERAL
*   GATT GENEVA

* TO:	ARGENTINA	H.E. MR. J.A. LANUS
*	AUSTRALIA	H.E. MR. D. HAWES
*	AUSTRIA	H.E. MR. F. CESKA
*	BRAZIL	H.E. MR.R. RICUPERO
*	CANADA	H.E. MR. J.M. WEEKES
*	CHILE	H.E. MR. M. ARTAZA
*	COLOMBIA	H.E. MR. F. JARAMILLO
*	COSTA RICA	H.E. MR. R. BARZUNA
*	EEC	H.E. MR. TRAN VAN-THINH
*	EGYPT	MR. M. ABDEL-FATTAH
*	HONG KONG	MR. K. BROADBRIDGE
*	HUNGARY	MR. A. SZEPESI
*	INDIA	H.E. MR. B.K. ZUTSHI
*	JAPAN	H.E. MR. H. UKAWA
*	KOREA	H.E. MR. SANG OCK LEE
*	MALAYSIA	MR. SUPPERAMANIAN MANICKAM
*	MEXICO	H.E. MR. J. SEADE
*	MOROCCO	H.E. MR. M. EL GHALI BENHIMA
*	NEW ZEALAND	H.E. MR. T.J. HANNAH
*	NIGERIA	H.E. MR. E.A. AZIKIWE
*	PAKISTAN	H.E. MR. A. KAMAL
*	PERU	MR. J. MUNOZ
*	PHILIPPINES	H.E. MRS. N.L. ESCALER
*	SINGAPORE	H.E. MR. SEE CHAK MUN
*	SWEDEN	H.E. MR. L.E.R. ANELL
*	SWITZERLAND	H.E. MR. W. ROSSIER
*	TANZANIA	H.E. MR. A.H. JAMAL
*	UNITED STATES	H.E. MR. R.H. YERXA
*	URUGUAY	H.E. MR. J.A. LACARTE-MURO
*	YUGOSLAVIA	H.E. MR. N. CALOVSKI

*   YOUR DELEGATION IS INVITED TO ATTEND CONSULTATIONS ON SERVICES
* BY THE CHAIRMAN OF THE TNC AT OFFICIAL LEVEL, WHICH WILL BE HELD IN
* ROOM E OF THE CENTRE WILLIAM RAPPARD ON THURSDAY, 21 FEBRUARY 1991 AT
* 11 A.M. ATTENDANCE IS RESTRICTED TO TWO PERSONS PER DELEGATION.

Rules 16:00

농산물 2.20 11:00
Textile " 16:00
22. 분쟁. Trips. Trans ?
25. Market Access
26. TNC

* +
415519 KOGE CH

11.11.90.10:02

0072

3-3

TOTAL P.02

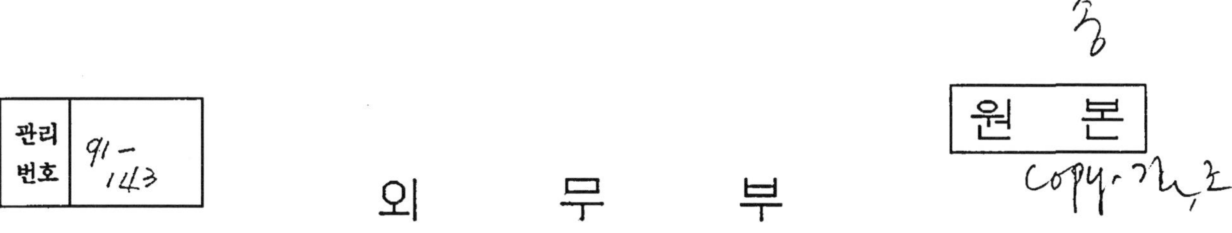

외 무 부

종 별 :

번 호 : GVW-0322 일 시 : 91 0219 1200

수 신 : 장관(통기,경기원,재무부,농림수산부,상공부)

발 신 : 주 제네바 대사대리

제 목 : UR/농산물 협상(전망)

연: GVW-0316,0320

1. 2.18 던켈총장과 케언즈그룹 국가간의 표제관련 비공식 협의 내용에 대하여 당관이 탐문한 요지 하기 보고함.

가. 던켈총장은 UR 협상 재개를 목적으로한 STATEMENT 에 국내보조, 시장접근, 수출경쟁, 위생 및 검역규제, 규범등 5 개분야에 대하여 협상을 하되, 특히 기본 3 개분야에 대하여는 SEPARATE COMMITMENTS 대신 BINDING COMMITMENTS 를 해야 한다는 내용이 들어갈 것이라함..(EC 입장을 고려한 듯 함)

나. 아국 관심사항인 식량안보와 개도국 우대 관련사항은 89.4 중간평가 합의사항을 존중한다는 요지의 문안이 명시될 가능성이 있다고 함.

2. 연호 농산물, 섬유, 서비스, 협상 개최 통보에 이어 규범제정(2.21.16 시), 분쟁해결(2.22.16 시), 시장접근(2.25.16 시) 분야에 대한 회의 개최 통보를 접수하였음. 끝.

(대사대리 박영우-국장)

예고:91.6.30 까지

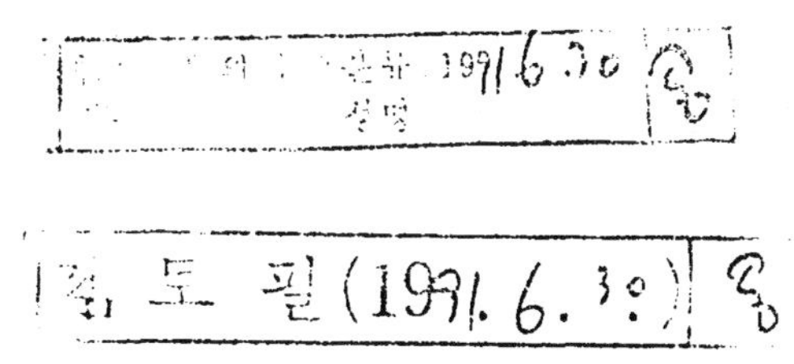

통상국	장관	차관	1차보	2차보	청와대	경기원	재무부	농수부
상공부								

PAGE 1

91.02.20 07:17

외신 2과 통제관 BW

0073

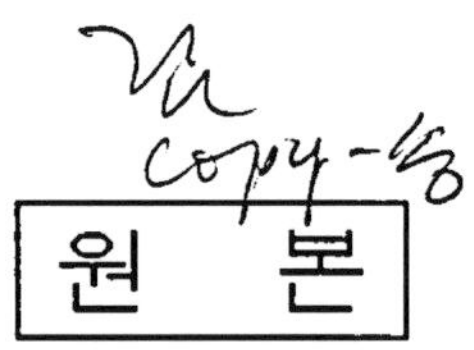

외 무 부

종 별 :

번 호 : GVW-0324 일 시 : 91 0219 2120

수 신 : 장 관(통기, 경기원, 재무부, 농림수산부, 상공부, 경제수석)사본: 박수길대사

발 신 : 주 제네바 대사대리

제 목 : UR/ 개도국 비공식 그룹회의

금 2.19(화) 오후 RICUPERO 의장 주재의 표제회의가 개최되어 TNC 고위급 의장자격의 DUNKEL 갓트 사무총장으로부터 UR 협상 재개노력의 진전상황 및 향후 계획에 관하여 청취한바 요지 아래보고함. (박공사, 오참사관, 천농무관, 민서기관참석)

1. DUNKEL 총장 언급요지

가. 농산물 협상을 재개하기 위해 TNC 의장자격으로 자신의 책임하에 성명 (STATEMENT) 을 발표하겠는바, 동 성명은 어느국가의 입장도예단 (PREJUDGE) 하지 않은 상태에서 협상을 궤도에 다시 올려 놓는데 (BACK ON TRACK)주목적이 있으며 만약 각국이 발언을 시작하게되면 판도라의 상자를 여는것과 같은 위험한 결과를 초래하게 될 우려가 있으므로 자신의 성명에 대해 지지도 반대도 하지 않고 조용히 수락하여 주기만 당 부함.

나. 명 2.20(수) 부터 농산물, 섬유, 써비스, 규범제정 (세이프가드, 반덤핑, 보조금, 갓트조문, 선적전 검사, 원산지규정등), 분쟁해결, 최종의정서, TRIMS, TRIPS, 시장접근등 7 개 분야로 구분하여 각기 30여개국의 참석하에 일련의 협의를 진행할 계획임.

다. 상기 협의는 모두 동일한 방식으로 진행하게되며, 자신은 ① 브랏셀 각료회의시 ESPIEL TNC의장으로 부터 부여받은 임무 (MANDATE) 를 재확인하고 ② 협상을 진전 시키기 위한 기초 (농산물의 경우에는 협상의 기초가 없음)에 대해 언급하고 3) 차기 회의 개최 및 동 회의시 논의할 잠정의제에 대해 언급하는 STATEMENT를 발표할 것임.

라. 농산물 협의시에는 특히 아래 세가지 부분으로 이루어진 STATEMENT 를 발표할 것임.

통상국	장관	차관	2차보	청와대	경기원	재무부	농수부	상공부

국기국(박수길대사)

PAGE 1

91.02.20 09:23 WG

외신 1과 통제관

0074

- 1) 농산물 협상은 브랏셀 회의에 제출된 협상문서 (TNC/35/REV.1) 와 동 회의시 이른작업에 기초하여 진행할 것임.

- 2) 농산물 협상을 재개시키기 위해, 협상참가국들은 국내보조, 시장접근, 수출경쟁등 세가지 분야 각각에 대한 구체적이고 구속력있는 약속을 도출하기 위해 협상을 실시하는데 동의함 (PARTICIPANTS AGREE TO CONDUCT NEGOTIATIONS TOACHIEVE SPECIFIC BINDING COMMITMENTS IN EACH OF THE FOLLOWING AREAS). 협상참가국들은상기 3가지 분야이외에도 위생 및 검역규제와 규범제정문제에 대한 합의에 도달해야 할 필요성에 동의함.참가국들은 또한 중간평가시 합의에 도달한 사항들 (MTN/TNC/11) 에 대해서는 동합의사항을 기초로 협의를 진행함 (DUNKEL 총장은 개도국우대, 순수입개도국 우대, 식량안보등을 지칭한다고 언급함)

- 3) 차기 농산물 협상의 잠정의제로서 (1)국내보조관련 모든 기술적 문제 (보조금 총량측정장치, 농산물 분야에의 갓트규정 적용문제등), (2) 시장접근 (특별 세이프가드조치, 최저시장접근 보장등), (3) 수출 경쟁, (4)위생.검역규제, (5) 순수입개도국 문제, 식량안보등 기타사항을 제시함.

마. 이와같은 7개 분야의 일련의 협의진행후 공식적으로 TNC 회의를 열어 (2.26경으로 예상)동 7개 그룹의 협의 결과를 보고하여 동 내용을 기록에 남겨두도록 (REGISTER) 하며, 동회의에서는 또한 새로운 시한은 정하지 않은채 단순히 UR 협상이 연장되었다는 사실을 TAKENOTE 하는 조치를 취하도록 하겠음.

2. 던켈총장은 개도국 우대등이 STATEMENT 에명시적으로 포함되지 않은데 대한 다수 개도국의 우려 표명에 답하여, 명일부터 개최되는 일련의 첫협의는 단순히 협상을 재개시키기 위한것일뿐이며, 자신의 STATEMENT 에 포함된 어느사항도 각국의 기존입장이나 기존문건 (특히 MTN/TNC/11상의 중간평가 합의사항)에 영향을 주는 것이아니며, 일단 협상이 재개된 연후에 모든 문제가 다시 제기되어 논의될 것인바, 자신으로서는 모든 요소간 균형을 유지하도록 노력하겠다고 함.

3. 상기 DUNKEL 총장의 간곡한 당부와 협상재개 필요성에 대한 인식등 전체적인 분위기로 보아 명일 TNC 의장 주재 주요국 농산물 협의시 각국이 DUNKEL 총장의 STATEMENT내용에 명시적으로 반대 또는 의의 제기는 삼가할 것으로 예견되기는 하나, EC 의 발언여부등 반응이 주목되고 있는바 회의 분위기로 보아 만약 필요하다고 판단되는 경우에는 아래요지로 발언코자 하니 별도 지침 있으면 회시바람.

- UR 농산물 협상의 성공적 타결을 희망

- TNC 의장의 협상재개계획을 지지

- 아국은 협상재개시 모든 나라의 이익이 균형되게 반영되고,(개도국우대, 식량안보등 NON TRADECONCERN 이 적절히 반영되며,) 갓트규정이 더욱 강화되어 운용될 수 있게 되기를 희망함.끝.

(대사대리 박영우-장관)

PAGE 3

0076

報 告 畢

長 官 報 告 事 項

1991. 2. 19.
通 商 局
通 商 機 構 課(6)

題 目 : UR協商 再開 展望

UR 協商 再開와 關聯한 던켈 갓트 事務總長의 努力 및 最近 美國 言論 報道 內容을 綜合, 그 展望을 아래와 같이 要約 報告합니다.

1. 2.13(금) Andriessen 副委員長, Hills 貿易代表가 提案한 農産物 協商 要素別 具體的 約束에 대한 政治的 受諾 拒否

   o 美側, Fast-track 時限 延長을 念頭에 두고 EC에 대하여 農産物協商 要素別 具體的인 言質 및 Rebalancing, 補整因子等에 대한 追加 讓步 要求

   o EC側, 美行政府는 EC의 追加 讓步와 상관없이 Fast-track 時限 延長 要請을 할 可能性이 크다고 보고 强硬 立場을 고수, 向後 協商에서 立地 强化 圖謀

2. Dunkel 事務總長은 上記 美.EC 對立에 비추어, 모든 國家가 受諾할 수 있는 緩和된 內容의 協商 再開를 위한 Statement를 準備, 아래 日程으로 會議 再開 努力 推進中

   o 2.19-20 主要 國家와 協議

   o 2.20 農産物 協商그룹 會議 召集, 성명 發表

공람	통상기구과	91 년 2 월 19 일	담 당	과 장	국 장	차관보	차 관	장 관
			송봉헌					

0077

o 2.23-25 서비스, 纖維, TRIPS等 餘他 主要分野들도 分野別 會議를 召集

o 2.26경 TNC 會議 召集, 協商 再開 宣言

3. 上記 日程대로 推進時 美 行政府는 Fast-track 時限 延長 要請 展望

o 2.4(月) Bolten USTR 諮問官, Fast-track 時限 延長 要請 豫定임을 言及

o 2.14(木) 通商政策 및 協商 諮問委員會(ACTPN), 議會 提出用 UR 協商 評價 報告書案 論議

o Hills 貿易代表, 對議會 接觸 강화중

4. 協商 展望

o 美國의 Fast-track 時限 延長 問題가 確定되면(法定時限 今年 5月末까지임) 本格的인 協商 再開 豫想

o UR 協商은 本格 協商 開始後 4-6個月 以內에 完結되어야 할 것이라는 展望

- 美 大統領 選擧의 해인 來年까지 協商을 遲延할 境遇 選擧 爭點化할 危險. 끝.

0078

長官報告事項

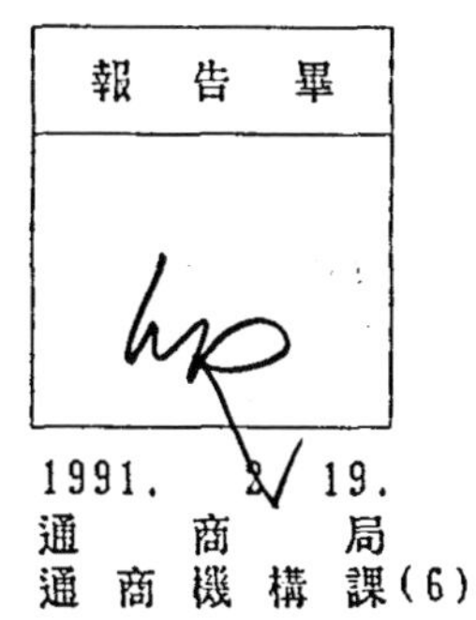

1991. 2. 19.
通 商 局
通商機構課(6)

題 目 : UR協商 再開 展望

UR 協商 再開와 關聯한 던켈 갓트 事務總長의 努力 및 最近 美國 言論 報道 內容을 綜合, 그 展望을 아래와 같이 要約 報告합니다.

1. 2.13(금) Andriessen 副委員長, Hills 貿易代表가 提案한 農産物 協商 要素別 具體的 約束에 대한 政治的 受諾 拒否

   o 美側, Fast-track 時限 延長을 念頭에 두고 EC에 대하여 農産物協商 要素別 具體的인 言質 및 Rebalancing, 補整因子等에 대한 追加 讓步 要求

   o EC側, 美行政府는 EC의 追加 讓步와 상관없이 Fast-track 時限 延長 要請을 할 可能性이 크다고 보고 强硬 立場을 고수, 向後 協商에서 立地 强化 圖謀

2. Dunkel 事務總長은 上記 美.EC 對立에 비추어, 모든 國家가 受諾할 수 있는 緩和된 內容의 協商 再開를 위한 Statement를 準備, 아래 日程으로 會議 再開 努力 推進中

   o 2.19-20 主要 國家와 協議

   o 2.20 農産物 協商그룹 會議 召集, 성명 發表

o 2.23-25 서비스, 纖維, TRIPS等 餘他 主要分野들도 分野別 會議를 召集

o 2.26경 TNC 會議 召集, 協商 再開 宣言

3. 上記 日程대로 推進時 美 行政府는 Fast-track 時限 延長 要請 展望

o 2.4(月) Bolten USTR 諮問官, Fast-track 時限 延長 要請 豫定임을 言及

o 2.14(木) 通商政策 및 協商 諮問委員會(ACTPN), 議會 提出用 UR 協商 評價 報告書案 論議

o Hills 貿易代表, 對議會 接觸 강화중

4. 協商 展望

o 美國의 Fast-track 時限 延長 問題가 確定되면(法定時限 今年 5月末까지임) 本格的인 協商 再開 豫想

o UR 協商은 本格 協商 開始後 4-6個月 以內에 完結되어야 할 것이라는 展望

- 美 大統領 選擧의 해인 來年까지 協商을 遲延할 境遇 選擧 爭點化할 危險. 끝.

발 신 전 보

	분류번호	보존기간

번 호 : WGV-0226 910220 1701 AO 종별 : 긴급, 암호발신

수 신 : 주 제네바 대사. 총영사

발 신 : 장 관 (통 기)

제 목 : UR / 농산물 협상

대 : GVW-324

1. 대호 던켈 사무총장의 발언 자제 당부와 전반적인 협상 재개 지지 분위기등을 감안, 금 2.20 표제 회의에서는 가급적 발언을 자제함이 좋을것임.

2. 다만, 회의 분위기로 보아 꼭 필요하다고 판단될 경우, 귀관 건의대로 발언하되 개도국 우대, 식량 안보등 아국 관심사항은 89.4. MTR 합의 사항이 이행상의 기초로 양해되고 있음을 감안, 대호 3항중"개도국 우대, 식량안보등 Non-trade Concern이 적절히 반영되며" 부분은 발언에서 제외바람. 끝.

(통상국장 김삼훈)

보 안 통 제	(서명)

앙 고 재	91년 2월 20일	통상기구과	기안자 성 명		과 장	심의관	국 장		차 관	장 관
			송봉헌		(서명)	(서명)	전결			(서명)

외신과통제

0081

관리 번호 91-146

원 본

외 무 부

종 별 :

번 호 : GVW-0332 일 시 : 91 0220 1900

수 신 : 장관(통기),경기원,재무부,농수부,상공부,경제수석)(사본:박수길대사)

발 신 : 주 제네바 대사대리

제 목 : UR/농산물 협상(주요국 비공식 회의)

2.20 15:00(당초 계획은 11:00) 덴켈 TNC 의장 주재로 개최된 표제협상 주요국 비공식 회의 결과 하기 보고함.(박대사대리, 천농무관 참석)

1. 던켈 총장은 회의 벽두에 자신이 브랏셀 각료회의 이후 TNC 의장으로 부터 받은 MANDATE 에 따라 많은 국가들과 가진 협의를 통해서 UR 협상 재개를 위한 기초로서 STATEMENT 를 어렵게 마련했으며, 이는 각국의 개별적인 기대를 모두 충족시켜 주지는못하겠지만 현재 준비한 STATEMENT 의 내용 그대로 COMMENT 없이 공동(COLLECIVELY) 수락해 줄것을 요청하면서 별첨 STATEMENT 를 발표하고 아무 발언국 없이 바로 회의를 종료하였음. (STATEMENT 내용 별첨)

2. 주요국 반응

가. 이씨의 TRAN 대사는 협상을 계속할 필요성 때문에 수락은 하였으나, 이씨의 기존 협상 입장은 바뀌지 않았다고 함.

나. 케언즈 그룹은 이씨도 동 문안 (STATEMENT)에 나타난 협상 방향을 따를수 밖에 없을 것으로 해석함.

다. 일본은 식량안보등 중간 평가 합의사항이 언급되어 있으므로 반대할 이유가 없었다고 함.

라. 인도등 개도국은 개도국 우대가 4 개 기본분야에서 모두 검토될수 있도록 되어 있으므로 문제가 없다고 함.

3. 관찰 및 평가

가. 모든 국가가 UR 협상 재개 필요성을 공감하고 있으며, EC 내 일부 회원국의 반대로 EC 와의 마지막 접촉 때문에 회의시간이 오후로 연기까지 되었으나 EC 도 협상 재개에는 반대할수가 없었고 동 문안이 중간평가 합의사항 존중을 언급하고 있기 때문에 사전에 반대의 소지를 제거함에 따라 별 발언 없이 채택된것으로 봄.

통상국	장관	차관	1차보	2차보	구주국	대사실	청와대	경기원
재무부	농수부	상공부						

PAGE 1 검 토 필(1991. 6. 30) 91.02.21 08:18

외신 2과 통제관 CW

0082

나. 여타 분야 회의에서도 표제회의와 같은 방식으로 진행될 것으로 예상되며, 각 분야별 회의 결과를 종합 TAKE-NOTE 할 TNC 회의 (2.26 예상)도 예상대로개최될 것으로 관측되고 있음.

첨부: STATEMENT (NOTE FOR CHAIRMAN) 1 부

(GVW(F)-69)

(대사대리 박영우-장관)

예고: 91.6.30. 까지

20.2.91

GVW(3)-0069 10220 1P00 ...

AGRICULTURE

Wednesday, 20 February 1991

Note for Chairman

1. In his closing remarks at the Brussels Ministerial Meeting, Minister Gros Espiell requested me to pursue intensive consultations with the specific objective of achieving agreements in all the areas of the negotiating programme in which differences remain outstanding. These consultations will, he said, be based on document MTN.TNC/W/35/Rev.1, dated 3 December 1990, including the cover page which refers to the Surveillance Body and the communications which various participants sent to Brussels. He added that I would also take into account the considerable amount of work carried out at the Brussels meeting, although it did not commit any delegation.

2. With respect to agriculture, my consultations confirm that participants agree to conduct negotiations to achieve specific binding commitments on each of the following areas: domestic support; market access; export competition; and to reach an agreement on sanitary and phytosanitary issues; and that technical work will begin immediately to facilitate these negotiations.

To assure progress in achieving the results I have just described, I can also confirm that participants are committed to pursuing consultations, as necessary, at senior policy-making levels to address outstanding aspects of the negotiation requiring such guidance.

6-2-1

0084

All participants are committed to achieving reform of world agriculture trade through the framework approach set forth in the results on agriculture adopted by the Trade Negotiations Committee at its mid-term review as contained in document MTN/TNC/11.

3. I therefore propose that we reconvene in this grouping on Wednesday, 27 February. I further propose as a tentative agenda for that meeting, the following technical issues:

(a) In the area of domestic support: a means of determining the policies that shall be excluded from the reduction commitment, the role and definition of an Aggregate Measurement of Support and equivalent commitments, a means of taking account of high levels of inflation faced by some participants, and the reinforcement of GATT rules and disciplines.

(b) In the area of market access: the modality and scope of tariffication, the modalities of a possible special safeguard for agriculture, the scope and modalities of implementation of a minimum access commitment, the treatment of existing tariffs, and the reinforcement of GATT rules and disciplines.

(c) In the area of export competition: a definition of export subsidies to be subject to the terms of the final agreement including the development of means to avoid the circumvention of commitments while maintaining adequate levels of food aid, and the reinforcement of GATT rules and disciplines.

(d) In the area of sanitary and phytosanitary measures, there is also scope for further refinement of a number of technical provisions and procedures.

(e) In each of these areas the particular concerns of developing countries, of net food importing developing countries, and those relating to food security will be examined.

0085

관리 번호	91-149

	분류번호	보존기간

발 신 전 보

번 호 : WGV-0232 910221 1714 AO 종별 : 지급

수 신 : 주 제네바대사대리 ~~대사, 총영사~~

발 신 : 장 관 (통 기)

제 목 : UR/ 농산물협상 (주요국 비공식회의)

일반문서로 재분류 (1991 . 6 . 30 .)

대 : GVW - 0332

4. 던켈 TNC 의장은 표제회의시 statement 를 통하여 농산물 협상의 기술적인 문제들을 토의하기 위하여 2.27(수) 동 협상 그룹회의를 재소집할 것을 제의하였으며 또한 여타 각분야별 회의결과를 종합 take note 할 TNC 회의도 2.26(화) 개최될 것으로 예상됨.

~~2. 이와관련~~ 향후 협상대책수립에 참고코자하니 하기 사항을 파악 2.22(금) 오전한 지급 보고 바람.

1. ~~가.~~ 2.27(수) 개최 예정인 농산물 분야회의의 형식과 각참가국의 대표단 구성방식

2. ~~나.~~ 2.26(화) 개최가 예상되는 TNC 회의의 성격 및 각참가국의 대표단 구성방식

3. ~~다.~~ 농산물을 비롯한 각분야별 ~~회의가 재개되기는 하나 분야별도~~ 실질적인 협상의 재개가 언제 어떻게 가능할 것인지 여부. 끝.

(통상국장 김 삼훈)

앙 고 재	91년 2월 21일	통기과	기안자		과 장	심의관	국 장		차 관	장 관
			김봉주				전 결			

보안통제	외신과통제

0086

76
0014-3

관리번호	91-150

원 본

외 무 부

종 별 : 지 급

번 호 : GVW-0342 일 시 : 91 0221 1930

수 신 : 장관(통기,경기원,재무부,농림수산부,상공부,특허청)(사본:박수길대사)

발 신 : 주 제네바 대사대리

제 목 : UR/농산물 협상(주요국 비공식 회의)

대: WGV-0232

연: GVW-0341

대호 아래 보고함.

1. 농산물 분야회의 형식과 각국대표단 구성 방식

0 LUCQ 농업국장 및 HUSSAIN 사무총장 보좌관에 확인한바에 의하면 2.27(수) 개최 예정이던 농산물 분야 2 차 주요국 비공식 협의는 아직 일자가 확정되지않았으나 3.1(금) 경으로 변경될 것이라함. 동 2 차 회의도 1 차 회의와 마찬가지로 30 여개국에서 국별로 2 명(1 더하기 1)이 참석하는 주요국 비공식 협의 형태가 될것임.

0 동회의에서는 DUNKEL 의장이 1 차 회의에서 제시한 국내 보조, 시장접근,수출경쟁, 규범, 위생 및 검역 규제등 5 개 기술적인 분야를 협상의제로 채택하고, 의제별 내용확인 및 차기 회의 일정 결정등이 있게 될 것이므로 주로 제네바 대표부 관련자들로서 대표단을 구성하게 될것으로 보임. 다만, 각국이 필요에따라 본국대표를 파견할 가능성은 있으며, 당관이 파악한 바로는 일본의 경우에는 본부국장급 대표 1-2 명이 참석할 것이라함.

2. TNC 회의의 성격 및 각국대표단 구성 방식

0 2.26(화) 개최 TNC 실무급 회의는 연호, 회의소집 통고문과 같이 DUNKEL 총장이 그간 협상 재개를 위해 행한 협의 결과를 보고하는 회의로서 2.20 농산물관련 협의를 비롯한 그간의 각 분야별 비공식 협의에서 협상을 재개하기로 참가국의 의견이 모아졌음을 TNC 공식회의에 보고, 확인하고, 이를 토대로 시한(DEADLINE) 을 명시하지 않고 UR 협상의 연장을 공식적으로 결정하는 회의가 될 것임.

0 동 회의도 대부분의 국가가 현지 대표부 관계관들로 대표단을 구성할 것으로 보임. 다만, 일본의 경우에는 ENDO 본부 대사가 2.20 농산물 회의 참석이후당지

통상국 장관 차관 1차보 2차보 경기원 재무부 농수부 상공부
특허청

91.02.22 06:23
외신 2과 통제관 CE
0087

체류중이므로 동 회의에도 참석할 예정이라함.

3. 각분야별 실질적인 협상재개 시기 및 방법

0 UR 협상의 각 분야별 실질적인 협상은 미의회가 행정부의 FAST TRACK 시한연장 신청에 대한 동의 여부가 확실시 되는 91.5 월말 이후가 될것이라는 것이당지의 일반적인 관측임.

0 일부에서는 농산물 분야의 실질협상 시작이 EC 의 CAP 개혁과도 관련이 있으므로 CAP 개혁의 진전상황에 따라 더 늦어질 가능성도 있다고 보고 있으며, 다만, 서비스, TRIPS 등 분야에서는 농산물 분야에서의 부진을 보완하기 위해 선진국들이 협상을 서루를 가능성도 있는 것으로 보고 있음.

0 HUSSAIN 보좌관은 농산물 협상의 경우 기술적인 차원의 문제라도 실질 협상에 속하는 사항(예를 들어 GREEN BOX 에 포함될 사항 협의등)은 부활절 휴가(3.29-4.1) 이후에 개최될 제(606)3 차 협의에 가서야 다루어질 수 있을 것이라는견해를 표함. 끝

(대사대리 박영우-국장)

예고: 91.6.30 까지

PAGE 2

0088

원 본

외 무 부

종 별 :

번 호 : JAW-0994 일 시 : 91 0222 1546

수 신 : 장관(통기,농림수산부)

발 신 : 주일대사(농무관)

제 목 : 농림수산부 직원출장

대 : WJA-0686

2.22. 당관 김농무관은 방문 대상기관과 협의결정된 조사일정을 다음과 같이 보고함.

1. 조사일정

2.25(월)

11:30 동경도착후, 효율적인 조사방안 협의 주일대사관

2.26(화)

10:30-12:00 UR 문제, 특히 GATT 11 조 2항(C)농림수산성 국제경제과(노무라)

13:30-14:30 쌀의 생산조정 농잠 원예국기획과(혼가와)

14:30-15:30 일본의 미곡 정책 식량청기획과(사또)

2.27(수)

10:30-11:30 채소의 생산수급 조정 야채계획과(이또)

13:00-14:00 가축 및 식육생산 조정 식육계란과(스즈끼)

14:30-15:30 채소 및 양념류 생산 조절 전국 농협중앙회(쓰카타)

16:00-17:00 식육관리 운영 현황 축산 진흥사업단(하따)

2.28(목) 쌀 및 채소등 생산조절 현황 찌바겡단협 및 미작농가

(주) 농림수산성 조사장소 : 응접실(4층 441호실)

2. 숙소예약

올림픽인(전화 : 03-5476-5050).끝

(공사 이한춘-국장)

통상국 농수부

PAGE 1 91.02.22 21:08 DQ

외신 1과 통제관

0089

'lu
copy-2,송인

원 본

외 무 부

종 별 :

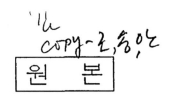

번 호 : GVW-0349 일 시 : 91 0222 1850

수 신 : 장 관(통기,경기원,재무부,농림수산부,상공부,특허청)(사본:박수길대사)

발 신 : 주 제네바 대사대리

제 목 : UR 협상 일정

1. 지난 2.20 부터 재개된 UR협상 각 그룹별 비공식 협의를 통해 던켈사무 총장이 제시한 UR 협상 일정은 아래와 같음.

2.25(월): 시장접근 비공식 협의

2.26(화): 고위급 TNC 공식 회의

2.27(수): 농산물 비공식 협의 (3.1. 로 변경예정)

3.5(화): 섬유 비공식 협의

3.8(금): 써비스 비공식 협의

3.14(목): 규범제정 비공식 협의

3.18(월): TRIMS, TRIPS 비공식 협의

3.20(수): 분쟁해결, 최종 의정서 비공식 협의

3. 그러나 던켈 사무총장은 2.22(금) TRIMS 및TRIPS 비공식 협의시 농산물 협상을 위시 상기분야별 UR 협상 일정이 일부 조정될 가능성이있다고 언급하고 조정된 일정을 2.26 TNC회의시 밝히겠다고 언급하였는바, 참고 바람.끝

(대사대리 박영우-국장)

통상국 2차보 우루과(대사) 경기원 재무부 농수부 상공부 특허청

PAGE 1

91.02.23 09:51 WG

외신 1과 통제관

0090

기 안 용 지

분류기호 문서번호	통기 20644-	(전화 :)	시 행 상 특별취급	
보존기간	영구·준영구. 10. 5. 3. 1.	차 관	장 관	
수 신 처 보존기간		전 결		
시행일자	1991. 2.23.			

보조기관		협조기관		문 서 통 제
국 장				
심의관				
과 장				발 송 인
기안책임자	송 봉 헌			

경 유 수 신 참 조	건 의	발신명의		
제 목	UR/농산물 협상 회의 정부대표 임명 건의			

1. 91.2.20. 제네바에서 개최된 UR/농산물분야 주요국 협의에서 협상재개를 위한 던켈 갓트 사무총장의 statement가 채택됨에 따라 ~~2.27.~~ 3. 1. 농산물분야 주요국 협의가 개최될 예정입니다.

2. 동 회의 참가 및 89.10. 갓트 BOP 협의 결과에 따른 '92-'94 수입자유화 예시계획 수립과 관련한 주요국과의 협의등을 위해 아래와 같이 정부대표를 "정부대표 및 특별사절의 임명과 권한에 관한 법률"에 의거 임명할 것을 건의하오니 재가하여 주시기 바랍니다.

// 계 속 ......

0091

1505-25(2-1) 일(1)갑 190㎜×268㎜ 인쇄용지 2급 60g/㎡
85. 9. 9. 승인 "내가아낀 종이 한장 늘어나는 나라살림" 가 40-41 1990. 2. 10.

- 아 래 -

가. 회 의 명 : UR/농산물협상 주요국협의

나. 회의기간 및 장소 : 91.3.1 ~~2.27(3.1. 개최될 가능성도 있음~~),

스위스 제네바

다. 정부대표

o 농림수산부 농업협력통상관 조일호

o 농림수산부 농업협력통상관실 행정주사 최대휴

o 주제네바 대표부 관계관

(자 문)

o 한국 농촌 경제연구원 부원장 최양부

라. 출장기간(본부대표) : 91.2.26-3.3 (5박6일)

마. 소요경비 : 소속부처 소관예산.

바. 훈 령 : 별도 건의 예정. 끝.

0092

농 림 수 산 부

국협20644- 503-7227 1991. 2. 22.

수신 외무부장관

제목 우루과이라운드 농산물협상 실무회의 참석

1. '91.2.20 개최된 UR농산물협상 그린룸회의에서 협상재개를 위한 던켈 사무총장의견서(statement)가 채택됨에 따라 UR농산물협상 실무회의가 2.27일 제네바에서 개최될 예정입니다.

2. 동회의에서는 협상의제 검토와 아울러, 향후 협상방법과 절차등이 논의될 것으로 예상되는바, 향후 아국의 협상대책 수립과 협상재개에 대한 주요국 동향을 진단하는 중요한 기회가 될 것으로 예상됨으로 금차회의에 다음과 같이 당부대표를 파견코자 하오니 협조하여 주시기 바랍니다.

- 다 음 -

구 분	소 속	직 위	성 명	비 고
대 표	농업협력통상관실	농업협력통상관	조일호	
	"	행정주사	최대휴	
자 문	한국농촌경제연구원	부 원 장	최양부	소요경비:소속기관부담

첨부 : 1. 협상일정 및 소요경비 내역.
2. 금차회의에 대한 당부입장 1부.

농 림 수 산 부

0093

기 안 용 지

분류기호 문서번호	국협20644	(전화 : 503-7227)	시 행 상 특별취급	
보존기간	영구·준영구. 10. 5. 3. 1.	장 관		
수 신 처 보존기간				
시행일자				

보조기관	차 관		협조기관	제2차관보 총무과장	문 서 통 제
	국 장				
	과 장				
기안책임자	윤장배				발 송 인

경 유 수 신 참 조	각 안 참 조	발신명의	장 관	
제 목	우루과이라운드 농산물협상 실무회의 참석			

(제 1안 : 내부결재)

1. 우루과이라운드 협상은 '91.12브랏셀각료회의 결과에 따라 금년으로 연기되었으나, 그동안 GATT던켈사무총장이 협상재개를 위한 주요국과의 개별적인 막후 교섭을 추진하여 왔으며, 그 결과를 토대로 하여 작성한 의견서(statement)가 '91.2.20개최된 농산물 그린룸회의에서 채택된바 있읍니다.

2. 이에따라 '91.2.26개최예정인 TNC회의에서 UR협상재개와 협상타결시한연장을 공식적으로 결정할 예정이며, 농산물협상 실무회의는 '91.2.27재개될 예정입니다.

0094

1505-25(2-1) 일(1)갑 190㎜×268㎜ 인쇄용지 2급 60g/㎡

3. 금차 농산물회의는 협상재개 이후 개최되는 첫번째 회의로서의 성격상 주요 쟁점사항에 대한 실질토의가 재개되기는 어려울 것으로 예상되나, 던켈 GATT총장의 의견서(statement)에 포함된 의제에 대한 검토와 향후 협상방법과 절차에 대한 협의가 이루어질 것으로 예상되고 있어, 앞으로의 아국 협상 대책수립을 위한 방향제시는 물론, 협상에 임하는 주요국의 입장진단을 위한 중요한 기회가 될 것으로 예상됩니다.

4. 따라서 금차회의 참석과 아울러 아국의 BOP운용중단에 따른 '92-'94개방예시계획 수립에 대한 주요국과의 협의등을 위하여 다음과 같이 당부 대표를 파견코자 합니다.

- 다 음 -

가. 당부대표.

구 분	소 속	직 위	성 명	비 고
대 표	농업협력통상관실	농업협력통상관	조일호	
	"	행정주사	최대휴	
자 문	한국농촌경제연구원	부 원 장	최양부	소요경비: 소속기관부담

나. 출장기간 : '91.2.26-3.3(6일간)

다. 출 장 지 : 스위스 제네바

라. 소요경비

0095

1505-25(2-2) 일(1)을 190㎜×268㎜ 인쇄용지 2급 60g/㎡

- 국외여비 : ~~$5,205~~ $5,480(지변과목 : 1113-213)

- 특별활동비 : $1,000(지변과목 : 1113-234)

첨부 : 1. 출장일정 및 소요경비 내역

2. 금차회의 당부입장(별도보고). 끝.

0096

출장일정 및 소요경비 내역

가. 출장일정

'91.2.26 13:50 (~~12:40~~) 서울 발(KE903)
19:00 ~~런던 착~~ 프랑크푸르트 착
21:05 ~~런던~~ 발 ~~(BA740)~~ (SR 545)
22:10 제네바 착

'91.2.27 UR농산물회의참석

'91.2.28 UR농산물협상 대책 및 수입자유화 예시계획 수립협의

'91.3. 1 UR농산물회의 참석

'91.3. 2 11:00 제네바 발(LH1855)
12:15 프랑크푸르트 착
14:10 " 발(KE916)

'91.3. 3 10:40 서울 착

나. 소요경비 내역

(1) 국외여비 : $5,480

구 분	농업협력통상관	최 대 휴
항 공 료	$ 2,131	$ 2,131
체 재 비	$ 696	$ 522
- 일 비	$25×6일 = $150	$16×6일 = $ 96
- 숙박비	$79×4일 = $316	$59×4일 = $236
- 식 비	$46×5일 = $230	$38×5일 = $190
계	$ 2,827	$ 2,653

(2) 특별활동비 : $1,000

0097

8845

기 안 용 지

분류기호 문서번호	통기20644-	(전화 :)	시 행 상 특별취급	
보존기간	영구 · 준영구. 10 . 5 . 3 . 1.	장 관		
수 신 처 보존기간				
시행일자	1991. 2.23.			

보조기관		협조기관		문 서 통 제
국 장				검인 1991. 2. 26
심의관				
과 장	전결			
기안책임자	송 봉 헌			발 송 인

경 유 수 신 참 조	농림수산부장관	발신명의	
제 목	UR/ 농산물협상 정부대표 임명 통보		

91.3.1. 스위스 제네바에서 개최되는 UR/농산물협상 주요국 협의에 참가하고 '92-'94 수입자유화 예시계획 수립관련 주요국과의 협의를 위해 아래와 같이 정부대표가 "정부대표 및 특별사절의 임명과 권한에 관한 법률"에 의거 임명되었음을 알려드립니다.

- 아 래 -

1. 회 의 명 : UR/농산물 협상 주요국 협의

2. 회의기간 및 장소 : 91.3.1. 스위스 제네바

// 계 속 ......

0098

1505-25(2-1) 일(1)갑 85. 9. 9. 승인 "내가아낀 종이 한장 늘어나는 나라살림" 190㎜×268㎜ 인쇄용지 2급 60g/㎡ 가 40-41 1990. 2. 10.

3. 정부대표(본부)

o 농림수산부 농업협력통상관 조일호

o 농림수산부 농업협력통상관실 행정주사 최대휴

(자 문)

o 한국 농촌경제 연구원 부원장 최양부

4. 출장기간 : 91.2.26-3.3.(5박6일)

5. 소요예산 : 소속부처 소관예산.

6. 출장결과보고 : 귀국후 20일이내. 끝.

0099

농 림 수 산 부

국협20644-153 503-7227 1991. 2. 25.

수신 외무부장관

참조 통상국장

제목 우루과이라운드 농산물협상 실무회의 당부입장 송부

1. 국협20644-150(91.2.22)호와 관련입니다.

2. '91.3.1 개최될 표제회의에 대한 당부입장을 별첨과 같이 보내드리오니 조치하여 주시기 바랍니다.

첨부 : 우루과이라운드 농산물협상 실무회의 참가대책 1부. 끝.

발송 1991. 2. 26 농림수산부

농 림 수 산 부 장 관

농업협력통상관 전결

0100

우루과이라운드 농산물 협상 실무회의 참가 대책

1. 금차회의 전망

○ 3.1 개최예정인 금차실무회의는 지난 2. 20 농산물 그린룸회의에서 협상재개를 위한 던켈사무총장 Statement를 채택한 이후 개최되는 첫번째 회의임.

○ 따라서 중요쟁점 사항에 대한 실질토의보다는 잠정의제 검토, 앞으로의 협상 방법과 절차를 협의하는 정도의 회의가 될 것으로 전망됨.

2. 당부의 기본입장

○ 금차회의는 지난 1. 15 TNC회의시 기통보한바 있는 아국의 수정안의 범위내에서 적절히 대처하되, 주요협상국의 동향과 전체회의 분위기를보아 필요한 경우 아래 요지의 아국입장을 개진

1) 아국은 협상의 성공적 타결을 희망하고 있으며 이에따라 국내적인 어려움에도 불구하고 농산물 협상의 조속한 진전을 위하여 신축적인 입장을 마련하였으며 이러한 입장을 지난 1. 15 TNC 회의시 명확히 표명한바 있음.

2) 그동안 던켈 TNC의장의 협상재개 노력을 적극지지하며 의견서(Statement)가 모든 참여국에 의해 공식 채택되고 협상이 재개된 것을 환영함.

3) 각 참여국은 협상에서의 기대치를 낮추고 융통성있는 대안을 제시함으로서 모든 국가가 실천가능한 방향으로 협상이 타결되어야 할 것임.

4) 협상재개시 모든 협상참여국의 이익이 균형되게 반영되어야 한다는 푼타델에스테 선언과 MTR기본원칙에 따라 수입국.개도국의 관심사항인 식량안보등 농업의 비교역적 기능(Non-Trade Concern), 개도국 우대등에 대한 충분한 논의가 필요하며, 하며 11조 2항 C등 GATT 규정은 실제 운용가능하도록 개선되기를 희망함.

0101

3. 의제별 입장

가. 예상의제에 대한 검토

- '89. 4 중간평가회의 합의사항을 기초로 협상을 재개한다는 Statement를 환영하고,
- 특히 잠정의제로 채택한 5개 기술적 검토사항 (국내보조, 시장접근, 수출보조, 위생 및 검역규제, 개도국우대및 식량안보)에 우리의 관심사항이 포함되어 있음으로 지지의사를 표명

나. 향후 협상방법과 절차

- 농산물협상은 던켈사무총장이 제시한바 있는 9개 핵심사항등 중요쟁점사항에 대한 합의가 선결되어야 실질적인 협상진전이 이루어 질수 있다는 것이 우리의 기본입장임.
- 그러나 협상이 어렵게 재개된 만큼, 던켈사무총장 Statement에서 제시한 기술적 사항에 대한 논의를 우선적으로 전개하는 것도 협상을 촉진시키는데 유익할 것으로 봄.

4. 기타사항

가. GATT 사무국 및 주요국과의 비공식 협의

- 금차 회의기간을 전후하여 GATT 사무국및 미국, EC, 일본등 주요협상국과 접촉하여 우리의 관심사항을 개진하고 지지를 촉구하는 한편, 협상재개에 대한 각국의 입장과 앞으로의 협상전망등을 타진
- 특히 11조 2항C의 개선문제와 관련하여 당부에서는 주요국 운영실태 조사반을 편성, 2. 25 ~ 3. 4일간 카나다, 일본, 스위스, 오지리등에 파견중인바, 이들 국가의 견해와 앞으로의 협상에서 공동협력 방안을 타진.

0102

	분류번호	보존기간

발 신 전 보

번 호 : WGV-0244 910226 1001 BX 종별 : 암호발신

수 신 : 주 제네바 대사. 총영사

발 신 : 장 관 (통 기)

제 목 : UR/농산물협상(주요국 협의)

연 ; WGV - 237

1. 3.1 개최되는 표제회의에 아래 대표를 파견하니 귀관 관계관과 함께 참석토록 조치 바람.

가. 대표(본부)

o 농림수산부 농업협력통상관 조일호

o 농림수산부 농업협력통상관실 행정주사 최대휴

(자 문)

o 농촌경제 연구원 부원장 최양부

나. 귀지 도착일정 : 2.26(화) 22:10 (SR545)

2. 금번 회의에는 1.15 TNC 회의시 아국이 밝힌 입장 재검토 방향에 따라 대처하되, 회의 분위기를 보아 발언이 필요할 경우 아래 요지로 적의 대처 바람.

가. 아국은 던켈 사무총장의 협상재개 노력을 적극지지해 왔는 바, 던켈 사무총장의 Statement가 채택되고 협상이 재개된 것을 환영함. 아울러, 잠정의제로 채택된 5개 기술적 검토사항 (국내보조, 시장접근, 수출보조, 위생및검역, 개도국우대 및 식량안보)에 대해 토의를 시작함으로써 협상이 촉진되기를 기대함.

// 계 속 ....

보 안 통 제	

앙 고 재	91년 2월 26일	통상기구과	기안자 성 명		과 장	심의관	국 장		차 관	장 관
			송봉헌				전결			

외신과통제

0103

나. 농산물 협상의 조속한 진전을 위하여 전향적으로 입장을 재검토하였으며 동 입장을 1.15 TNC 회의시 표명하였는 바, 구체적 내용은 향후 협상 진전을 보아가며 제시할 방침임.

다. 모든 협상참가국의 이익이 균형되게 반영되어야 한다는 푼타선언과 MTR 합의사항에 따라 향후 협상에서는 식량안보, 개도국 우대등에 대하여도 충분한 논의가 필요하며, 11조 2항 C등 농산물관련 갓트 규정은 운용 가능하도록 개선되기를 희망함.

3. 표제 회의 대표단은 미국,카나다, 일본, 호주, EC등 주요국 및 갓트 사무국을 접촉, 아래 사항을 파악, 보고 바람.

가. 협상재개에 대한 입장 및 향후 협상 전망

나. 연호 BOP 품목의 관세화 방안에 대한 반응

다. 11조 2항 C 개선문제에 대한 입장 및 공동협력 방안. 끝.

(통상국장 김 삼훈)

0104

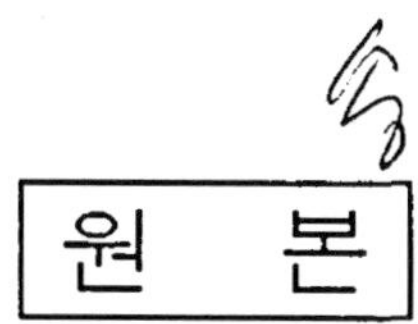

외 무 부

종 별 :

번 호 : GVW-0366 일 시 : 91 0226 1730

수 신 : 장 관(통기,경기원,재무부,농림수산부,상공부)

발 신 : 주 제네바 대사

제 목 : UR/ 농산물 협상(주요국 비공식 회의)

1. 3.1.11:00 TNC 의장 주재로 표제 협상 주요국 비공식 회의가 별첨과 같이 개최 예정임.

2. 동 회의에는 1차 회의때 보다 1개국 (폴란드)이 증가된 34개국이 초청되었음.

첨부: UR/ 농산물 협상 주요국 비공식 회의소집 통지서 1부.

(GVW(F)-0081). 끝

(대사 박수길-국장)

통상국 2차보 경기원 재무부 농수부 상공부

PAGE 1

91.02.27 09:17 WG

외신 1과 통제관

0105

FEB-25-'91 13:25 ID: 0041 22 731 42 06 TEL NO: 농무관 GATT GENEVE #018 P01

GVW(F)-0081 10226 1730

=GVW-366 첨부

GATT FACSIMILE TRANSMISSION

Centre William-Rappard
Rue de Lausanne 154
CH-1211 Genève 21

Telefax: (022) 731 42 06
Telex: 412324 GATT CH
Telephone: (022) 739 51 11

TOTAL NUMBER OF PAGES (including this preface) 1

Date: 25 February 1991

From: Arthur Dunkel
Director-General
GATT, Geneva

Signature: Arthur Dunkel

To:			Fax No:
	ARGENTINA	H.E. Mr. J.A. Lanus	798 72 82
	AUSTRALIA	H.E. Mr. D. Hawes	733 65 86
	AUSTRIA	H.E. Mr. F. Ceska	734 45 91
	BRAZIL	H.E. Mr. R. Ricupero	733 28 34
	CANADA	H.E. Mr. J.M. Weekes	734 79 19
	CHILE	H.E. Mr. M. Artaza	734 41 94
	COLOMBIA	H.E. Mr. F. Jaramillo	791 07 87
	COSTA RICA	H.E. Mr. R. Barzuna	733 28 69
	CUBA	H.E. Mr. J.A. Pérez Novoa	758 23 77
	EEC	H.E. Mr. Tran Van-Thinh	734 22 36
	EGYPT	Mr. M. Abdel-Fattah	731 68 28
	FINLAND	H.E. Mr. A.A. Hynninen	740 02 87
	HUNGARY	Mr. A. Szepesi	738 46 09
	INDIA	H.E. Mr. B.K. Zutshi	738 45 48
	INDONESIA	H.E. Mr. H.S. Kartadjoemena	793 83 09
	ISRAEL	H.E. Mr. I. Lior	798 49 50
	JAMAICA	H.E. Mr. L.M.H. Barnett	738 44 20
	JAPAN	H.E. Mr. H. Ukawa	733 20 87
	KOREA	H.E. Mr. Sang Ock Lee	791 05 25
	MEXICO	H.E. Mr. J. Seade	733 14 55
	MOROCCO	H.E. Mr. M. El Ghali Benhima	798 47 02
	NEW ZEALAND	H.E. Mr. T.J. Hannah	734 30 62
	NICARAGUA	H.E. Mr. J. Alaniz Pinell	736 60 12
	NIGERIA	H.E. Mr. E.A. Azikiwe	734 10 53
	PAKISTAN	H.E. Mr. A. Kamal	734 80 85
	PERU	Mr. J. Muñoz	731 11 68
	PHILIPPINES	H.E. Mrs. N.L. Escaler	731 68 88
	POLAND	Mr. J. Kaczurba	798 11 75
	SWITZERLAND	H.E. Mr. W. Rossier	734 56 23
	THAILAND	H.E. Mr. Tej Bunnag	733 36 78
	TURKEY	H.E. Mr. C. Duna	734 52 09
	UNITED STATES	H.E. Mr. R.H. Yerxa	799 08 85
	URUGUAY	H.E. Mr. J.A. Lacarte-Muró	731 56 50
	ZIMBABWE	H.E. Dr. A.T. Mugomba	738 49 54

The next consultations on agriculture will be held at 11 am. on 1 March 1991, in Room E of the Centre William Rappard, instead of on 27 February 1991, as previously announced by the Chairman of the TNC at official level. Attendance is restricted to two persons per delegation.

PLEASE NOTIFY US IMMEDIATELY IF YOU DO NOT RECEIVE ALL THE PAGES

** OUR FAX EQUIPMENT IS HITACHI HIFAX 210 (COMPATIBLE WITH GROUPS 2 AND 3) AND IS SET TO RECEIVE AUTOMATICALLY **

0106

1991-02-26 19:00 KOREAN MISSION GENEVA 2 022 791 0525 P.01

원 본

외 무 부

종 별 :
번 호 : GVW-0368　　　　일 시 : 91 0226 1800
수 신 : 장 관(통기,경기원,재무부,농림수산부,상공부,특허청)
발 신 : 주 제네바 대사　　　　사본:주 EC 대사(직송필)
제 목 : UR/TNC 고위급 공식 회의

2.26(화) 11:00 개최된 TNC (무역협상위원회)고위급 회의는 DUNKEL 의장이 UR 협상의 재개 및 시한 연장을 제의하는 성명 (STATEMENT)을 발표하고 각국이 발언없이 동 성명 내용을 수락함으로써 15분만에 간단히 종료됨 (본직, 박공사 및 당관 관계관 참석)

1. DUNKEL 의장 성명요지

가. UR 협상 재개

- 브랏셀 각료회의시 부여받은 임무에 따라 집중적인 협의를 실시하였으며, 그결과 이제 UR협상을 다시 궤도에 올려 놓는데 필요한 모든 요소가 갖추어졌다는 결론에 이름.

- 그간의 협의결과에 따라 MTN.TNC/W/69문서 (별첨)로 향후 작업 계획 (PROGRAMME OF WORK)을 작성, 제의함. 동 계획은 (1) 모든 미합의분야의 협상 재개를 위한 기초 (BASIS) 와 (2)곧 재개되는 협상 (3.1.농산물 분야에 대해서부터 실시되는 협상을 지칭)을 통해 진전이 가능한 각분야의 협상의제 (PROPOSED WORK AGENDA) 등 두가지 사항을 주 내용으로 하고 있음.

나. 협상기한 연장

- UR 협상이 푼타 각료회의시 협상 종결 시한도 준수하지 못함이 분명하여 졌으므로 구체적인 일자는 정함이 없이 가능한 PAGWL한 종결을 목표로 협상을 계속키로 할것 을 제의함.

다. 푼타 델 에스테 각료선언 및 중간평가 합의관련사항

- 푼타 선언은 계속하여 모든 협상의 기초가 될것이며 중간평가 결정사항도 효력을 유지함. 따라서 GNG,GNS 및 감시기구의 지위에 변동이없음.

- 향후 협상의제 및 협상 구조 문제에 대해서는 협상 참가국들과 협의를 실시해

통상국 장관 차관 2차보 경기원 재무부 농수부 상공부 특허청

PAGE 1　　　　91.02.27 09:16 WG
외신 1과 통제관
0107

나가도록하겠음.

- 모든 참가국들은 개도국 우대 반영 정도에 관하여 효과적인 평가를 실시해야할 필요성에 유념함.

- 갓트 기능 강화와 관련한 중간평화 결정사항 (갓트 정책 결정과정에의 각료급참여증대, 세계 경제정책 수립상의 일관성제고)은 UR 협상 시한 연장에도 불구하고불변이며, 푼타 선언상의 SS/RB 공약, 분쟁해결절차 개선 및 무역정책 검토 기구(TRIM) 설립에 관한 중간평가 결정사항도 협상 종료시까지 계속 유효함.

- 농산물 및 섬유에 대한 중간평가 결정문에는 협상이 1990년 종결될 것이라는 구체적인 언급내용이 포함되어 있는바, UR 협상 계속이라는 새로운 합의에 따라 동 언급 내용을 수정할것을 제의함.

라. TNC 는 언제라도 단시일내 통보로 소집할 수있는 상태로 해 두겠음.

2. 관찰 및 평가

가. 금번 TNC 공식회의를 통해 그동안 사실상중단 상태에 있던 UR 협상이 재개되었고 브랏셀 각료회의 결과 91년 초까지 종결키로 한 UR 협상 기한이 특정 시한을 명시하지 않은채공식 연장되었음.

나. UR 협상 공식 재개와 아울러 3.1(금) 부터 농산물을 필두로 한 분야별 협상이 재개될 예정으로 있으나 당지에서의 일반적인 관측은 미국 행정부의 신속처리절차 협상권한 (FASTTRACK AUTHORITY) 기한 연장에 대한 의회의 승인여부가 확정될때 까지는 협상의 실질적 진전을 기대하기 어려울 것이라는 전망임 (DUNKEL총장의향후 작업 계획도 정치적 결정을 요하는 사항을 제외한 기술적 차원의 실무협상에 중점이 두어질 것임을 언급)

다. 향후 UR 협상에서는 EC 가 공동농업정책 (CAP) 개혁 추진과 관련농산물 협상에서 어느정도 신축성을 보이게될거인가와 미국이 UR 협상에서 기대하는 수준을 어느정도 재조정 하느냐가 주요 변수로 작용하게 될것으로 보임.

첨부 1) DUNKEL 사무총장 STATMENT

2) PROGRAMME OF WORK(MIN.TNC/W/69).

(GVW(F)-0082). 끝

(대사 박수길-장관)

0108

GVW-0082 1022618
GVW-318 접수

DRAFT
25.2.91
17.10

Trade Negotiations Committee

MEETING AT OFFICIAL LEVEL OF 26 FEBRUARY 1991

Note for the Chairman

1. As GATT/AIR/3156 states, I have convened this meeting in order to report on the consultations that I have conducted in the period since the Brussels meeting of the Committee at Ministerial Level in December last year.

2. My consultations have been held in accordance with the mandate given to me by Minister Gros Espiel at the end of that meeting. In his concluding statement (reproduced in the note on the meeting (MTN.TNC/18(MIN)), he said that my aim should be to achieve agreements in all areas of the negotiating programme in which differences remain outstanding. He said that, during this phase, I might convene the TNC at any time at short notice. You received the notice calling this meeting only a few days ago and I would like to thank all of you for your understanding and cooperation. I take this as evidence of your desire to get the negotiations back on track without delay.

3. The consultations which I have held since Brussels have indeed been intensive and have taken many forms: multilateral, plurilateral and bilateral; in Geneva and elsewhere. I have been in close touch with Minister Gros Espiel during this period. I have met many of you on numerous occasions. If I have not met all of you as often as I would have liked, it is only because I have found that there are not enough hours in each day and not enough days in each week for me to do so.

0109

4. This meeting is being held today because my consultations have led me to conclude that I have now at hand all the elements necessary to enable us to put the negotiations back on track. The main elements of my proposed programme of work are now being circulated to you in MTN.TNC/W/69. I do not intend to read out this text to you as its essence is simple. It provides for two main things:

- a basis for restarting the negotiations in all areas in which differences remain outstanding, and

- a proposed work agenda in each of the negotiating areas which could be developed in further consultations which will be started very shortly.

5. There are a number of other points that I would like to make as a part of this plan.

6. First, while in my mind this goes without saying, I must stress that the Punta del Este Declaration remains the basis for all our work in the Uruguay Round and that decisions taken at the Mid-Term Review, also retain their validity. This means, for instance, that the GNG, the GNS and the surveillance mechanism remain in place and retain their status.

7. Second, I shall be consulting with participants not only on the proposed agenda for further work but also on the way in which that work will be organized.

8. Third, all participants will be mindful of the requirement that an effective evaluation be conducted of the extent to which the objectives relating to differential and more favourable treatment for developing countries are being attained.

0110

9. Fourth, I also need to recall that at the Punta del Este meeting, which was held in September 1986, the Ministers agreed that "the multilateral trade negotiations will be concluded within four years" i.e., before the end of 1990. At the conclusion of the Brussels Ministerial Meeting all members of the TNC concurred with a proposal by Minister Gros Espiel that consultations be pursued until "the beginning of 1991". It is now clear that the expectation that the negotiations would be concluded by the beginning of 1991 has not been met. I therefore propose that the TNC agree to continue the negotiations with the aim of concluding them as soon as possible. You will note that I am not suggesting that the TNC fix a date for the conclusion of the negotiations, as experience has taught us that fixing target dates is not always helpful. In other words, we should allow the target date to emerge in the process of negotiation.

10. I would like to make a number of consequential points. The Mid-Term decisions on Greater Ministerial Involvement in GATT and on Increasing the Contribution of GATT towards achieving Greater Coherence in Global Economic Policy Making are not limited in time and therefore remain unchanged by the continuation of the negotiations beyond 1990. The Standstill and Rollback commitments in the Punta del Este Declaration and the Mid-Term decisions on Improved Dispute Settlement Procedures and on the establishment of the TPRM remain valid until the end of the negotiations.

11. I would also like to point out that in the Mid-Term decisions on Agriculture and on Textiles and Clothing there are some specific references to the negotiations being concluded in 1990. I suggest that these references stand modified in accordance with the new agreement on the continuation of the negotiations.

0111

12. Can I take it that the Committee agrees with the statement that I have just made?

It is agreed.

10. Before adjourning this meeting, I would only add that the Committee should remain on call at short notice.

If this is agreed, the meeting is adjourned.

0112

MULTILATERAL TRADE
NEGOTIATIONS
THE URUGUAY ROUND

RESTRICTED
MTN.TNC/W/69
26 February 1991
Special Distribution

Trade Negotiations Committee

PROGRAMME OF WORK

Proposal by the Chairman at Official Level

This note should be read in conjunction with the introductory remarks of the Chairman at official level at the meeting of the Trade Negotiations Committee on 26 February 1991, to be issued in the note on that meeting (MTN.TNC/19).

---

1. In his closing remarks at the Brussels Ministerial Meeting, Minister Gros Espiell requested me to pursue intensive consultations with the specific objective of achieving agreements in all the areas of the negotiating programme in which differences remain outstanding. These consultations will, he said, be based on document MTN.TNC/W/35/Rev.1, dated 3 December 1990, including the cover page which refers to the Surveillance Body and the communications which various participants sent to Brussels. He added that I would also take into account the considerable amount of work carried out at the Brussels meeting, although it did not commit any delegation.

AGRICULTURE

2. With respect to agriculture, my consultations confirm that participants agree to conduct negotiations to achieve specific binding commitments on each of the following areas: domestic support; market access; export competition; and to reach an agreement on sanitary and phytosanitary issues; and that technical work will begin immediately to facilitate these negotiations.

3. To assure progress in achieving the results I have just described, I can also confirm that participants are committed to pursuing consultations, as necessary, at senior policy-making levels to address outstanding aspects of the negotiation requiring such guidance.

4. All participants are committed to achieving reform of world agriculture trade through the framework approach set forth in the results on agriculture adopted by the Trade Negotiations Committee at its mid-term review as contained in document MTN/TNC/11.

GATT SECRETARIAT
UR-91-0016

0113

5. I therefore propose as a tentative agenda for consultations, the following technical issues:

(a) In the area of domestic support: a means of determining the policies that shall be excluded from the reduction commitment, the role and definition of an Aggregate Measurement of Support and equivalent commitments, a means of taking account of high levels of inflation faced by some participants, and the reinforcement of GATT rules and disciplines.

(b) In the area of market access: the modality and scope of tariffication, the modalities of a possible special safeguard for agriculture, the scope and modalities of implementation of a minimum access commitment, the treatment of existing tariffs, and the reinforcement of GATT rules and disciplines.

(c) In the area of export competition: a definition of export subsidies to be subject to the terms of the final agreement including the development of means to avoid the circumvention of commitments while maintaining adequate levels of food aid, and the reinforcement of GATT rules and disciplines.

(d) In the area of sanitary and phytosanitary measures, there is also scope for further refinement of a number of technical provisions and procedures.

(e) In each of these areas the particular concerns of developing countries, of net food importing developing countries, and those relating to food security will be examined.

TEXTILES AND CLOTHING

6. While much intensive work was done in Brussels, it is my understanding that the issues to be resolved in the area of textiles and clothing are essentially among those set out on page 239 of W/35/Rev.1 and in the text in the following pages of that document; that further work is to proceed within the framework established for the negotiations up to the end of the Brussels Meeting; that the work carried out at Brussels should be taken into account as appropriate.

7. Participants must now consider what work can usefully be undertaken at the present stage, recognizing, as I believe they must, that they need to begin by focusing on technical work in the first instance.

8. I suggest, therefore, that consultations should be held with a view to restarting work by reviewing the situation in the negotiations in this sector, so as to provide delegations with an opportunity to comment on the basis on which further work is to proceed on any technical aspects in relation to outstanding issues (e.g. annexes to the draft agreement), so that their results could be brought, at the appropriate time, into the process of substantive negotiations.

0114

SERVICES

9. While much intensive work was done in Brussels it is my understanding that the issues to be settled in the area of services remain, in general, those set out on pages 328 to 382 of W/35/Rev.1.

10. I suggest that participants now make arrangements to restart negotiations on services. When doing so, I suggest that they ask themselves what can usefully be done at the present stage. In this respect, it would appear that there is agreement among participants to undertake work in three specific areas: the framework, initial commitments and sectoral annexes. My own suggestion is that consultations be held during which participants should first be given an opportunity (a) to take stock of the situation by assessing where we are in the negotiations on initial commitments, the framework text and on the annexes and (b) to explain how they see further developments in this work in terms of priorities and interrelationships.

11. I suggest that participants should also identify technical work that can be done in the coming weeks in each of the three main elements of the negotiations on services - commitments, framework and annexes. Such technical work might relate for example to the clarification and evaluation of offers and to the establishment of appropriate negotiating procedures, to further examination of arrangements and agreements of a general character for which exceptions from m.f.n. provisions might be sought, and to specific modalities for the application of m.f.n. in particular sectors.

RULE-MAKING

12. This heading deals with a number of negotiating areas, in particular: subsidies and countervailing duties, anti-dumping, safeguards, preshipment inspection, rules of origin, technical barriers to trade, import licensing procedures, customs valuation, government procurement and a number of specific GATT Articles. Issues in some of these areas are closely related to the main political problems facing the negotiations and in such cases political and technical questions overlap.

(a) Subsidies and countervailing duties

13. Pages 83 to 134 of MTN.TNC/W/35/Rev.1 contain a text on subsidies and countervailing duties and a commentary on that text which refers specifically to a number of communications from delegations. The issues that remain to be dealt with in this area are set out in that document.

14. I suggest that consultations be held during which participants should be invited to comment on the basis for their discussions and negotiations in this area, and on the way in which we should proceed. I would note that the commentary on page 83 of W/35/Rev.1 states that, while the text in that document requires a number of drafting changes, these can be done once

0115

major political problems have been resolved. Until major political decisions are taken, I suggest that participants should focus on technical work. One example of an area on which technical work might be done is in the area of special and differential treatment for developing countries (Article 27 and Annex VIII of the draft on pages 118, 119, 133 and 134 of W/35/Rev.1).

(b) Anti-dumping

15. Participants will recall that MTN.TNC/W/35/Rev.1 does not contain a text on anti-dumping and this is therefore one area in which there is no basis for negotiations. The commentary on page 43 of that document merely listed out some (but not all) of the points on which basic differences continue to exist and stated that political decisions were needed to overcome these basic differences.

16. As in the discussions on other areas, I suggest that technical work should be restarted on anti-dumping and that participants first be given the opportunity of commenting on the basis of the discussions and negotiations in this area and on the way in which they should be tackled.

17. Participants will also, however, wish to identify those specific issues in this area which can usefully be discussed in the near future. In doing so, I expect that they will be taking up work carried out in Brussels.

(c) Safeguards

18. MTN.TNC/W/35/Rev.1 contains a detailed text on safeguards, which will be found on pages 183 to 192 of that document. The commentary on that text sets out the main points in that text that remained to be settled.

19. When consultations are held participants should be given an opportunity of commenting on where they stand now in the safeguards negotiations and where they should go from here, taking due account of work done in Brussels, as appropriate.

20. They will also consider whether there is any technical work we might usefully start on in this area. My own assessment of the situation is that negotiations are now faced with a number of major issues requiring substantive decisions and that, in this area, it is therefore unlikely that they will identify areas on which technical work is required or would be useful at the present stage.

(d) Preshipment Inspection

21. The text on preshipment inspection is reproduced on pages 31 to 42 of MTN.TNC/W/35/Rev.1. The commentary on page 30 of the document drew attention to the main decision that needed to be taken at the Brussels Meeting.

0116

22. Substantial work appears to have been done in Brussels on this point.

23. When consultations are held participants should determine how far the progress made in Brussels should be confirmed. The legal form of the text will have to be examined but I suggest that this should be done, in this and in other areas, only at a later stage when discussions and negotiations on the Final Act are further advanced. Consultations have been going on between the International Chamber of Commerce and the International Federation of Inspection Agencies on whom we would be relying for the implementation of an important part of an agreement. In this area I suggest that a way be found of keeping them informed of any developments in the Uruguay Round which would affect their plans and that participants respond to the suggestions that ICC and IFIA have already made in this regard.

(e) Rules of Origin

24. The text on rules of origin is reproduced on pages 13 to 29 of MTN.TNC/W/35/Rev.1. The commentary on page 12 of the document drew attention to the issues on which an overall compromise needed to be found.

25. Here again, considerable work seems to have been done in Brussels. Participants should determine how far the progress made in Brussels should be confirmed.

26. The document recalls that the legal form of the text will have to be examined but I suggest that this be done, in this and other areas, only at a later stage when discussions and negotiations on the Final Act are further advanced.

(f) Technical barriers to trade

27. Pages 45 to 69 of W/35/Rev.1 contain the draft text of a new agreement on technical barriers to trade. The commentary on page 44 of W/35/Rev.1 drew attention to the questions which remained to be settled with respect to this text.

28. In Brussels substantial progress was made on the new text for Article 1.5 concerning the relationship of the Agreement to the Decision on Sanitary and Phytosanitary regulations and on the text on Consultation and Dispute Settlement Procedures (Article 14 and Annex 2). This remains dependent, however, on an agreement on the issue relating to the second level obligations (i.e. obligations on provinces, states and municipalities).

29. I therefore suggest that participants should first focus on the second level obligation issue. Further discussions may also be necessary on the proposal by one delegation for clarification of Article 2.2 (provisions relating to unnecessary obstacles to trade).

0117

(g) Import licensing procedures

30. Pages 73 to 82 of W/35/Rev.1 contain the text of a new draft agreement on import licensing procedures which was agreed on an ad referendum basis prior to the Brussels Meeting. I understand that one delegation maintains a reservation on this text made prior to the Brussels Meeting and reflected on page 72 of W/35/Rev.1, pending agreement that a GATT Working Party be established to develop rules in the area of export licensing procedures in the post-Uruguay Round period.

31. Since the text was agreed on an ad referendum basis prior to the Brussels Meeting, subject to this one reservation, it would appear that no further technical work may be needed in this area unless the request for the establishment of a Working Party on export restrictions raises technical questions which can be clarified at the present stage.

(h) Customs valuation

32. Pages 135 to 137 of W/35/Rev.1 contain the texts of two draft recommendations from the CONTRACTING PARTIES to the Committee on Customs Valuation, and of an accompanying understanding which were accepted on an ad referendum basis prior to the Brussels Meeting. It would therefore appear that no further technical work is needed in the framework of the Round with respect to these texts.

(i) Government procurement

33. Page 138 of W/35/Rev.1 contains the text of an agreement on accession to the Government Procurement Code. This text, which was the result of consultations held prior to the Brussels Meeting, was accepted on an ad referendum basis in Brussels.

34. However, delegations should, of course, be given an opportunity for offering comments on this text which takes the form of a recommendation from the CONTRACTING PARTIES to the Committee on Government Procurement. However, it seems to me that further technical work is unlikely to be required in this area.

(j) GATT Articles

35. The state of the work on GATT Articles is precisely as set out in MTN.TNC/W/35/Rev.1. That document described, for each of the Articles which had been the subject of work in the Negotiating Group, the status of the draft agreement, where such a draft existed, and in the case of the balance of payments provisions the position reached in the discussions. It will be remembered that agreement had been reached ad referendum on Articles II:1(b), XVII and XXVIII; certain participants had maintained reservations on the draft decisions on Articles XXIV and XXXV; and it was understood that final decisions on Article XXV:5 and the Protocol of Provisional Application could only be taken in the light of results in other areas of the negotiations. On the Balance of Payments provisions it had not been decided whether or not to engage in negotiations.

0118

36. Delegations will be given an opportunity to express their views on the way in which we should work in the GATT Articles area. My suggestion is that a start be made by discussing Article XXXV and maybe Article XXIV.

TRADE-RELATED INVESTMENT MEASURES AND TRADE-RELATED ASPECTS OF INTELLECTUAL PROPERTY RIGHTS

(a) Trade-Related Investment Measures

37. Unlike in most other areas of the negotiations, it did not prove possible to transmit a draft text of an agreement on TRIMs to Ministers in Brussels. The commentary on TRIMs on page 238 of MTN.TNC/W/35/Rev.1 simply enumerates the points on which basic divergences of view exist. These are: coverage; level of discipline; developing countries and restrictive business practices.

38. When consultations are held in this area, I suggest that delegations be given an opportunity to comment on the present status of negotiations on TRIMs. They should also try to identify technical work that can usefully be done in this area at the present stage of the negotiations.

39. On this latter point, I suggest that agreement could be assisted by discussions of a technical nature, building as appropriate on work already undertaken as reflected in the draft texts referred to in the commentary on page 238 of W/35/Rev.1. Technical discussions to elaborate a workable "effects test" would, for example, be a useful contribution in the level of discipline area.

(b) Trade-Related Aspects of Intellectual Property Rights

40. The text sent forward to Brussels in TNC/W/35/Rev.1 listed on pages 194-195 the outstanding issues on which decisions were required in the TRIPs negotiations. These issues remain unsettled, and the basis for future work is the draft text as contained in that document.

41. When work restarts on TRIPs, I suggest that delegations be given an opportunity to consider the present state of the negotiations in this area, taking into account the work done in Brussels, and to identify any areas in which technical work could usefully be undertaken at this stage.

DISPUTE SETTLEMENT AND FINAL ACT

(a) Dispute settlement

42. MTN.TNC/W/35/Rev.1 contains a detailed text on Dispute Settlement. This will be found on pages 289 to 305 of that document. A commentary on the text identified the three main outstanding issues.

0119

43. Participants in consultations should be given an opportunity to comment on the present situation in the negotiations on dispute settlement and to identify work that can usefully be done in the phase of the negotiations that is just beginning.

44. It is my judgment that a number of the issues in this area will only be solved when governments are ready to take the political decisions necessary to bring the Uruguay Round to a successful conclusion. I would, however, suggest that there are areas in which technical discussions would be useful at the present stage: for example, the provisions concerning the maximum length of dispute settlement proceedings, and the procedures for dealing with non-violation complaints.

(b) Final Act

45. The Draft Final Act will be found on pages 2 to 5 of MTN.TNC/W/35/Rev.1.

46. The two main issues in this area are, in my view, whether the instruments resulting from the Uruguay Round should or should not be accepted as a single undertaking; and the form of the decision to be taken in respect of a new organizational structure to be implemented after the conclusion of the Round.

47. I suggest that delegations are likely to wish to concentrate on other areas of the negotiations before turning to consideration of the Final Act.

(c) FOGS text on Greater Coherence

48. The FOGS texts on Institutional Reinforcement of the GATT and Greater Coherence in Global Economic Policy Making will be found on pages 323 to 325 of MTN.TNC/W/35/Rev.1. An inspection of these texts shows that a number of issues remain to be settled.

49. These issues seem to me to require political decisions that are unlikely to be forthcoming until the final decisions on the Uruguay Round are taken. There does not appear to be scope for technical discussions on them at the present stage.

MARKET ACCESS

50. It was proposed that the results of the market access negotiations are to be annexed to the Uruguay Round (1990) Protocol to the GATT, the draft text of which will be found on pages 7 to 11 of MTN.TNC/W/35/Rev.1. The commentary which precedes this text makes it clear that this protocol will incorporate the results of the negotiations in a number of areas, including natural resource-based products and tropical products. This commentary also expressed the hope that the bilateral market access negotiations would be completed by the end of the Brussels Ministerial Meeting.

0120

51. This hope was not realized. Consultations were held on the text of the draft Protocol in W/35/Rev.1. These revealed that two points in the Protocol remained to be settled. These are:

(a) reference to the application of Article XXVIII in cases of modification or withdrawal of non-tariff concessions; and

(b) period of implementation of tariff concessions.

52. Much remains to be done in the market access negotiations but some major political decisions will be required before these are brought to a successful conclusion. It is, nevertheless, my assessment that a lot of technical work still needs to be done.

53. I suggest that:

(a) participants should pursue their bilateral and plurilateral negotiations as vigorously as they can in the present circumstances;

(b) transparency should be achieved by further informal meetings of all participants in the access negotiations as well as meetings of the TNC, as appropriate;

(c) participants review:

(i) the status of bilateral and plurilateral market access negotiations: under this item, delegations should be invited to give oral reports on their bilateral and plurilateral negotiations on market access which they have been holding before, at and since Brussels; it will be recalled that a total of 50 MTN participants have submitted proposals on tariffs and tropical products.

(ii) proposals and offers currently on the table, including in tropical products and NRBPs: this item would provide for the continuation of the process of review and assessment of existing proposals and offers, a process which took place prior to Brussels, separately in the tariff and the tropical products groups. New proposals have been received or existing ones modified (mostly improved) since the process was discontinued in the two groups mentioned above. For these reviews, the secretariat would prepare up-to-date analytical background papers, and

0121

(d) further technical work would also relate to two points left open in the Market Access Protocol, i.e. reference to the application of Article XXVIII in cases of modification or withdrawal of non-tariff concessions; and period of implementation of tariff concessions (most delegations favoured five annual cuts, beginning 1 January 1992, some other delegations requested a longer period).

0122

원 본

외 무 부

종 별 :

번 호 : GVW-0386 일 시 : 91 0228 1830

수 신 : 장 관(통기,농림수산부)

발 신 : 주 제네바 대사

제 목 : 농림수산부직원 출장

대: WGV-0221

1. 대호 당지출장중인 서규용 농림수산부 농산과장, 김상범 농업기좌, 최한 축산기좌 및 이재옥 농촌경제연구원 실장은 출장 업무수행을 위한 일정조정을 희망 1일연기 귀임코자하니 참고 바람 (3.4. 18:15 서울 향발 KE-902) 끝

(대사 박수길-국장)

통상국 2차보 농수부

PAGE 1

91.03.01 10:49 WG

외신 1과 통제관

0123

관리 번호 91-165

원 본

외 무 부

종 별 :

번 호 : GVW-0395

일 시 : 91 0301 1600

수 신 : 장관(통기, 경기원, 재무부, 농림수산부, 상공부, 경제수석)

발 신 : 주 제네바 대사

제 목 : UR/농산물(주요국 비공식 회의)

3.1.11:00 개최된 표제 협상주요국 비공식 회의 요지 하기 보고함.(본직, 농림수산부 조국장, 천농무관, 농경연 최부원장 참석)

1. 던켈총장으로 부터 향후 회의 임시 채택과 일정에관한 제안이 있었음.

- 던켈총장은 제시된 의제가 총망라적(EXHAUSTIVE)인 것이 아니고 실질토의과정에서 모든 문제가 제기될 수 있음을 밝히면서, 금차회의에서는 실질문제 논의없이 회의 진행과 관련된 문제만을 논의할 것을 당부함.

- 특히 의제중 개도국우대, 식량안보등(잠정의제 E 항)은 모든 의제(국내보조, 국경조치, 수출경쟁등)에 관련되는 사항이라고 밝힘.

2. 이에대하여 이씨, 북구, 스위스, 호주, 멕시코, 이집트등이 던켈총장이 제시한 의제가 제한적인 것이 아닌점과 개도국 우대 및 순수입 개도국 문제, 식량안보등이 의제에 포함되어 있는 것을 지적하면서, 던켈총장의 회의진행 방향에대하여 지지 발언함.

- 특히 이씨는 제시된 의제가 향후 논의의 지침(GUIDELINE)이라고 하면서, 의제에서 제시되는 모든 표현이 각국 협상입장을 예단하는 것이 아니라는 점을 강조하였고 미국은 발언하지 않았음.

3. 향후 회의 일정은 실질적인 결과를 가져올수 있는 충분한 토의를 위하여주요 의제별로 1 주간씩 회의를 개최키로 하였으며, 우선 3.11-15 기간중 국내보조(잠정 의제 A 항)와 이와 관련된 개도국 우대 및 식량안보(잠정의제 E 항)를중점적으로 토의키로 함.

- 차기회의(3.11. 주간)시는 갓트사무국이 토의기초가 될 항목들을 제시하기로 하였으며, 던켈총장은 각회원국이 지난 브랏셀 각료회의까지 토의된 내용을기초로 실질토의에 기여해 주도록 당부함.

통상국	장관	차관	1차보	2차보	청와대	경기원	재무부	농수부
상공부								

PAGE 1

검 토 필(1991. 6. 30)

91.03.02 07:11

외신 2과 통제관 CA

0124

- 던켈총장은 동 회의에 모든 회원국이 참여하지 못하는 점을 감안 협상진전 상황에 따라 필요하다고 판단될때 TNC 를 개최하겠다고 함.

4. 관찰 및 평가

- 실질토의가 당초 예상보다 앞당겨진 것은 걸프전 종전등 상황변화이외에도, 미국측이 의회의 신속처리 절차연장승인을 용이하게 하고, 이씨측은 그들 나름대로 공동농업정책(CAP)개선을 촉진시키려는 의도가 서로 연계된 결과로 관측됨

- 차기 회의는 기술적 문제에 대한 심도있는 토론이 예상되므로 이에 대비하여 세부적인 실질문제 토론에 참여할 수 있는 본부 대표단 파견이 요망됨. 끝.

(대사 박수길-국장)

예고:91.6.30 까지

통상기구과

UR農産物協商 實務級 會議('91. 3. 1)參席結果報告

1991. 3. 4

農 林 水 産 部
農業協力通商官室

0126

I. 會 議 結 果

1. 參 加 者

○ 駐제네바代表部 大使 박 수 길

○ 農林水産部 農業協力通商官 趙 一 鎬

農 務 官 千 重 仁

○ 農村經濟研究院 副 院 長 崔 洋 夫

2. 會議概要

○ 主要協商國 (34個國)이 參席하는 그린룸形式 (1 + 1 原則)

○ 던켈事務總長이 會議主宰

3. 論議事項

○ 2.26 TNC會議에서 公式提示된 던켈總長의 意見書(Note for Chairman)에 의한 農産物協商進行方向

○ 實務級會議에서 論議될 課題 採擇과 會議日程 및 進行方式

- 實質的인 內容討論은 이번會議의 對象이 아님을 던켈總長이 누차 當附하여 論議되지 않았음.

4. 主要協議結果

가. 議　題

○ 던켈總長이 提示한 5個課題를 받아들임.

○ 課題의 性格 :

- 論議對象을 網羅하지 않은 것이기 때문에 實際討議時는 議題에 提示되지 않은 事項도 討論可能

- 던켈總長이 提示한 議題의 모든 表現은 會議結果를 豫斷하는 것이 아님.

※ E.C등 各國이 이 問題를 提起했고 던켈總長도 累次 說明을 反復

議　題

A. 國內補助 : 許容對象 補助政策의 決定方法, 補助(AMS)測定基準과 方式, 인프레이션의 考慮, 關聯GATT規程改善

B. 市場開放 : 關稅化範圍와 對象 및 方式, 產業被害救濟手段, 最少輸入量 認定, 關稅減縮方式, 關聯GATT規定改善

C. 輸出競爭 : 輸出補助의 定義, 關聯GATT規程改善

D. 食品衛生 및 植物檢疫基準의 改善

E. 開途國優待, 純輸入開途國優待, 食糧安保등 '89. 4 中間評價時 合意事項

※ E는 議題 A, B, C, D 모두와 關係됨을 던켈總長이 明確히 說明

— 2 —

0128

나. 會議進行方式

○ 議題A, B, C, D를 分離해서 重點討議

- 한個議題에 1週日정도씩 討議

- 主要한 爭點事項을 明白히 부각시켜서 高位級會議에서 쉽게 妥結調整될 수 있는 土台 마련

○ 議題別로 可能한한 GATT規程化段階까지 努力

※ 會議가 進行되어 成果가 있을 경우는 던켈總長이 TNC會議를 召集하여 會員國에게 알려줌.

다. 會議日程

○ 3月 11日~15日間 國內補助 및 이와 關聯된 開途國優待 및 食糧安保등 關心事項 討議

○ 市場開放과 輸出競爭問題를 次期日程에 따라 1週間씩 集中討議

- 次期日程을 別途로 決定

Ⅱ. 會議關聯 主要關心事項

1. 이번 實務級會議의 性格

○ 이번 實務級會議는 지난번(2.26) TNC會議에서 公式化된 協商 再開의 모습을 갖추기 爲한 것이라는 見解임.

- 美國에 對해서는 議會의 協商權限委任期間 延期를 뒷받침
- E.C에 對해서는 協商의 再開로 CAP改革案進行을 促求
- 던켈總長은 協商이 교착狀態에 빠지는 것을 막고자 하는 意圖

2. 會議進行日程이 當初와 다르게 變化된 背景

○ 當初에는 美國의 協商權限委任件이 解決되는 5月末까지 小康狀態로 가기 爲해서 3月末以後 1次會議를 갖기로 했었으나 3月부터 本格會議開催로 轉換

○ 協商을 早期에 本格化하기로 美國의 方針이 變更된 것이 關心事項이 되었으나 걸프戰 終結에 따른 態度變化로 認識됨.

- 2.27까지도 3月末頃 1次會議案에 美國의 異見이 없었으나 2.28方針變更을 通報했다는 見解가 있음.

※ 美國은 議會의 fast-Track 承認이 있기까지는 UR協商에서 爭點을 크게 부각시키지 않겠다는 立場이었다고 함.

〈美國의 變化된 立場〉

○ 3～5月間 技術的 諸般 爭點別 討議進行

- 討議結果에 따라 分野別로 主要協商參加國의 見解를 幕後調整

○ 5月 議會의 fast-track 承認後 具體的인 爭點別 調整을 公式化해서 爭點範圍를 좁힘

- 來年 4月以前에는 UR을 終結시켜 大統領選擧에 對備

※ EC는 會議日程을 앞당기는데 消極的이었으나 明白히 反對할 事由가 充分치 못하여 일단은 받아들였다는 것이며, 이러한 見解 절충문제로 開會가 20餘分 遲延되었음.

3. 向後 協商의 方向에 對한 豫測

○ 던켈總長은 可及的이면 브랏셀會議에서 提示된 見解들을 中心으로 爭點範圍를 좁혀 나가고자 하는 意圖

- 다만, 會員國들을 刺戟치 않기 爲해서 明白히 意圖를 表出시키지는 않았으나 우회적으로 表現

○ EC는 CAP調整에 關한 內部見解가 調整되지 못한 狀況에서 基本立場 變更은 어려우나 協商을 거부한다는 인상을 脫皮하려는 立場

→ 따라서, 議題別 主要爭點을 부각시켜 나갈수는 있으되 當分間은 見解差 調整을 爲한 激突은 피할 것이라는 意見이 支配的임.

4. 우리의 主要關心事項에 對한 見解

食糧安保와 쌀問題

○ Lucg 農業局長은

- 最少市場接近을 完全히 排除하는 食糧安保 概念을 主張하는것은 韓國뿐임으로 實現이 難望하다는 意見
- 年次別로 物量을 늘리지는 않더라도 一定한 量(例: 1萬M/T)만이라도 사들인다는 槪念이 없이는 어려울 것이라고 했음.
- 日本도 쌀의 Minimum Market Aecess를 생각中이라고 했음.
- 이미 1次的으로 立場을 調整한 만큼 履行期間에서 開途國 優待를 確保하는 것이 重要하고, 個人的으로는 Longer-Term을 받는데는 큰 어려움이 없을 것으로 본다고 했음.

○ 日本 農林省 아즈마部長은

- 아직까지 日本의 立場을 變化된 것이 없으나 어려움이 크다는 立場
- 間接的으로 一定量의 쌀을 美國에서 輸入하되 이를 다른나라에 援助하는 方式을 타진한 바 있으나 RMA가 크게 反撥했고, 이에따라 美國은 食糧安保가 아닌 關稅化로 가라는 要請을 하고 있다고 함.

※ EC도 Minmum Market Access를 許容치 않는 方案은 받아들이기 어렵다는 立場이라고 함.

0132

11 條 2 (C) 의 問題

o 現行 規定에서의 制度運用

- 法律이 必須條件은 아님 (行政措置로도 可能)
- 生産調節의 實效性 立證과 輸入自體를 完全히 禁止하는 것이 아니라 一定比率을 均衡되게 調整해야 한다는 것임

o 向後 規程의 改正可能性

- 카나다가 生産統制品目을 輸出할 수 없다는 條件을 提示함으로써 (카나다 小麥委員會의 强한 主張), E.C가 關心을 보이지 않고 있어서 現在로서는 展望이 좋지 않다는 見解 (日本 아즈마)
- 케언즈는 11 條 2 (C)의 不認定을 强力히 固執하고 있고 美國은 11 條 2 (C)의 改善도 運用要件을 더욱 嚴格하게 만들어야 한다는 立場에 아직 變化가 없다는 것임
- 오스트리아도 11 條 2 (C)의 要件改善을 위한 論理確保에 隘路를 느끼고 있다고 함

Ⅲ. '92 ~' 94輸入自由化豫示關聯事項

1. 協議者(GATT事務局)

- ㅇ 交易政策局長 Wolter, Bop 擔當官 Tulloch
- ㅇ 農業局長 Lucq

2. 意 見

- ㅇ UR妥結時 U·R協商結果에 一致시키는 것은 韓國의 選擇이고 規程上 問題는 없음
- ㅇ '92 ~ '94 自由化豫示計劃에 U·R協商 妥結結果에 따라 調整한다는 것을 條件附로 하는 것이 한 方法임
- ㅇ U·R協商이 妥結되지 않은 現時點에서 '92 ~ '94 輸入自由化 豫示는 必須的이며, 이것이 充分히 履行되지 않을 경우 相當한 問題가 發生될 것임
- ㅇ 實質的인 問題는 規定上 合理性次元이 아니라 關係當事國의 態度일것임

  輸出當事國들은 어느 경우이든지 自國에게 주어졌다고 생각되는 期待利得을 極大化하기 위한 方向으로 움직일 것임으로 이에 대한 對處가 있어야 할 것임

Ⅳ. 向後措置計劃

1. 會議對策

○ 向後 實務級會議에 參席하여 技術的 問題에 대한 關心事項 提示

○ 3.11 ~ 15 會議에 代表團 派遣

2. 協商對策

○ 向後 協商은 主要爭點別 見解差가 浮刻되면 이를 幕後折衷으로 하나씩 解消해 나가는 方式을 活用할 것으로 보임

- 던켈總長, Lucq 農業局長이 實務級會議를 主宰해 나갈 것이라고 함

○ 따라서 主要關係國과의 關心事項에 대한 見解折衷이 重要視됨

- 日本의 경우 아즈마部長이 지난 1月以來 美國, E・C, EFTA, GATT등을 繼續 個別 接觸하고 있다고 함

0135

〈 出張報告 參考事項 〉

1. 出張期間 및 出張地 : '91.2.26 ~ 3.3 , 스위스 제네바

2. 出張目的

- ○ UR 農產物協商 實務級會議 參席
- ○ '92 ~ '94 輸入自由化豫示計劃 樹立對策協議

3. 出張者

- ○ 當部 : 農業協力通商官室 農業協力通商官 조일호
- 〃 行政主事 최대휴
- ○ 韓國農村經濟研究院 : 副院長 최양부

4. 日程別 主要活動狀況

日 程 別	主 要 活 動 內 容	備 考
'91.2.26 (火)	出國	
2.27 (水)	○ 駐제네바 代表部 訪問 — UR 農產物協商對策協議 및 農產物 輸入自由化 樹立에 관한 意見交換 ○ GATT 事務局 農業局長 面談 — UR 農產物協商 展望 및 GATT BOP 卒業과 UR 農產物協商과의 關係등에 관한 意見交換	○ 當部 代表團 ○ 駐제네바 代表部 大使·公使·農務官 ○ 當部 代表團 및 農務官 參席

日 程 別	主 要 活 動 內 容	備 考
2.28 (木)	○ UR 農產物協商 主要國 非公式協議 對策 檢討 ○ GATT 11 條 2 項(C) 運用事例 調査	○ 事例調査班
3.1 (金)	○ U R 農產物協商 主要國 非公式會議 參席 — 向後 協商議題 採擇 및 次期會議日程 合意	○ 當部 代表團
	○ GATT 事務局 貿易政策局長(Frank Wolter)面談 —我國의 BOP 卒業에 따른 輸入自由化 豫示計劃樹立 方案에 관한 意見交換	○ 我國代表團 및 農務官 ○ GATT:Peter Tulloch BOP 擔當 參事官 配席
	○ 駐제네바 日本代表部 訪問 — U R 農產物協商 展望과 立場에 관한 意見交換 및 相互協力方案 協議	○ 我國 : 當部代表團 및 農務官 ○ 日本 : 아즈마 農林水產省 國際部長, 外務省審議官 및 關係官
'91.3.3 (日)	○ 入 國	

0137

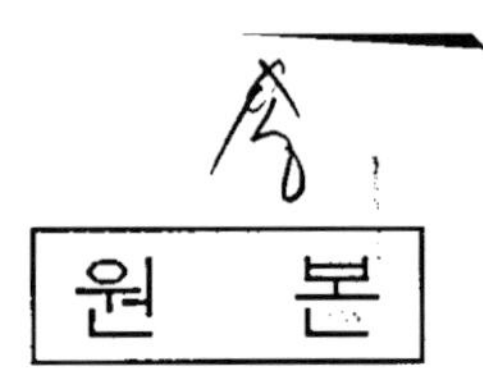

외 무 부

종 별 :

번 호 : GVW-0398 일 시 : 91 0304 1600

수 신 : 장 관(통기,경기원,재무부,농림수산부,상공부)

발 신 : 주 제네바 대사

제 목 : UR/ 농산물(주요국 비공식 회의)

3.11-15 기간중 표제협상 제 3차 주요국 비공식회의가 개최될 예정인바, 관련 회의 소집통지서를 별첨 송부함.

첨부: UR/ 농산물 주요국 비공식 회의소집통지서 1부.끝.

(대사 박수길-국장)

통상국 2차보 경기원 재무부 농수부 상공부

PAGE 1

91.03.05 08:35 WG

외신 1과 통제관

0138

1991-03-04 18:32 ON MISSION GENEVA 2 022 7 525 P.01

MAR-04-'91 07:56 ID: '0041 22 731 42 06 TEL NO: GATT GENEVE #002 P01

GVW(F)-0083 10304 1600 "GVW-0388

GATT FACSIMILE TRANSMISSION

Centre William Rappard
Rue de Lausanne 154
CH-1211 Genève 21

Telefax: (022) 731 42 06
Telex: 412324 GATT CH
Telephone: (022) 739 51 11

Secretary	Counsellor	Minister	Ambassador

TOTAL NUMBER OF PAGES 1
(including this preface)

Date: 1 March 1991

From: Arthur Dunkel
Director-General
GATT, Geneva

Signature:

To:			Fax No:
	ARGENTINA	H.E. Mr. J.A. Lanus	798 72 82
	AUSTRALIA	H.E. Mr. D. Hawes	733 65 86
	AUSTRIA	H.E. Mr. F. Ceska	734 45 91
	BRAZIL	H.E. Mr. R. Ricupero	733 28 34
	CANADA	H.E. Mr. J.M. Weekes	734 79 19
	CHILE	H.E. Mr. M. Artaza	734 41 94
	COLOMBIA	H.E. Mr. F. Jaramillo	791 07 87
	COSTA RICA	H.E. Mr. R. Barzuna	733 28 69
	CUBA	H.E. Mr. J.A. Pérez Novoa	758 23 77
	EEC	H.E. Mr. Tran Van-Thinh	734 22 36
	EGYPT	Mr. M. Abdel-Fattah	791 68 28
	FINLAND	H.E. Mr. A.A. Hynninen	740 02 87
	HUNGARY	Mr. A. Szepasi	738 46 09
	INDIA	H.E. Mr. B.K. Zutshi	738 45 48
	INDONESIA	H.E. Mr. H.S. Kartadjoemena	793 83 09
	ISRAEL	H.E. Mr. I. Lior	798 49 50
	JAMAICA	H.E. Mr. L.M.H. Barnett	738 44 20
	JAPAN	H.E. Mr. H. Ukawa	733 20 87
	KOREA	H.E. Mr. S. G. Park	791 05 25
	MEXICO	H.E. Mr. J. Seade	733 14 55
	MOROCCO	H.E. Mr. M. El Ghali Benhima	798 47 02
	NEW ZEALAND	H.E. Mr. T.J. Hannah	734 30 62
	NICARAGUA	H.E. Mr. J. Alaniz Pinell	736 60 12
	NIGERIA	H.E. Mr. E.A. Azikiwe	734 10 53
	PAKISTAN	H.E. Mr. A. Kamal	734 80 85
	PERU	Mr. J. Muñoz	731 11 68
	PHILIPPINES	H.E. Mrs. N.L. Escaler	731 68 88
	POLAND	Mr. J. Kaczurba	798 11 75
	SWITZERLAND	H.E. Mr. W. Rossier	734 56 23
	THAILAND	H.E. Mr. Tej Bunnag	733 36 78
	TURKEY	H.E. Mr. C. Duna	734 52 09
	UNITED STATES	H.E. Mr. R.H. Yerxa	799 08 85
	URUGUAY	H.E. Mr. J.A. Lacarte-Muró	731 56 50
	ZIMBABWE	H.E. Dr. A.T. Mugomba	738 49 54

34개

The next consultations on agriculture, will start at 3 p.m. on Monday, 11 March 1991, in Room E of the Centre William Rappard, and will continue throughout that week as necessary. Attendance is restricted to two persons per delegation.

PLEASE NOTIFY US IMMEDIATELY IF YOU DO NOT RECEIVE ALL THE PAGES

0139

** OUR FAX EQUIPMENT IS HITACHI HIFAX 210 (COMPATIBLE WITH GROUPS 2 AND 3) AND IS SET TO RECEIVE AUTOMATICALLY **

K O R E A
February 1991 Forecast of U.S. Apparent Consumption of Arrangement Products Subject to Export Licensing During the Final Period of January 1, 1991 through March 31, 1992
(Metric Tons)

Categories	Apparent Consumption Forecast for the Final Period (1,000s)#*	Arrangement I.P.	Unadjusted Final Period Ceiling	Flexibility Adjustments	Actual to Forecasted Apparent Consumption Adjustment	Adjusted Final Period Export Ceiling
Semi-Finished Steel	100,418	0.271%	272,131	+++	+++	272,131
Plate	5,845	1.170%	68,387	+++	+++	68,387
Sheet and Strip	50,220	2.380%	1,195,236	+++	+++	1,195,236
HR S & S	17,669	3.160%	558,333	+++	+++	558,333
CR S & S	14,634	2.520%	368,771	+++	+++	368,771
C/A Strip	n/a	***	1,500	+++	n/a	1,500
Coated	13,146	1.800%	236,633	+++	+++	236,633
Electro-Galv	n/a	***	33,750	+++	n/a	33,750
Electrical	n/a	***	1,500	+++	n/a	1,500
Stainless Flat-Rolled	1,318	0.940%	12,385	+++	+++	12,385
Bar	14,436	0.640%	92,392	+++	+++	92,392
Stainless Bar	173	1.600%	2,760	+++	+++	2,760
Wire, Wire Rod & Wire Prod.	7,843	2.430%	190,573	+++	+++	190,573
Stainless Wire	n/a	***	1,125	+++	n/a	1,125
C/A Wire	n/a	***	10,625	+++	n/a	10,625
Stainless Rod	56	1.980%	1,114	+++	+++	1,114
Structurals	9,094	1.380%	125,494	+++	+++	125,494
Rails	664	0.650%	4,314	+++	+++	4,314
Fab. Structurals	n/a	***	68,040	+++	n/a	68,040
Wire Rope	n/a	***	57,500	+++	n/a	57,500
Wire Strand	n/a	***	36,751	+++	n/a	36,751
Pipe & Tube	7,883	7.900%	622,718	+++	+++	622,718
Structural	466	4.430%	20,655	+++	+++	20,655
OCTG	2,143	2.900%	62,133	+++	+++	62,133
Standard	2,026	17.930%	363,307	+++	+++	363,307
Alloy Tool Steel	94	2.160%	2,025	+++	+++	2,025

Final Period Apparent Consumption is defined as 1.25 * Forcasted 1991 Apparent Consumption.
* For the Semi-finished Products category, Total Basic Steel Mill Products is used.
*** Export ceilings are fixed tonnages.
+++ Not yet available
n/a Not Applicable

0745-2

03/04/91 18:20 ☎202 797 0595 EMBASSY OF KOREA → WOI 002/002

0140

원 본

외 무 부

종 별 : 지 급

번 호 : GVW-0418 일 시 : 91 0306 1900

수 신 : 장관(통기,경기원,재무부,농림수산부,상공부)

발 신 : 주제네바대사

제 목 : UR/ 농산물(주요국 비공식 회의)

3.11.16:00 개최 예정인 표제협상 주요국 비공식회의에서 논의 예정인 국내보조 토의자료(갓트사무국 작성)를 별첨 송부함.

첨부:국내보조 토의자료.

(GVW(F)-0088) 끝.

(대사 박수길-국장)

통상국 경기원 재무부 농수부 상공부

PAGE 1

91.03.07 06:03 DN

외신 1과 통제관 0141

Agriculture

TECHNICAL WORK ON DOMESTIC SUPPORT

Suggested checklist of issues, by Arthur Dunkel

for the consultations on agriculture, 11-15 March 1991.

1. At the meeting of the informal group on 1 March 1991, it was agreed that the Chairman, on his responsibility, would prepare and circulate to participants a checklist of technical issues to facilitate the work on domestic support, including on points of particular concern for developing countries and net food importing countries and those concerns relating to food security. It should be noted that the checklist is not exhaustive and nor is it intended to prejudge participants' positions on the issues to be discussed. Participants may wish to add specific points to the checklist, but it is not intended that the checklist itself be discussed.

2. The checklist is broken into five areas; policy coverage, the definition of an Aggregate Measurement of Support (AMS), the definition of other commitments, the relationship between commitments and inflation, and the reinforcement of GATT rules and disciplines.

A. Policy coverage

3. Some policies are recognised as being non- or less trade distorting than others and some policies are seen to be of essential interest to particular participants. Should, therefore, a group of policies be defined that will not be subject to reductions under the agricultural reform programme? Should this approach be extended to both current policies and future policies?

4. If policies are to be exempt from reduction, should they continue to be monitored/limited in any way:

(i) should they be subject to a financial ceiling (either directly or indirectly through a ceiling on the total (amber plus green) amount of support)?

(ii) should existing green policies be subject to regular monitoring?

(iii) should proposed new green policies be subject to prior "ratification"?

5. How should the policies exempt from reduction (the "green" policies) be defined in relation to those that will be subject to reduction (the "amber" policies) - should the amber policies be defined, the rest being green by definition, or vice versa?

0142

1991-03-06 20:09 KOREAN MISSION GENEVA 2 022 791 0525 P.01

6. How should the distinction be made:

(i) descriptive lists of policies in particular categories?

(ii) criteria for assigning policies into a particular category?

(iii) a combination of the above approaches?

7. What types of policy groups are to be exempted from reduction? All or some of the policies in the following groups:

(i) general services (e.g. research, pest and disease control, training services)?

(ii) disaster relief, including crop insurance?

(iii) domestic food aid?

(iv) resource diversion and retirement programmes?

(v) public stockholding for food security purposes?

(vi) developing countries' assistance to agriculture in pursuit of development objectives?

(vii) environmental and conservation programmes?

(viii) regional development programmes?

(ix) income safety net programmes?

(x) investment aids?

(xi) payments linked to factors of production (land, livestock, farmers)?

(xii) others; fuel tax rebates, tax incentives, incentives for farm improvements and productivity, structural/infrastructural aid etc.?

8. To what extent should the stated aim or purpose of a policy (as in the list above) justify its exemption from reduction? Is it also necessary to have other criteria that deal more with the implementation and/or effects of the policies?

9. If it is necessary to use criteria, are the following criteria (from MTN.GNG/NG5/W/170) adequate? Are more criteria required? Is there a need for further criteria for specific groups of policies that may provide exceptions from one or more of the "standard" criteria (see below)?

"(i) the assistance must be provided through a taxpayer-funded government programme not involving transfers from consumers;

0143

(ii) it must not be linked to current or future levels of production or factors of production, except to remove factors from production;

(iii) it must not be restricted to to any specific agricultural product or product sector;

(iv) it must not have the effect of providing price support to producers;

(v) in the case of income safety-net programmes, it must not maintain producer incomes at more than [x] per cent of the most recent three-year average." (MTN.GNG/NG5/W/170)

10. If there is a need for derogations away from these criteria for specific policy groups, what are those groups and what criteria should not apply to those specific policies? Are there other criteria necessary in these cases to ensure that green policies are adequately defined (the list is from above)?

(i) general services (e.g. research, pest and disease control, training services)

(ii) disaster relief, including crop insurance

(iii) domestic food aid

(iv) resource diversion and retirement programmes

(v) public stockholding for food security purposes

(vi) developing countries' assistance to agriculture in pursuit of development objectives

(vii) environmental and conservation programmes

(viii) regional development programmes

(ix) income safety net programmes

(x) investment aids

(xi) payments linked to factors of production (land, livestock(?), farmers)

(xii) others; fuel tax rebates, tax incentives, incentives for farm improvements and productivity, structural/infrastructural aid etc.

0144

6-2

B. Definition of an Aggregate Measurement of Support (AMS)

11. The rôle of the AMS is largely a political question and will not be discussed at present. It is hoped however, that participants will be able to discuss the definition of the AMS that can be used in an agreed rôle at a later date.

12. The base year for the calculation of the AMS is also largely a political question and will have to be decided in line with decisions taken elsewhere. Nevertheless, the mid-term review acknowledgement of credits for actions taken since the beginning of the Round will still have be taken into account.

13. Should the AMS only contain those policies not excluded from the reduction commitment i.e. the amber policies? These policies fall into three broad groups:

(i) market price support, including any measure which acts to maintain producer prices at levels above those prevailing in international trade for the same or comparable products, and taking account of levies or fees paid by producers;

(ii) direct payments to producers, including deficiency payments and taking account of levies or fees paid by producers;

(iii) input and marketing cost reduction measures available only in respect of agricultural production, including credit and other financial input assistance and taking account of input taxes.

14. Should the AMS include all policies subject to reduction at both the national and sub-national level?

15. Should the AMS be calculated on a per commodity or per product sector basis? If it is to be on a per product sector basis, how should the product sectors be defined?

16. Should the expression of the AMS be in total monetary value terms or per unit terms?

17. The calculation of the market price support component of AMSs is generally made using the difference between the domestic price and the world/reference price multiplied by the level of production eligible to achieve the domestic price. Is this a suitable definition for the AMS for our purposes? Should an AMS calculation be made where there are no policies in operation that may lead to such a price gap?

18. Should the effects of border measures be included in the market price support calculation?

19. What domestic price e.g. the market price, support price etc., should be used to measure the price gap? Should the AMS measurement be made at the farmgate level or wholesale level etc?

6-4

0145

20. What world or reference price should be used? Should the price be fixed (on what period), a moving average or a price determined annually? Should all countries use the same reference price? Should the reference price be subject to periodic reassessment?

21. Should the calculation of market price support be adjusted where there are effective supply controls in place? How should such an adjustment be made e.g. the use of shadow prices or production restriction ratios?

22. How should the value of direct payments be calculated e.g. budget outlays? Should direct payments based on support prices be calculated using budget outlays or using the same reference price as in market price support?

23. Should the value of deficiency payments paid on exports be excluded from the AMS?

24. Should subsidies paid to processors rather than producers be included in the AMS?

25. How should the value of other non-exempt support be measured i.e. budget transfers, revenue foregone or the benefits received by producers?

26. Should the value of other non-exempt support be allocated to individual products/product groups (and how) or retained in a single sector-wide AMS?

27. Should AMSs be adjusted in any other manner e.g. by adjusting according to import ratios or drastic changes in economic or other conditions?

28. Should there by a minimum level of AMS (expressed as a percentage) under which countries would not be required to undertake commitments?

C. The definition of equivalent commitments

29. Where it is not possible to calculate an AMS, what form of equivalent commitments should be made? How could such commitments be compared to AMS commitments for consistency?

30. Should some or all of the following parameters be used to express equivalent commitments? What other parameters could be used?

(i) support or administered prices or the quantity of production eligible to receive them;

(ii) border measures such as tariffs;

(iii) budget allocations or revenue foregone.

0146

31. If a sector-wide non-commodity specific AMS is used, should non-commodity specific aid to non-AMS products be included in it?

D. The relationship between commitments and inflation

32. Inflation will play a part in the effects that commitments under AMSs or equivalent commitments will have in particular countries.

33. Should commitments be expressed in real terms or nominal terms?

34. Should there be a threshold inflation level before inflation is taken into account e.g. the average OECD rate or "excessive" rates?

35. What means should be used to take inflation into account e.g. the use of actual rather than fixed external reference prices, the use of hard currencies to express commitments, the use of an inflation index (what index?)?

36. How specifically could a deflator be used in the case of AMS commitments - should the AMS be disaggregated into its component factors such as volumes, prices and other support?

37. How specifically could a deflator be used in the case of equivalent commitments?

E. The reinforcement of GATT rules and disciplines

38. What should the relationship be between the AMSs as used in the reform programme and the reinforced GATT rules and disciplines (in particular the second sentence of Article XVI:1) that will apply to agriculture at the end of the transition period?

39. What should the relationship be between the green policies defined for the reform programme and the long-term rules that will apply to agriculture at the end of the transition period? How does the green category as defined above affect other GATT provisions such as countervailability?

6-6

0147

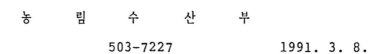

농 림 수 산 부

국협20644-

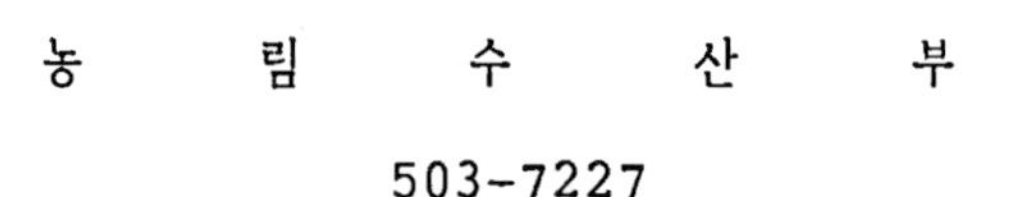

503-7227 1991. 3. 8.

수신 외무부장관

참조 통상국장

제목 UR 농산물협상 국내보조부문 기술적 쟁점협의

1. 국협 20644-135 ('91. 3. 7)호와 관련입니다.

2. '91. 3. 11 - 15간 개최예정인 UR/농산물협상 국내보조부문 기술적 쟁점 협의의제에 대한 당부입장을 별첨과 같이 송부하오니 조치하여 주시기 바랍니다.

첨부 우루과이라운드 농산물협상 기술적 쟁점협의 참가대책 1부. 끝.

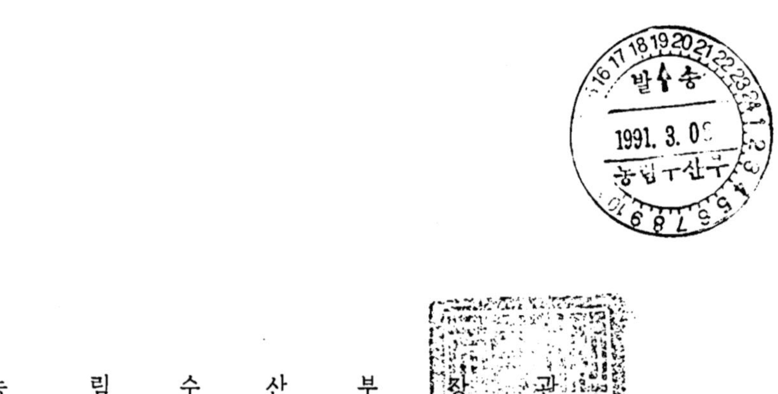

농 림 수 산 부 장 관

농업협력통상관 전결

0148

우루과이라운드 농산물협상 기술적쟁점협의 참가대책

1. 회의개요

0 일 시 : '91.3.11-15

0 장 소 : GATT본부

0 당부대표단

- 농업협력통상관외 3인

2. 협상의제

0 허용대상정책의 범위와 조건(NTC 및 개도국우대 포함)

0 AMS의 정의와 활용방안

0 AMS계산이 불가능한 품목에 대한 감축방법

0 인플레이션의 고려방안

0 GATT 규정개정 방향

3. 금차회의 기본대책

0 수정된 협상대책이 충분히 관철되도록 기술적쟁점 협의시 아국입장 반영에 주력

- 허용대상정책의 확대(NTC기능 및 개도국우대 반영)

- 엄격한 허용대상 정책조건의 배제

- 개도국우대조건의 완화

- 수입국 입장을 고려한 AMS의 활용

0149

4. 주요쟁점별 아국협상대책

가. 감축대상 및 허용대상정책 결정방법

0 기본입장 : 감축대상정책을 먼저 결정하고 나머지는 모두 허용정책으로 분류

0 대　안 : 협상추세가 허용대상정책 및 조건을 구체적으로 설정하는 방향이므로 허용대상정책에 아국입장이 반영되도록 적극대응

나. 허용대상정책 범위 및 조건

1) 허용대상정책의 상한설정(Ceiling Birding) 및 감사평가 반대

2) 허용대상정책 범위에 아국의 관심사항 반영

0 일반적으로 합의가능한 허용대상정책외에 다음정책도 포함

i) 농업구조 및 하부구조개선 정책

ii) 식량안보, 지역간의 균형발전, 환경보전등과 같은 농업의 비교역적기능 달성에 필요한 적정수준의 농업유지 목적의 정책

iii) 개도국의 농업 및 농촌개발과 관련된 정책

iv) 투자지원

3) 허용대상정책 조건의 완화

4) AMS 활용대상 품목범위의 축소

0150

5) AMS 활용을 통한 국내보조 감축조건에 다음사항을 고려

0 시장가격지지 계산시 국경보호효과 배제

0 국내기준가격은 정부지지가격 채택

0 AMS 계산에서 수입통제비율 및 수입비율을 차감(식량안보 및 수입국우대조건)

0 AMS 5% 미만의 경우 감축의무 면제

0 인플레이션을 고려한 실질가치로 표시

6) GATT규율 및 원칙강화

0 국내보조가 금지되지 않은 현행 GATT체제가 계속유지되는 방향으로 대처

5. EC와의 비공식협의

0 EC집행위원회 UR협상 및 CAP개혁담당국장 면담등 추진

- UR농산물협상 전망과 EC입장에 대한 의견교환

- CAP개혁방안과 추진일정, UR과의 연관성등에 관한 의견교환

- 아국관심사항에 대한 지지협조 요청

0151

UR농산물협상 기술적쟁점 협의대책

(국내보조 부문)

1991.3

농림수산부

농업협력통상관실

0152

I. UR농산물협상 국내보조부문 기술적쟁점협의 참가대책

1. 회의개요

가. 일 시 : '91.3.11-15

나. 장 소 : GATT본부

다. 참가대상 : 34개국 대표

〈 당부대표단 〉

구 분	소 속	직 위	성 명
대 표	농업협력통상관	농업협력통상관	조 일 호
"	"	행 정 주 사	최 대 휴
"	한국농촌경제연구원	부원장(장관자문관)	최 양 부
자 문	"	연 구 원	김 한 호

라. 협상의제

i) 감축에서 제외될 국내보조정책 결정방법
ii) AMS와 AMS수단에 상응한 감축약속의 정의와 협상에서의 활용방안
iii) 높은 수준의 인플레이션 고려 방법
iv) 국내보조관련 GATT규정개선 방안
v) 상기 의제관련 개도국우대, 순수입개도국우대 및 식량안보등 NTC고려방안

마. 예상 협의방식과 전망

0 GATT사무국이 쟁점별 토의자료를 작성 배포
0 91.2.26 채택된 던켈총장의 의견서(Note For Chairman)와 작업계획에 따라 그동안 논의된 모든사항을 토대로 협의진행
0 일반적으로 모든 국가가 합의가능한 결론 도출을 시도할 것으로 예상

0153

2. UR농산물협상 국내보조부문 주요쟁점

가. 정치적 결정을 요하는 사항(Principal Issues)

쟁점별	협 상 동 향	아 국 입 장
1)이행기준 시점	0 미국 : '86-'88평균 0 E C : 1986년이후 이행실적에 대한 credit인정시 1989년 수용가능 0 케언즈그룹 : 1988년 0 일본 : 1986년	0 감축목표 및 이행방법등에 있어서 NTC등 한국관심사항이 적절히 반영될 경우 1989년을 기준시점으로 고려가능 - 중간평가시 개도국에 대하여는 국내보조의 동결의무를 부여하지 않았으므로 최근연도 채택방안강구
2)감축폭과 기간	0 미국 : '91/'92년부터 10년간 품목별 지원은 75%, 품목불특정 지원은 30% 감축 0 E C : '91/'92년부터 5년간 주요품목은 AMS30%, 여타품목은 AMS 동등가치 10% 감축 0 케언즈그룹 : '91/'92년부터 10년간 75%감축, AMS 5%미만은 감축의무 면제 0 일본 : 1986년기준 30%감축	0 선진국 감축수준의 1/2 또는 2배의 장기이행기간 허용
3)감축방식	0 미국 : 특정정책 + AMS 0 E C : 총 AMS, AMS동등가치 0 케언즈그룹 : 특정정책 + AMS 0 일본 : AMS(국경조치를 포함)	0 품목 또는 품목군별 총 AMS 또는 단위 AMS - 시장가격지지에는 국경보호조치 효과 제외
4)감축대상 품목범위	0 미국 : 모든 농산물 0 E C : 정부재정으로 보조를 취하고 있는 모든 농산물 - AMS대상 : 5개 품목군 - 생산지원대상품목 : 5개품목 또는 품목군	0 입장표명 유보 - 다만, 아국C/L에서 쌀, 보리, 대두, 옥수수, 쇠고기, 돼지고기, 닭고기, 달걀, 우유등 9개의 AMS대상품목 채소류, 과실류등 2개의 AMS계산 불가품목 제시

0154

쟁점별	협 상 동 향	아 국 입 장
	- 국경보호 및 가격지지 : 3개품목군 0 케언즈그룹 : 모든 농산물을 원칙으로 하되 최소한 OECD의 PSE산정품목은 유지 0 일본 : 국제교역에 비중이 큰 품목 (쌀, 밀, 보리, 설탕, 우유 및 유제품)	
5) 허용대상 정책범위	0 미국 : 드쥬의장 초안에 제시된 분류기준 수용 0 E C : 생산과 무역에 미치는 영향이 미미한 정책 - 투자지원을 포함하고 직접소득 지원은 제외 0 케언즈그룹 : 미국입장과 유사 0 일본 : 식량안보, 토양 및 환경보전, 고용, 지역사회 유지정책	0 식량안보, 균형적인 지역개발, 고용 환경보전등 농업의 비교역적 목적 달성을 위한 정책 0 구조조정 정책
6) 개도국 우 대	0 미국 : 장기이행기간 허용(GNP기준) 특정개발과 연계된 투자보조 허용 0 E C : 품목, 정책, 이행기간등에 대한 예외인정 가능 0 케언즈그룹 : 선진국 감축폭의 50% 범위, 이행기간 5년연장 0 일본 : 장기이행기간 허용과 이행에 탄력성 부여	0 합의범위와 본질적인 조건 이행기간 등에 탄력성 부여 - 농업, 농촌개발을 위한 허용정책 범위확대 - 허용대상정책조건 적용배제 - 감축폭의 축소 - 장기이행기간 허용

0155

나. 기술적 쟁점사항

(1) 허용대상 정책 결정

0 허용대상정책 결정방법

0 허용대상정책 범위

0 허용대상정책 조건

(2) AMS의 정의와 활용방안

0 AMS의 표현방법

0 시장가격지지, 직접지불, 기타 국내보조의 계산방법

0 AMS의 조정요건과 방법

0 AMS Equivalent Commitment의 정의와 방법

(3) GATT 규정개선

0 이행기간이후 GATT 16조1항과 AMS와의 관계 및 장기적인 GATT규율과 허용대상 정책과의 관계

(4) 개도국우대 및 NTC

0 감축의무가 면제될 개도국 농업 농촌개발지원 정책의 정의와 조건

0 개도국에 부여할 의무

⇒ 개도국우대 및 NTC는 허용대상정책 범위 및 조건에서 논의

3. 기술적쟁점에 대한 논의현황과 아국입장

가. 정책범위(Policy Coverage)

(1) 허용대상정책결정 필요성 및 적용범위

가) 논의현황

0 드쥬의장초안 및 각국제안에 의하면 대부분의 국가가 감축대상정책과 허용대상정책을 동시에 제시

0 감축대상 정책을 현행정책과 향후정책까지 포괄할 것인가에 대하여는 논의된바 없으나 허용대상정책 보조를 포함한 Ceiling Bindeing과 연계시킬경우 현행정책으로만 한정되는 결과 초래

- 아국,오스트리아,미국은 허용대상정책의 상한설정 반대

0156

나) 아국입장

0 아국은 기본적으로 감축대상정책을 먼저 결정하고 나머지는 모두 허용정책으로 분류하자는 입장

0 협상의 추세는 허용대상정책 범위와 조건을 중점 논의하고 있는 점에 비추어 허용대상정책에 아국 관심사항을 반영시키기 위하여 협상에 적극 참여 필요

0 따라서, 이와같은 논의현황에 따라 허용대상정책의 명확한 정의설정을 지지하며 아울러 허용대상 정책의 범위는 무역에 영향이 없거나 미미한 정책임으로 현행 지원정책에 한정시켜서는 안되고 향후에도 시행가능토록 정의되어야 함

(2) 허용대상정책의 감시 및 제한여부

가) 협의의제

i) 감축대상과 허용대상을 포함하는 총보조액에 대한 상한설정(ceiling)여부
ii) 현행 허용정책에 대한 정기적 감시(monitoring)여부
iii) 새로운 허용정책의 사전 허가(prior ratification)필요여부

나) 논의현황

1) 국내보조의 상한설정

0 아국,오스트리아,미국:허용대상정책의 상한설정 반대

0 EC,케언즈그룹,핀랜드,노르웨이,스위스:허용대상정책을 포함 국내보조의 상한설정

2) 허용대상정책의 감시 및 평가

0 미국 : - 허용대상정책에 대하여 Review과정을 마련하고, 이과정에서 조건을 충족하지 못한 것으로 판정될 경우 감축대상으로 재분류
- 새로운 정책이나 기존정책의 수정에 대하여도 동일한 Review과정 적용

0 일본 : 허용대상정책의 최고한도 설정, 감시 및 평가배제

다) 아국입장

0 허용대상정책은 무역에 영향이 없거나 미미한 정책이라는 전제하에
- 이를 GATT에서 상한을 규제하는 것은 농업 농촌개발에 관한 국가정책의 자율성침해
- 따라서 허용대상정책의 상한설정에 반대

0 국내보조 정책평가는 감축대상정책의 이행평가에 그중점이 주어져야 함
허용대상정책까지 GATT체제내에서의 사전결정에 따라야하고 감시대상으로 둘수는 없음

0157

(3) 허용대상정책의 결정방법

가) 논의현황

0 MTR에서 국내보조에 관한 소득 및 가격지지를 포함한 무역에 직,간적으로 영향을 미치는 모든 국내지원 조치에 대하여 협상키로 결정

0 대부분의 국가가 자국입장 제안에서 감축대상 정책과 허용대상 정책을 동시에 제시

- 생산과 연계된 소득보조, 가격지지, 생산요소 보조는 무역에 영향을 미치는 국내보조로 인식
- 미국등 농산물수출국은 엄격한 허용대상 정책을 제시하고, 이외의 정책은 모두 감축대상으로 분류하는 접근방법 제시
- 이에대하여 아국과 일본은 허용대상정책을 중점 강조하면서 감축대상 정책을 먼저 결정하고 나머지 정책은 모든 허용정책으로 분류할 것을 주장

※ 협상의 추세는 허용대상정책과 조건을 먼저 결정하는 방향으로 전개되고 있슴

나) 아국입장

0 드쥬의장초안에 수용된 미국의 허용대상 정책범위와 조건은 아국이 수용하기가 대단히 어려운 점이 있슴

0 아울러 각국이 제안한 허용대상 정책의 분류와 조건이 자국 농업정책을 반영, 자국 관심사항만을 제시하고 있어 균형을 결여

0 허용대상 정책을 먼저 결정하고 나머지는 감축대상으로 분류하는 접근방법을 채택할 경우, 허용대상 정책을 결정하는데 논란의 소지가 많고 향후 이행평가시에도 다수의 문제를 야기할 우려가 있으며, 특히 허용대상정책에 대한 정부의 지원은 각국의 농촌,농업정책에 대한 고유권한 임

0 따라서, 감축대상정책을 명확히 설정하고, 나머지는 모두 허용정책으로 분류하는 접근방법을 채택하여야 할 것임

(4) 국내보조의 정의방법

가) 협의의제와 논의현황

0 정책분류 예시표에 의할것인가? 정책분류 기준에 의할것인가? 또는 이양자 방법을 동시 활용할 것인가의 여부

0 본협의 의제는 감축 또는 허용대상정책의 분류를 무역효과를 기준으로 한 분류기준에 의할 것인가, 또는 구체적인 정책유형의 나열을 통하여 분류할 것인가, 또는 이 두가지 방법을 혼용하여 결정할 것인가의 문제점

0 지금까지의 논의는 "무역에 직.간접으로 영향을 미치는 직간접 보조"가 협상의제로서 감축은 일단은 무역효과를 기준으로 각국이 정책유형을 제시하는 방향으로 전개되고 있슴

0158

0 아울러 특히 수출국은 허용대상정책의 무역효과 또는 합의원칙을 일탈하는 수단으로의 사용을 규제할 목적으로 허용정책의 유형과 조건을 구체적으로 제시하고 있는 반면, EC와 수입국들은 관심있는 허용대상정책의 유형만 제시하고 있는 상황임

나) 아국입장

0 선 감축대상정책의 결정이라는 관점에서 허용대상정책의 범위결정은 정책분류 해석 기준만 제시하고 구체적인 정책집행은 각국의 판단에 따르는 것이 바람직

(5) 허용대상정책 범위

가) 제기된 허용대상정책의 유형

i) 일반서비스(예, 연구,병충해관리,훈련등)
ii) 재해구조(작물보험 포함)
iii) 국내 식량원조
iv) 자원전환 및 은퇴지원사업
v) 식량안보 목적의 공공비축
vi) 개도국의 개발목적 농업지원
vii) 환경 및 보존사업
viii) 지역개발사업
ix) 소득안전보장 사업
x) 투자지원
) 생산요소(토지,가축,농민)연계지불
) 기타 : 연료세감면, 조세혜택, 영농개선 및 생산성제고, 구조/하부구조지원등

나) 논의현황

1) 드쥬의장초안에서 제시한 허용대상 정책

0 농업과 농촌사회에 일반적으로 유익한 공공적 성격의 일반서비스를 제공하는 정책 ; 연구,지도 및 훈련계획, 검사, 병해충방제, 유통 및 판매촉진등
0 환경 및 토양보존정책
0 농업에 사용되는 생산자원의 용도전환 및 사용중지를 유도하는 정책
0 재해구조
0 작물보험
0 국내식량보조
0 식량안보를 목적으로한 공공재고 브유
0 지역개발
0 소득안정정책(Income Safety-Net Programmes)

0159

2) 각국입장

0 미국 : 드퓨의장초안은 허용대상정책 분류와 조건에 관한 미국제안을 거의 수용한것임

0 E C : 재해구호, 국내식량원조, 유통보조, 농업전반에 대한 서비스, 자원은퇴정책, 투자지원(Investmend Aids)식량비축지원

0 케언즈그룹 : 미국과 동일

0 일본 : 감축대상정책을 먼저 결정하고 나머지는 정책으로 분류하는 접근방식을 채택하면서 허용대상 정책을 구체적으로 제시하지 않고 있으나 농업보조정책은 국내농업생산의 건전한 개발, 식량안보, 토양 및 환경보전, 고용유지, 지역사회유지등 기능을 수행하는 것으로서 수출보조와 구별되어야 함을 지적

0 스위스 : 공공서비스, 환경보전, 직접지불, 식량원조

0 스웨덴 : 환경보존, 안보목적 특정지역의 생산보호를 위한 지역지원,특정투자지원 (Start-up cost), 사회복지정책

0 카나다 : 농가소득 안정보장, 작물보험, 재해구호, 금융지원, 환경보전, 지역개발

다) 주요쟁점사항

0 투자지원(Investment Aids)정책
- EC - 허용대상
- 미국 케언즈그룹 - 감축대상

0 소득보조 및 Income safety-nets
- EC - 감축대상
- 미국 케언즈그룹,카나다 - 허용대상

0 소득안정사업을 농업에만 연관시킬 것인지의 여부

0 기타 일부국가의 제안
- 안정적인 농가소득수준 확보를 위한 정책(한국)
- 농업구조정정책(한국)
- 식량안보, 균형된 지역발전, 고용 및 환경보전등 NTC목적달성을 위해 필요한 수준의 농업유지를 위한 정책(한국)
- 실제 전국 생산량가운데 일부만을 생산하고 있는 농민 또는 지역에 대한 모든 국내지원 조치로서 생산촉진을 유발하지 않은 정책과 수혜대상 농민의 생산증가를 초래하지 않은 기타 조치를 포함 NTC목적의 정책(   )

0160

라) 아국입장

0 농가소득지지, 가격지지 및 생산요소보조정책은 일반적으로 무역에 영향을 미치는 정책으로 인식되고 있으므로 예외적인 허용대상정책의 확대에 중점(제기된 모든 정책의 수용)

0 허용대상정책의 범위설정 방법은

i) 일반적인 감축대상예외정책과 ii) 개도국우대의 범위에 포함될 정책으로 구분됨

0 따라서 일반적인 허용대상정책 범위결정은 드쥬의장초안이 논의의 기초가 될 것이며 여기에 여타국가의 제안이 토의 될 것임

0 아국은 기본적으로는 감축대상정책을 먼저 결정해야 한다는 입장이나 협상추세가 허용대상정책을 구체적으로 논의해 나갈 전망이므로 향후 국내 농업보조정책 선택의 폭을 넓히기 위하여 EC의 투자보조, 카나다의 Farm Credit포함지지

0 구조조정정책은 개도국우대 조치가 아닌 일반적인 허용대상정책에 반영

(6) 허용대상정책 기준설정 필요성

가) 논의현황

0 미국,케언즈그룹제안과 드쥬의장 초안에서 구체적인 허용정책 기준과 조건제시

※ 이부문에 대한 구체적인 논의는 없었음

나) 아국입장

0 (4)항의 국내보조정책정의 참조

- 허용대상정책 기준에 의하여 정당화
- 허용정책 및 추가적인 허용조건 기준설정 불필요

(7) 허용대상정책 조건

가) 조 건

- 허용대상정책의 조건이 필요하다면 다음의 기준만으로 충분한지의 여부 -

i) 지원에 소요되는 재원은 소비자로부터 이전되지 않고,정부의 재정에서 충당되어야함

ii) 현재 또는 미래의 생산수준 및 생산요소와 연계되지 않아야 함(단, 생산요소를 농업생산으로부터 제외시키고자 하는 경우는 적용되지 않음)

iii) 특정품목 또는 품목군에 한정되는 것이어서는 아니됨(다만, 일반서비스에는 적용되지 않음)

iv) 생산자에 대한 가격지지 효과가 없어야 함

v) 소득안정사업의 경우 최근 3개년 평균소득의 X%를 상회하지 않아야 함

0161

나) 논의현황

0 상기 제시된 정책기준은 미국의 제안을 기준으로 하고 있슴

0 드쥬의장초안 제시후 이부문에 대한 실질토의나 Offer상 의견제시가 없어 각국입장 파악이 불가한 실정이나 상당한 논란예상

- 무역효과 측면에서 이론적인 타당성이 있으나
- 실제운용 측면에서 각국이 이조건을 충족가능한 것인지와 효과의 입증책임문제가 제시될 수 있고
- 접근방법상의 차이로 부터도 이견대두 예상

다) 아국입장

① 기본적으로는 허용대상정책의 전제조건 설정배제

② 드쥬초안이 중점 논의될 경우

a)항 : 이견없음

b)항 : 허용대상 정책도 장기적인 관점에서는 생산에 영향을 미치게 됨. 따라서 이조건이 부과될 경우 구조조정정책, 투자지원, 지역개발정책의 효과에 대한 논란의 소지가 큼. 가격 및 소득지지가 아닌 생산효과를 전제조건으로 설정할 수 없음

c)항 : 지역개발, 환경보전, 정책등 지원부문에 따라서는 특정품목, 품목군 또는 품목분야와 연계가 불가피 할것임

d)항 : 이견없슴

e)항 : 직접소득보조는 영세농 지원성격을 띠고 있으므로 생산자 조수익을 기준으로 산정

(8) 허용대상정책별 추가적인 조건설정 필요성

가) 의 제

0 추가적인 조건설정 필요성

0 대상정책과 범위

0 필요한 조건

나) 미국이 제시한 허용대상정책별 조건

- 90.6 Discussion Paper참조 -

다) 아국입장

0 기본적으로는 개별정책별 조건설정은 반대

0 개별정책별 조건을 설정하게 되는 경우 정책선택의 자율성을 지나치게 제약하지 않는조건이 설정되도록 대처

0162

나. AMS의 정의

(1) AMS의 역할(활용방법) - 정치적 결정사항으로 추후협의

가) 논의현황

0 미국, 케언즈그룹 : 총 AMS는 계량화가 가능한 감축을 할 수 없으므로 특정정책별로 감축이 되어야 하며 AMS는 약속이행수단으로 활용

0 E C : 총 AMS를 감축약속으로 활용

0 일 본 : 국내보조와 국경조치를 포괄한 AMS감축

0 스위스 : 국내보조감축은 AMS로 표시하되 규정은 특정정책별로 합의

나) 아국입장

0 접근방식을 Global Commetment로 할것인가 또는 분야별 접근방식을 채택할 것이냐에 따라 이행방법을 달리하게 됨. 이에따라,

- 미국은 AMS는 단지 특정정책별 합의사항의 이행수단에 불과하다는 입장을 보인 반면 EC는 감축약속방법으로 생각하고 있으며 일본도 국경조치를 포함한 감축약속 방법으로 생각하고 있음

※ OECD가 계량한바 있는 PSE는 본래 모든 농업보호 및 지원효과를 포함

0 협상의 기본접근방법에 따라 AMS의 활용방법과 정의가 달라질수 있음

0 보호수준의 감축에 따른 정책선택의 탄력성 확보측면에서 AMS는 감축방법이면서 이행수단이 되어야 함

(2) AMS계산의 기준연도 - 정치적 결정사항으로 추후협의

가) 논의현황

0 미 국 : '86-'88평균

0 E C : 1986년기준 다만, 이행실적을 Credit로 인정할 경우 중간평가 합의시점('89)을 기준시점으로 고려

0 일 본 : 1986년

0 케언즈그룹 : 1988년

나) 아국입장

0 여타의제에 대한 아국입장 반영시 MTR시점 고려

0 MTR에서 개도국에 대하여는 농업보호 및 보조수준의 동결의무가 부여되지 않았으므로 개도국에 대하여는 이행시점을 기준시점으로 인정

0163

(3) AMS산정에 포함될 감축대상정책 범위

가) 감축대상정책

i) 시장가격지지

- 동종 혹은 비교가능한 품목의 국제가격보다 생산자가격을 높게 유지하는 모든조치

ii) 생산자에 대한 직접지불

- 결손보조 포함

iii) 농업생산에만 지원되는 투입재 및 유통비용 감축조치

- 금융 및 재정지원 포함

나) 주요쟁점 및 아국입장

- 허용대상정책의제 참조 -

(4) AMS산정에 포함될 정책의 지원대상기관

가) 논의현황

0 미국,케언즈그룹 : 중앙정부 및 지방정부 지원포함

0 E C : 지방정부지원의 포함에 대한 언급없슴

0 일 본 : 지방정부지원 제외

나) 아국입장

0 협상목적에 비추어 지방정부지원 포함이 타당

0 다만 아국은 C/L제출시 지방정부지원액은 산정에서 제외 하였슴

(5) AMS산정 품목범위 결정

가) 논의현황

0 미 국

- 원칙 : 품목별 AMS(모든 농산물)
- 다수품목에 대한 지원 : Sinsle, Sector wide AMS

0 E C

- 5개 품목군 : 곡물 및 쌀, 설탕, 유지작물 및 두류, 올리브유, 축산물

0 일 본 : 곡물(밀,보리,쌀등) 우유 및 유제품, 설탕

나) 아국입장

0 국제교역량이 큰 주요품목에 한정된 품목군별 AMS를 지지

- C/L에서 쌀,보리,대두,옥수수,쇠고기,돼지고기,닭고기,달걀,우유등 9개품목만 제시

0164

(6) AMS의 표시방법

가) 논의현황

0 미국,EC,케언즈그룹 : 총통화 가치

0 한국,일본 : 실질가치기준 단위당 AMS혼용

나) 아국입장

0 감축범위내에서의 정책선택의 탄력성확보,생산량증감에 따른 유리한 이행수단의 선택 측면을 고려

- 품목군별 AMS, 총AMS 또는 단위당 AMS동시 활용

0 사유 : 각국 농업지원정책의 다양성을 고려, 최소한 합의사항 이행에 대한 자율성을 부여하여야 함

(7) 시장가격 지지 계산

가) 계산방법과 고려조건

0 계산방법

- (국내가격-국제가격) x 국내가격지지 수혜 생산량

0 고려조건

- 국내외 가격차를 유발하는 정책이 없는 경우에도 AMS를 계산하여야 할것인지의 여부

나) 아국입장

0 본 계산방법은 미국의 제안사항이며 이견없슴. 아울러 가격차를 유발하지 않은 정책은 AMS계산에서 제외 될 수 있슴

(8) 시장가격지지에 국경보호효과 포함여부

가) 논의현황

0 미국 : 국경보호조치 제외

0 EC : 국경보호조치 포함

0 일본 : 국경보호조치 포함

나) 아국입장

0 국경보호효과 제외

- 국경보호 효과를 제외시킬 경우 AMS산출치가 대폭 감소
- 감축의무 축소 및 AMS 5%미만 감축의무 면제조건 적용을 고려

0165

(9) 시장가격지지 계산시 국내기준가격

가) 논의현황

0 국내 기준가격 선정방안 : 시장가격,지지가격,농가판매가격 또는 도매가격

0 각국입장

- 미국 : 국내지지가격
- EC : 생산자 가격
- 일본 : 국내지지가격(정부구매가격)
- 드쥬의장초안 : 국내외 가격차(구체적인 국내가격기준 미제시)

나) 아국입장

0 정부재정에 의한 지지가격 채택

(10) 세계시장가격 결정

가) 논의현황

0 미국 : '86-'88평균 고정외부 참고가격 채택, 정기적 평가

0 EC : '86-'88평균 고정외부 참고가격

0 케언즈그룹 : '86-'88평균, '95/'86재평가

나) 아국입장

0 최근연도 3개년 평균(기준연도와 연관), 고정 참고가격

0 5년기준 재평가

(11) 시장가격지지 조정

가) 논의현황

0 미국,케언즈그룹,EC등 : 공급통제를 고려

0 일본 : 생산통제 및 수입비율 고려

나) 아국입장

0 공급통제 비율고려

0 반영방법은(16)항 참조

0166

(12) 직접지불 가치계산 방법

가) 협의의제

0 예산지출로 계산 또는

0 시장가격지지 계산과 동일한 참조가격 사용

나) 아국입장

0 시장가격지지 계산과 동일한 참조가격 사용

- 예산지출로 계산할 경우 감축폭이 확대될 우려가 있음

(13) 수출에 지원된 직접지불

0 아국입장

- 수출보조 감축대상

(14) 가공업자에 대한 지원

0 아국입장

- 농산물생산 및 무역에 영향을 미치므로 AMS산정에 포함

. 아국 농산물의 경쟁조건 개선

(15) 생산자가 받은 수익(재정이전, 세입손실등)등과 같은 감축대상정책 가치계산 방법

0 아국입장

- 실제 재정이전 지불 또는 세입 손실액으로 계산

- Single Sector - Wide AMS활용

(16) AMS조정방법

가) 일본제안

0 쌀 : 1-수입통제비율

0 밀,보리,설탕,우유유제품 : 1-수입비율

나) 아국입장

0 일본이 제안한 상기제안은 농산물 수입으로 인한 세계 농산물 교역시장 확대에의
기여실적을 고려하여 수입국의 최소한의 농업기반 유지, 식량안보등 농업의 비교역적

0167

기능 유지등을 반영시키기 위한 유용한 방안임

0 수출입국간 권리,의무의 균형유지 측면에서도 반드시 관철되어야 할 대안이므로 적극지지

(17) AMS감축의무면제 수준

가) 논의현황

0 케언즈그룹이 특정연도에 있어서 Commodity-Specific AMS가 당해 농산물생산액의 5%를 초과하지 않을 경우(Sector-Wide AMS도 전체 생산액의 5%이하일 경우)익년도 감축의무 면제

나) 아국입장

0 아국이 C/L작성자료('88기준)를 토대로 잠정 시산한 국경보호 효과를 제외한 시장가격 지지에 의한 AMS는 다음과 같음

- 쌀 11.2%, 보리 4.9%, 대두 1.4%, 옥수수 1.6%, 쇠고기 13.4%, 돼지고기 2.4%, 닭고기 1.9%, 우유 5.2%

0 위에서 검토한 아국입장이 반영된다는 전제하에 이와같은 수준의 AMS산출치는 정부재정에 의한 가격지지액이 미미한 아국으로서는 감축의무를 축소할 수 있는 유용한 방안임

⇒ 케언즈그룹 제안의 지지 및 관철에 주력

다. 상응한 조치(Equivalent Commitment)의 정의

(1) 상응한 조치의 형태와 방법

가) 논의현황

0 미국,케언즈그룹 : 품목별 AMS계산이 불가능한 경우 Country Plan에 Equivalent Commitment 제시

- 케언즈그룹 : 75%감축

0 EC : 파종용종자,섬유작물,호프,담배,가공용과실 및 채소류등 생산지원 대상품목은 생산지원을 기초로 10%감축
과실류,채소류,포도주등 국경보호와 더불어 가격지지 대상품목은 국경보호 효과만 계산, 10% 감축

0168

나) 아국입장

0 국제교역량이 적고 국경보호와 국내보조가 동시에 취해지고 있는 품목에 대하여는 Equivalent Commitment 대상으로 분류

0 대상품목과 정책이 있을 경우 조치내용은 각국의 Country Plan에 자율적으로 제시

(2) 상응한 조치의 대상

가) 검토대상(예시)

0 지지 또는 관리가격 또는 수혜받은 생산량

0 관세등 국경보호 조치

0 재정지출 또는 세입손실액

나) 협상동향

0 미국 : - 시장가격지지 및 직접지불 : 지지가격 또는 지지받은 생산량에 기초
- 기타 직접지불 : 총재정 지불액
- 투자 및 유통보조 : 상품의 생산자 또는 가공업자가 받은 수혜액

0 EC : 상기의제에 대한 EC의 입장 참조

0 일본 : 콩은 수입비율이 높아 국내보조 및 보호효과가 무시할 정도이므로 AMS감축대상에서 제외

- 쇠고기,돼지고기,가금육,달걀은 국경조치에 의해 보호되고 있으므로, 국경조치에서 취급

0 케언즈그룹 : 생산자가격지지,특정품목에 대한 재정지출을 통한 지원,세입손실액을감축

다) 아국입장

0 국경보호효과를 제외한 지지가격 또는 재정지원액 감축

(3) AMS계측대상이 아닌 품목에 대한 품목 불특정지원

0 아국입장

- 계측가능한 경우 sector-wide non-commpdity specific AMS에 포함가능

0169

0 EC의 접근방법은 AMS를 포함한 UR협상의 논의사항은 별도의 협정으로 제정할 것을 주장, 현행보조와 AMS와의 관계를 독립시킴으로서 농업보조금에 대해서는 사실상 현행 16조의 협의의무 적용을 배제하려고 함

0 그런데 미국식 접근의 경우 국내보조금 관련 UR논의사항을 현행 16조에 반영하자는 입장이므로 반영하는 방법에 따라 양자간의 관계가 모호해질 수 있음

(2) 아국입장

0 원칙적으로 우리나라는 AMS를 오직 감축대상정책에만 적용할 것을 주장하고 있으며, 이때 감축대상으로 선정되는 정책은 주로 무역 왜곡효과가 큰 정책 즉,여타체약국과 분쟁소지가 큰 정책들일 것이므로 AMS방식을 따르더라도 16조 규정과의 배치가능성은 적을 것임

0 그런데 AMS는 오직 이행기간중에만 적용되는 것으로 합의된다면 이행기간 이후에는 당연히 현행 16조의 적용을 받게됨

0 한편 16조 규정개선과 관련된 우리나라 종래입장은 농업수출보조금을 포함한 농업관련제반 보조금규정을 16조의 section C로 신설하거나 아니면 농업수출보조금은 현행 section B형태로 유지하고 국내보조 관련사항만 section C형태로 신설하자는 입장이었음

(3) 이행기간이후 농업에 대한 장기적규율과 허용정책간의 관계

가) 논의현황

0 이 문제는 허용대상정책에 대한 정기적검토(review)여부문제와 연관되어 있음

0 만약 허용대상정책도 정기적인 검토를 통해 적용기준에 위배될시에는 감축으로 재분류한다고 하면 허용대상정책도 장기적으로는 농업에 대한 일반적 규율과 합치되어 갈 것임

0 그런데 현재 허용대상정책에 대한 정기적검토와 재분류 문제를 가장강력히 지지하는 국가는 미국인데 그이외 EC,일본등 주요국가는 허용대상정책에 대한 정기적 검토에 대해서 강력히 유보하는 입장임

나) 아국입장

0 우리나라는 지금까지 허용대상정책에 대해서는 상한설정도 반대하며 아울러 정기적 검토도 유보하는 입장임

0 따라서 우리나라는 이 문제에 대해서 협상추이를 보아가며 정기적 검토여부 문제와 연관하여 입장표명을 하여야 할 것임

0170

라. 인플레이션 고려방안

가) 논의현황

0 미국,EC,케언즈그룹 : 총통화가치 AMS사용

0 여타국 : 실질가치기준 AMS활용

- 일 본 : 인플레이션과 같은 외생변수와 반영 및 경제조건의 급격한 변화 발생시 AMS수정 허용
- 스웨덴 : 물가상승을 고려
- 핀랜드 : 인플레이션을 고려한 AMS방식

※ 본의제에 대한 구체적인 논의는 없는 상태

나) 아국입장

0 AMS표시 : 인플레이션을 고려 실질가치로 표시

0 고려될 인플레인션수준 : 개도국에 대하여는 OECD국가의 평균율보다 하향조정

0 인플레이션 고려방법 : 토의문서에 제시된 방법들을 모두 고려

0 디플레이터 방법 : 개별요소별 반영

마. GATT규율 및 원칙강화

(1) 이행기간후 GATT 16조1항(특히 두번째문장)과 AMS와의 관계

가) 논의현황

0 현행 GATT 16조1항 "수출을 촉진시키거나 수입을 제한하기 위한 모든 형태의 가격 및 소득지원을 포함한 보조금에 대해서 그성격, 범위 예상효과등에 관하여 체약국단에 통보하고(첫번째문장) 타체약국에 중대한 손실을 주거나 줄우려가 있다고 결정될 때에는 요청에 따라 동보조금의 제한가능성에 대해 협의할 의무가 있음(두번째 문장)" 을 규정하고 있음

0 16조에 대해 지금까지 가장 분명한 입장을 보인 국가는 EC임. 즉 EC는 현행 16조와 별도로 농업보조금에 대한 부속협정을 재정할 것을 제안하고 있음

0 이에대해 미국은 기본적으로 국내보조금에 대해서는 금번 UR을 계기로 "신호등 접근방식"에 따라 그 성격을 감축대상과 허용대상으로 분명히 구분하여야 함을 주장하면서 이같은 신호등 접근방식의 원칙을 현행 16조1항에 반영시키고 구체적인 분류기준 및 감축이행 방법은 16조 관련 부속서를 제정해야 한다는 것임

0171

기 안 용 지

분류기호 문서번호	통기 20644-	(전화: 720 - 9210)	시 행 상 특별취급	
보존기간	영구. 준영구 10. 5. 3. 1.	차 관	장 관	
수 신 처 보존기간		전결		
시행일자	1991. 3. 8.			

보조기관		협조기관		
국 장		제2차관보		문 서 통 제
심의관	후결			
과 장				
기안책임자	송 봉 헌			발 송 인

경 유 수 신 참 조	건 의	발신명의		
제 목	UR/농산물 협상 회의 정부대표 임명 건의			

91.3.11-15간 스위스 제네바에서 개최되는 UR/농산물 협상 주요국 협의에 참가할 정부대표를 "정부대표 및 특별사절의 임명과 권한에 관한 법률"에 의거 아래와 같이 임명할 것을 건의하오니 재가하여 주시기 바랍니다.

- 아 래 -

1. 회 의 명 : UR/농산물협상 주요국 협의 /계 속/

0172

2. 회의기간 및 장소 : 91.3.11-15, 스위스 제네바

3. 정부대표

ㅇ 농림수산부 농업협력통상관 조일호

ㅇ 경제기획원 통상조정2과 사무관 정무경

ㅇ 농림수산부 농업협력통상관실 행정주사 최대휴

ㅇ 주 제네바 대표부 관계관

(자 문)

ㅇ 한국농촌경제연구원 부원장 최양부

ㅇ 한국농촌경제연구원 연구원 김한호

4. 출장기간(본부대표) : 91.3.10-20 (10박11일)

- 귀로에 EC 본부를 방문, 농산물 협상 전망 및 EC의 CAP 개혁 방향등에 관한 의견 교환 예정

5. 소요경비 : 소속부처 소관예산

6. 훈 령 : 별도 건의 예정. 끝.

0173

농 림 수 산 부

국협20644-180　　503-7227　　1991. 3. 7.

수신 외무부장관

참조 통상국장

제목 우루과이라운드 농산물 실무급협의 참석 및 주요국간 비공식협의

1. '91.3.1 개최된 UR농산물협상 실무급회의 결정에 따라 '91.3.11-15간 국내보조부문의 기술적 쟁점에 대한 실무협의가 개최될 예정입니다.

2. 향후 협상은 우선 기술적 쟁점에 대한 중점논의를 통하여 협상타결의 토대를 마련해 나갈 계획이며, 금차회의는 합의된 협의일정에 따라 첫번째로 개최되는 기술적 쟁점에 대한 협의로서 금차회의에 다음과 같이 당부대표단을 파견코자 하오며,

3. 아울러 귀로에 협상에서의 아국입장 지지기반 확보와 관철방안을 강구하기 위하여 EC본부를 방문 비공식협의를 추진코자 하오니 협조하여 주시기 바랍니다.

- 다 음 -

가. 당부대표

구 분	소 속	직 위	성 명	비 고
대 표	농업협력통상관실	농업협력통상관	조 일 호	
	"	행정주사	최 대 휴	
	한국농촌경제 연구원	부원장(농림수산부장관 자문관)	최 양 부	소요경비:소속 기관 부담
자 문	"	연 구 원	김 한 호	

0174

국협20644-　　　　503-7227　　　　1991. 3. 7.

나. 출장일정 및 출장지 : '91.3.10-3.20(11일간), 스위스(제네바), 벨기에(브랏셀)

다. 소요경비 : 농림수산부 부담

첨부 : 1. 출장일정 및 소요경비 내역
2. EC와의 비공식협의 계획
3. 금차회의 당부입장 : 추후송부.　끝.

농 림 수 산 부

0175

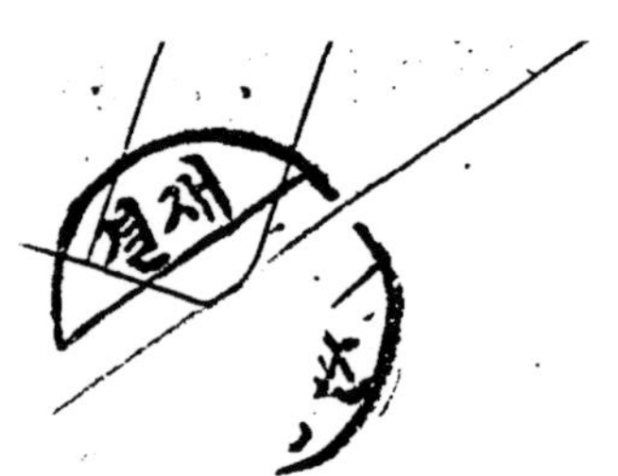

출장일정 및 소요경비 내역

가. 출장일정

'91.3.10(일) 12:40 서울 발(KE901)
18:10 파리 착
20:45 " 발(SR729)
21:45 제네바 착

'91.3.11-16 체재(UR농산물협상 실무급회의 참석)

'91.3.17(일) 08:55 제네바 발(SN792)
10:00 브랏셀 착

'91.3.18(월) 체재(EC본부 방문)

'91.3.19(화) 17:00 브랏셀 발(AE131)
17:00 런던 착
19:30 런던 발(KE908)

'91.3.20(수) 17:40 서울 착

나. 소요경비 내역

(1) 국외여비 : $6,781(지변과목 1113-213)

구 분	농업협력통상관	최 대 휴
항 공 료	$ 2,124	$ 2,124
일 비	$25×11일 = $ 275	$16×11일 = $ 176
숙 박 비	$79× 9일 = $ 711	$59× 9일 = $ 531
식 비	$46×10일 = $ 460	$38×10일 = $ 380
소 계	$ 1,446	$ 1,087
합 계	$ 3,570	$ 3,211

(2) 특별활동비 : $1,000(지변과목 1113-234)

0176

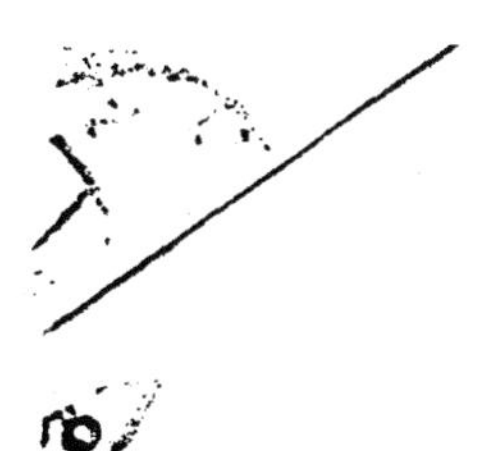

EC본부 방문계획(안)

일 시	활 동 계 획	비 고
'91.3.17(일)		
08:55	0 제네바 발(SN792)	
10:00	0 브랏셀 착	
3.18(월)	0 EC농업부 대외조정국 방문 - UR농산물협상 전망과 EC입장에 대한 의견교환 - 아국 관심사항에 대한 협조요청	- UR농산물협상 총괄부서 담당국장 면담
	0 EC 농업부 구조정책국 방문 - EC공동농업정책 개혁방안과 추진일정, CAP개혁과 UR과의 관계등에 관한 의견교환	- CAP개혁 담당부서 담당국장 면담
3.19(화)		
17:00	0 브랏셀 발(AE131)	
17:00	0 런던 착	
19:00	0 런던 발(KE908)	
3.20(수)		
17:40	0 서울 착	

0177

경 제 기 획 원

봉조이 10520- 169 (503-9146) 1991.3.7.

수신 외무부장관

참조 영사교민국장

제목 UR/농산물협상 및 EC와의 양자협의참가

스위스 제네바에서 개최되는 UR/농산물협상 및 EC와의 양자협의에 당원대표를 아래와 같이 통보하오니 해외출장에 따른 필요 조치를 취하여 주시기 바랍니다.

- 아 래 -

가. 출장자

소 속	직 위	성 명
대외경제조정실	사무관	정 부경

나. 출장목적: UR/농산물협상 및 EC와의 양자협의 참석

다. 출장지: 스위스 제네바

라. 출장기간: '91.3.10 - 3.20

마. 여행경비: 당원부담

첨부: 출장일정 1부. 끝.

경 제 기 획 원 장 관

0178

91- 3- 8 ; 11:05 ; #: 2/ 3

출 장 일 정

'91. 3. 10(일)	12:40	서울발 (KE 901)
	18:10	파리 착
	20:45	파리 발(SR 729)
	21:45	제네바 착
3. 11 ~ 3. 15	UR/농산물 협상	
3. 17(일)	08:55	제네바 발(SN 792)
	10:10	브랏셀 착
3. 18 ~ 3. 19	EC와의 농산물관련 양자협의	
3. 19(화)	17:00	브랏셀 발(A 131)
	17:00	런던 착
3.19(화)	19:30	런던 발(KE 908)
3.20(수)	17:40	서울 착

0179

:# 3/ 3　　91- 3- 8 : 11:06 :

10364

기 안 용 지

분류기호 문서번호	통기 20644-	(전화 : 720 - 2188)	시 행 상 특별취급	
보존기간	영구. 준영구 10. 5. 3. 1.	장	관	
수 신 처 보존기간				
시행일자	1991. 3. 8.			

보조기관			협조기관	문서통제
국 장				1991. 3.
심의관				
과 장	전 결			
기안책임자	송 봉 헌			발 송 인

경 유 수 신 참 조	수신처 참조	발신명의		발송 1991. 3 11
제 목	UR/농산물협상 정부대표 임명 통보			

91.3.11-15간 스위스 제네바에서 개최되는 UR/농산물협상 주요국 협의에 참가할 정부대표가 "정부대표 및 특별사절의 임명과 권한에 관한 법률"에 의거 아래와 같이 임명 되었음을 알려 드립니다.

- 아 래 -

1. 회 의 명 : UR/농산물 협상 주요국 협의

/뒷면 계속/

0180

2. 회의기간 및 장소 : 91.3.11-15, 스위스 제네바

3. 정부대표

ㅇ 농림수산부 농업협력통상관 조일호

ㅇ 경제기획원 통상조정2과 사무관 정무경

ㅇ 농림수산부 농업협력통상관실 행정주사 최대휴

(자 문)

ㅇ 한국농촌경제연구원 부원장 최양부

ㅇ 한국농촌경제연구원 연구원 김한호

4. 출장기간 : 91.3.10-20 (10박11일)

5. 소요예산 : 소속부처 소관예산

6. 출장 결과 보고 : 귀국후 20일이내. 끝.

수신처 : 경제기획원장관, 농림수산부장관

0181

	분류번호	보존기간

발 신 전 보

번 호 : WEC-0135 910309 1140 AQ 종별 : 암호발신

수 신 : 주 EC 대사. 총영사

발 신 : 장 관 (통 기)

제 목 : UR / 농산물 협상

91.3.11-15간 제네바에서 개최되는 UR 농산물 협상 주요국 협의에 참가하는 정부 대표가 EC의 CAP 개혁 논의 동향 및 UR/농산물 협상 전망등에 대해 EC 집행위 관계관과 의견 교환을 위해 귀로에 아래와 같이 귀지 방문 예정이니 참고바람. (일정은 귀관 관계관을 통해 주선 중이라 함)

1. 출장직원
   - o 농림수산부 농업협력통상관 조일호
   - o 경기원 통상조정2과 사무관 정무경
   - o 농림수산부 농업협력통상관실 행정주사 최대휴
   - o 농촌경제연구원 부원장 최양부
   - o 농촌경제연구원 연구원 김한호
2. 귀지 도착/출발일정
   - o 브랏셀 도착 : 3.17.(일) 10:00 (SN-792)
   - o 런던 향발 : 3.19.(화) 17:00 (AE-131)
3. 희망 일정
   - o CAP 개혁 및 UR/농산물 협상을 담당하는 EC 집행위 국장급 인사 면담. 끝.

(통상국장 김삼훈)

보안 통제	

앙 고 재	91년 3월 9일	통상기구과	기안자 성명		과 장	심의관	국 장		차 관	장 관
			송봉헌			전결	전결			

외신과통제

0182

	분류번호	보존기간

발 신 전 보

번 호 : WGV-0288 910309 1141 AQ 종별 : 암호발신

수 신 : 주 제네바 대사. 총영사

발 신 : 장 관 (통 기)

제 목 : UR / 농산물 협상

연 : WGV-57

1. 91.3.11-15간 귀지에서 개최되는 UR 농산물 협상 주요국 협의에 아래 대표를 파견하니 귀관 관계관과 함께 참석토록 조치바람.

   o 농림수산부 농업협력통상관 조일호

   o 경기원 통상조정2과 사무관 정무경

   o 농림수산부 농업협력통상관실 행정주사 (자문) 최대휴

   o 농촌경제연구원 부원장 최양부

   o 농촌경제연구원 연구원 김한호

2. 금번 회의에서 논의될 국내보조 분야에 대하여는 연호 아국의 새로운 협상 입장이 충분히 반영될 수 있도록 아래 기본입장과 본부대표가 지참하는 쟁점별 세부입장에 따라 적의 대처바람.

   가. 감축대상 및 허용대상 보조 결정 방법

      o 감축대상 보조를 먼저 결정하고 나머지는 모두 허용보조로 분류하는 것이 바람직 하나, 허용대상 보조 및 조건을 구체적으로 먼저 설정하고 나머지는 감축대상 보조로 분류하자는 것이 다수 의견이므로 허용대상 보조에 아국 입장이 반영되도록 적극 대응

보안 통제	

앙 고 재	91년 3월 9일	통상기구과	기안자 성명		과 장	심의관	국 장		차 관	장 관
			송봉헌							

외신과통제

0183

나. 허용대상 보조범위 및 조건

o 사무국 작성 Checklist 7항에 나열된 허용대상 보조외에 하기 보조도 포함되는 것이 바람직

- 농업구조 및 하부구조 개선 보조
- 식량안보등과 같은 농업의 비교역적 기능 달성에 필요한 적정수준의 농업 유지 목적의 보조등

o 허용대상 보조 분류 조건 완화 필요

o AMS 활용을 통한 국내보조 감축시 하기사항 반영 필요

- 시장가격 지지 계산시 국경보호 효과 배제(실제 정부지원만 고려)
- 국내 기준가격은 정부지지 가격 채택
- AMS 계산에서 생산 통제 비율 및 수입비율을 차감 (식량안보 및 수입국 우대 고려)
- 실제 정부지원을 기준으로 AMS 5% 미만의 경우 감축의무 면제
- 인플레를 고려한 실질가치 표시

o 상한설정 및 감시(surveillance)는 수용 곤란. 끝.

(통상국장 김삼훈)

0184

원 본

외 무 부

종 별 :

번 호 : GVW-0453 일 시 : 91 0313 1000

수 신 : 장관(통기,경기원,재무부,농림수산부,상공부)

발 신 : 주 제네바 대사

제 목 : UR/ 농산물 주요국 비공식 회의(1)

3.11(월) 16:00 개최된 표제 협상 주요국 비공식회의 요지 하기 보고함.

(본직, 농림수산부 조국장, 농경연 최 부원장, 천농무관 참석)

1. 회의 성격

- 던켈총장은 이번회의가 순수한 기술적 사항을 토론하기 위한 것임을 강조하고, 가급적 정치적 결정을 요하는 사항이나 기존의 입장에 크게 구속됨이 없이 여러가지 대안을 충분히 검토할수 있게 협조해 줄것을 당부함.

- 앞으로 회의 진행은 제시한 의제를 항목별로 검토해 나가되 각국의 특별한 관심사항은 별도로 제기할수 있음을 언급함.

2. 금일 회의에서는 허용 및 감축대상 정책의 적용범위 (3항), 점검방법(4항),감축 대상 정책과 허용대상 정책의 구분 방향 (5항)에 관한 토의가 있었음.

가. 3항

- 미국, 이씨, 케언즈 그룹 국가, 일본등은 허용대상 정책을 정의할 필요성이 있다고 하고, 향후 새로이 도입되는 정책에 대하여도 이러한 기준이 적용되야 함을제기함.

- 보조금 상한 설정에 대하여는 미국, 일본등 다수국가가 정책의 가변성, 실제운용상 애로등을 들어 상한 설정이 어렵다는 의견을 제시하였고 이씨 및 북구는 국내보조 총액에 대한 상한을 설정하자고 함.

나. 4항

- 점검 (MONITORING) 에 대하여는 어떤 형식으로든 필요성이 있다는 의견이 지배적이었으나, 일본은 허용정책은 점검 대상이 되어서는 않된다고 하였고 미국은점검보다는 국별이행 계획(COUNTRY PLAN) 을 검토 (REVIEW) 하는 방식을 제시하였음.

통상국 경기원 재무부 농수부 상공부

PAGE 1

91.03.13 22:19 DA

외신 1과 통제관

0185

- 사전 인준 (PRIOR RATIFICATION) 에 대하여는 대부분 국가가 반대입장을 표명하였음. 카나다는 분쟁해결과 관련 시켜 사전 인준 필요성을 언급함.

다. 5항

- 일본은 감축대상을 먼저 정하고 나머지를 허용대상 정책으로 하자는 종전입장을 주장하였고, 카나다, 미국등 다수국가는 허용대상 정책을 먼저 정하고 나머지를감축대상으로 하자고 함.

- 아국은 협상을 촉진시키고 농정개혁의 기본목적인 교역에 영향을 주는 보조금감축을 효과적으로 추진하기 위해서는, 먼저 감축대상 정책을 정하고 나머지를 허용정 책으로 하는것이 좋을 것이라고 발언함.

- 이씨는 허용정책 리스트를 제시하는 것도 좋은방법이나 협상의 효율성 측면과실제 운용측면에서 볼때 아국이 제시한 접근 방법이 유용한 것이며, 이렇게 할 경우 허용정책에 대한 점검의 필요성이 있다고 언급함.

3. 향후 회의 계획

3.12(화)은 이사회가 개최되므로 3.13(수) 부터 표제회의를 속개하기로 함.

끝

(대사 박수길-국장)

원 본

외 무 부

종 별 :

번 호 : GVW-0466 일 시 : 91 0314 1030

수 신 : 장관(통기, 경기원, 재무부, 농림수산부, 상공부)

발 신 : 주 제네바 대사

제 목 : UR/ 농산물 주요국 비공식 회의(2)

연: GVW-0453

3.13(수) 09:30 속개된 표제 협상 주요국 비공식회의 요지 하기 보고함.(농림수산부 조국장, 농경연최부원장, 천농무관 참석)

1. 제 6항(허용정책 설정 방법)

- 허용 정책을 설정함에 있어 대상 정책을 열거할 것인지 또는 기준(CRITERIA)를 정할것인지 문제에 대하여 아국 포함 대다수 국가가두가지를 혼용해야 함을 주장함. 미국은 기준(CRITERIA) 설정 방법을 선호함.

2. 제 7항(정책 예시) 및 제 8항(인정정도)

- 정책예시에 대하여는 일반자원, 재해구호, 국내식량 원조, 자원 사용전환, 식량 재고,환경 및 자원보전문제에 대해서는 허용정책에 포함되는데 별 논란이 없었음.따라서 이에 대하여 사무국이 보다 명확한 개념을 규정한 자료를 마련하기로 함.

- 지역 개발, 소득지원, 부자지원, 생산요소에 대한 보조, 구조조정 및 하부 구조에 대한 지원등에 대하여는 감축대상 정책 요소가 포함되는 여부를 별도로 검토키로 하였음.

- 부자 지원과 구조조정 및 하부 구조에 대한 지원에 대하여 미국은 감축대상 정책으로 할 것을 제의하였으나 아국을 비롯 일본, 북구, 이씨,스위스, 오지리 및 인도, 페루, 태국등 일부개도국은 구조 조정 및 하부 구조에 대한 지원, 부자지원등이농업 개혁의 핵심적인 사항임을 강조하여 허용되어야 함을 주장함.

- 부자 보조와 생산요소에 대한 지원 구조조정 및 하부구조에 대한 지원등은 개별 정책이기보다는 전반적인 정책지원 수단이라는 점을 들어 미국이 이를 허용 정책에포함시키기 곤란하다고 하였는바, 아국은 구조조정 및 하부 구조에 대한 지원의

통상국 2차보 경기원 재무부 농수부 상공부

PAGE 1

91.03.14 22:46 DN

외신 1과 통제관

0187

중요성을 들어 이를 독립된 정책 분야로 취급할것을 제의하였으며, 이에 대하여 이씨, 북구, 멕시코가 지지를 표명함.

- 북구는 소득안전 보장정책을 소득지지 정책(INCOME SUPPORT PROGRAM) 으로 재정의하고, 구조조정및 하부구조에 대한 지원을 구조조정(STRUCTURALADJUSTMENT) 정책으로 하자고 제안하였고, 이씨는 투자 지원을 투자 촉진 정책(INVESTMENT PROMOTIONPOLICY) 로 할것을 제안하였으며, 일본은 농업정책이 명확히 규정되기 어려운 점을들어 투자지원 및 생산요소 보조를 허용대상으로 해야 함을 주장함.

- 미국 및 이씨는 조세감면이 협상 대상이 아님을 들어 논의하지 말자고 하였는바, 케언즈 그룹국가는 포함시켜 논의하자고 함.

- 개도국의 발전을 위한 농업지원과 관련해서는 인도, 페루, 브라질 등 대부분 개도국이 약속 수준, 기간등에 있어 충분한 우대조치가 있어야 함을 주장함.

3. 제 9항(기준설정)

- 드쥬 의장협정 초안에 제시된 기준이 지나치게 엄격하여 허용 대상 보조정책을 인정하는 자체를 무의미하게하며, 현실적으로 실천 가능성이 적음을 들어 무역 왜곡효과를 기준으로 해서 판단해야 할것임을(아국, 이씨, 북구, 스위스, 오지리, 일본,페 루, 멕시코등)이 주장하였음.

- 이에 대하여 미국 및 뉴질랜드등 케언즈 그룹국가는 기준 적용의 필요성을 강조하였고, 카나다는 드쥬 의장 합의 초안에 제시된 기준을 이용하되 추가적인 세부 기준이 있어야 운용가능할 것이라고 함.

4. 던켈 총장 언급요지

- 던켈 총장은 개도국 우대문제를 3.14(목)회의시 재론하고 제 9항 (기준설정)에 대하여는 사무국이 금일 토의를 기초로 자료를 제시하도록 함.끝

(대사 박수길-국장)

PAGE 2

0188

김(송) 심의관실

원 본

외 무 부

종 별 :

번 호 : GVW-0478 일 시 : 91 0315 1130

수 신 : 장관(통기,경기원,재무부,농림수산부,상공부)

발 신 : 주 제네바 대사

제 목 : UR/ 농산물 주요국 비공식 회의(3)

연: GVW-0466

3.14(목) 속개된 표제협상 주요국 비공식 회의요지 하기 보고함.

1. 허용대상 정책 기준(제 9항) 및 일탈 인정범위(제 10항)

0 허용 기준 일탈(DEROGATION) 과 관련 모든국가에 전반적으로 인정할수 있는 기준 (UNIVERSALLY APPLICABLE CRITERIA) 이 필요하다는 미국, 이씨, 오지리 등의 주장에 대하여, 북구, 우루과이, 알제틴등은 국별로 각국 실정에 따라 인정될수 있도록 하자고 주장함.

0 이와 관련 허용대상 정책 기준 일탈이 필요한것은 정책기준 자체가 지나치게 엄격하기 때문임을 북구, 스위스등이 지적하였고 핀랜드등 다수국가가 기준완화 문제를 재론하였음.

- 핀랜드는 허용기준 1은 수용할수 있으나 기준 2는 환경보전 정책과 소득 지지정책에 적용하기 어렵고, 기준 3은 모든 정책에 적용할수 없으며, 기준 4는 지역개발에 적용할수 없다고 함.

0 아국은 허용정책 논의에 혼선을 초래하는 이유가 허용기준 설정의 부적절함에있음을 지적하고 감축대상 정책의 기준을 원용하여 혼선을 피해야 할 필요성이 있다고 하였음.

- 이에 대하여 던켈 총장은 정치적 판단을 요하는 대안으로서 검토할 필요성이 있다고 언급함.

2. 개도국 우대

0 브라질, 칠레, 인도, 멕시코등 개도국은 개도국의 농업 개발 정책 수행을 위해서는 별도의 허용정책 (GREEN BOX) 을 인정하거나 개도국의 농업 개발 정책에 대하 여는 허용기준을 적용시키지 않도록 하는 조치가 필요하다고 주장하였음.

통상국 2차보 경기원 재무부 농수부 상공부

PAGE 1 91.03.16 10:50 DA

외신 1과 통제관

0189

0 미국 및 이씨는 개도국에 대하여도 무역 왜곡효과를 적게하는 허용기준 적용이 필요하며, 개도국 우대 문제는 감축대상 정책 범위, 기간, 삭감폭과 관련 논의하자고 함.

0 아국은 개도국에 대하여는 농업 개발을 위한부자 지원등 제반 정책 수행이 가능하도록 허용되어야 개도국에 대하여는 허용 기준 적용이 부적정함을 주장하였음.

0 던켈 총장은 사무국이 개도국 의견을 수렴, 별도 자료를 준비하도록 함.

3. 차기 회의

0 3.15 (금) 속개되는 회의에서는 AMS 에 대하여 논의하고, 차기 회의는 4.15-19 기간중에 개최하여 국내 보조 잔여부분과 시장 접근에 대하여 논의키로함. 끝

(대사 박수길-국장)

원 본

외 무 부

종 별 :

번 호 : GVW-0483 일 시 : 91 0315 1700

수 신 : 장 관(통기,경기원,재무부,농림수산부,상공부)

발 신 : 주 제네바 대사

제 목 : UR/ 농산물 주요국 비공식 회의(4)

연: GVW-0478

3.15(금) 속개된 표제 협상 주요국 비공식 회의요지 하기 보고함.

1. AMS 역할(B 의 제 11항)

- AMS 의 역할을 기본적으로 정치적 결정요소이나 AMS 의 역할이 설정되지 않고서는 구체적 토의가 어렵다는 점을 스위스, 카나다, 이씨등이 지적하였음.

- 일본, 이씨, 아국, 북구, 인도, 태국등은 AMS가 감축대상 보조금을 정하는데 활용되야 함을 주장하였음. 이에 대하여 미국, 호주 및 카나다는 허용정책이 명확히 규정되지 않은 상황에서는 AMS 의 역할 자체를 논의하기 보다는 우선 기술적으로 AMS 의 계측치 자체가 농업지지 및보호 정책의 상호 연계성 때문에 국내 보조만을 따로이 다루기 어렵다고 한데 대하여 미국은 AMS 의 기술적 문제만을 논의하자고 하면서 국내 보조를 모두 포괄한 TOTAL AMS 개념이 분명히 정립되지않을 경우 의회등 정책 결정자들에게 이해시키기 어렵다는 점을 들어 TOTAL AMS 를 논의하자고함.

0 던켈 총장은 AMS 는 감축대상 정책을 전제한다는 가정하에 논의를 진행시키고자 제시함.

2. 기준 싯점(제 12항)

- 이씨, 일본은 CREDIT 인정과 관련 86 년을 주장하였고, 미국 및 카나다는 정치적 결정사항이므로 현단계에서 논의하기 부적합하다고 함.

3. 감축대상 보조금의 기준(제 13항)

- 대부분 국가가 기준의 조정 또는 완화가 필요함을 제기하였음.

0 스위스는 기준 2 (직접 지불)를 현재대로 수용하기어렵다고 하였음. 일본은 기준 2와 관련 생산조절을 위한 직접 지불이 감축대상에서 제외되야 한다고 하였고 기준 3 (생산요소 및유통비용 감축)과 관련, 구조 조정을 위한 투융자정책, 유통시설 개선

통상국 2차보 경기원 재무부 농수부 상공부

PAGE 1

91.03.16 10:03 WG

외신 1과 통제관

0191

정책 및 이차보전은 무역왜곡 효과가 없는한 감축대상에서 제외되야 한다고 함.

0 인도는 개도국의 경우 기준1 (시장가격지지), 기준 3에 대해서 예외를 인정해줘야한다고 하였고, 태국은 현행 기준 이외의 무역 왜곡 효과를 일으킬수 있는 기카요소를 기준 4로 신설해야 한다고 주장함.

0 아국은 감축대상 보조금만을 대상으로 AMS 를 산출해야 하며, 감축대상 분류기준 13항에 제시된 대로 하기는 어렵고 무역에 대한 왜곡효과가 객관적 이고 개별적으로 확인될수 있도록 개념이 정립되야 함을 발언하였음.

0 북구는 AMS 계측은 감축대상 보조에 국한해야 하고 이경우 허용대상 정책에 대한 방향 정립이 먼저 전제되어야 한다는 점을 들어구체적 의견 제시를 유보함.

- 덩켈 총장은 AMS 의 역할에 대한 문제를 현단계에서 더 이상 논의하지 말자고 하면서 차기회의시 (4.15 주간)는 제 14항 이후의 문제와 관련된 기술적인 사항을 논의하자고 함.

4. 관찰 및 평가

- 농산물 협상의 3대 주요 쟁점 (국내보조,국경조치, 수출경쟁)중 금차회의때 논의된 국내보조는 비교적 첨예한 대립이 적은 분야인 관계로 순조롭게 토의가 진행될수 있었음.

- 그러나 AMS 역할등 주요 쟁점에 이르러서는 각국입장의 변화가 없어 논의의 진전이 어려웠으며, 협상 대안을 마련하고자 하는 동 회의목적 달성이 쉽지 않을 것으로 관측됨.

- 아측은 기술적 논의를 위한 회의인점을 감안, 아국입장을 전면에 내세우기 보다는 객관적 입장에서 논의의 논리적 일관성, 실행가능성을 기초로 토의에 참여하여 많은 국가로부터의 공감을 얻을수 있었다고 평가되며, 향후 회의에서 시장접근등에 대하여도 아국 입장을 기초로한 논리적 접근이 필요한 것으로 판단됨.끝

(대사 박수길-국장)

PAGE 2

0192

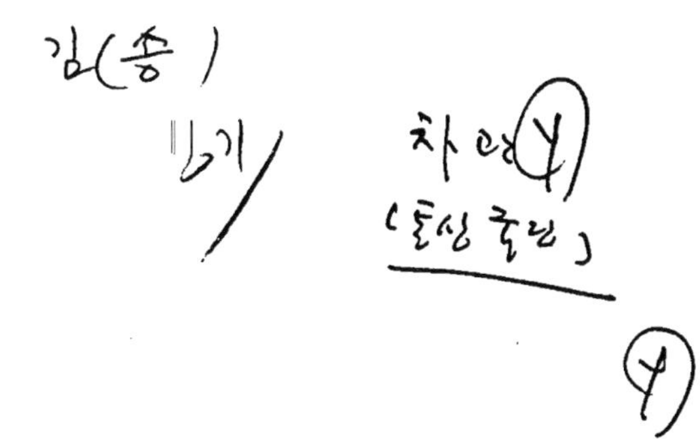

외무부장관님 귀하

o 1991. 3.14. 국무총리의 주례보고시,
대통령께서 당부하신 사항을 별첨과 같이
보내드리오니, 소관업무 수행에 참고하시기 바라며,

o 조치가 필요한 사항에 대해서는 필요한 조치를
취하시고 그 내용을 통보하여 주시기 바랍니다.

첨 부 : 국무총리 주례업무보고시
대통령께서 당부하신 사항 1부. 끝.

1991. 3.16.

국 무 총 리
명에 의하여 행정조정실장 심대평

0193

國務總理週例報告時，大統領當付말씀

(91. 3.14)

題 目	當 付 말 씀	所管部處
1.公明選擧管理 및 國政推進 徹底	ㅇ 지난 3.5地方議會 選擧實施에 대한 發表以後 公明選擧에 대한 政府意志 表明과 可視的 努力으로 言論을 비롯한 各界各層에 共感帶가 널리 形成되고 있어 다행임. ㅇ 우리는 어떠한 일이 있더라도 이번選擧를 公明正大하게 치루어 地方自治를 반드시 成功시켜 民主制度의 完成을 成就하고 지난날의 選擧와 확연히 다른 選擧革命을 이룩하여 民主發展의 새 장을 열어 나가야 함. ㅇ 內閣에서는 3.13 立候補者 登錄 마감에이어 오늘(3.14)부터 選擧運動이 本格化되는 重要한 時期인 만큼 不法.墮落.無秩序한 行態가 다시는 나타나지 않도록 指導.團束活動은 물론 公明選擧雰圍氣가 維持되는 가운데 國民的 選擧參與도 높게 나타날 수 있도록 힘써야 할것임. 또한 앞으로의 政治日程이나 民主化 趨勢에 비추어 選擧가 자주있을 것이기 때문에 政府는 從前처럼 選擧雰圍氣에 들뜨지 말고 施策은 活氣차게 推進하고 法과 秩序, 社會紀綱 確立에 最善을 다하는등 의연하게 일하는 모습을 견지해야 함.	<主管> 內務部 서울特別市 <關聯> 全部處

0194

-1-

題　目	當　付　말　씀	所管部處
	○ 이번 選擧를 통해 얻은 敎訓을 기록으로 남겨 새로운 選擧文化의 龜鑑이 되도록 選擧管理委員會등 關係機關과 緊密히 協調, 6.29宣言부터 選擧에 이르기까지의 過程, 選擧過程에서 나타난 問題点과 改善方向, 敎訓등을 體系的으로 綜合 整理하여 白書를 發刊하는 問題를 檢討해 보기 바람.	
2. 農漁村自立化施策의 積極推進	○ 最近 地方巡視時 農漁村 自立化施策을 積極 推進하도록 強調 指示한 바 있음. ※ 農村問題는 長期的으로는 반드시 克服해야 할 課題로서 政府의 各種 支援施策도 重要하지만 농어민의 자발적인 對處努力도 重要하므로 政府의 對處意志와 努力을 積極 弘報하고 농어민의 어려움을 폭넓게 收斂 反映토록 指示 ○ 政府에서 農漁村綜合發展計劃을 樹立.推進하고 있음에도 90.12 輿論調查結果 "政府는 農漁村發展을 위해 努力하고 있다 38.2%, 努力하지 않고 있다 57.8%"로 나타난 바와같이 農産物輸入開放과 UR協商등에 대해 농어민들의 걱정이 많은것 같음. 이는 農業과 農村問題가 우리에게 있어 어려운 問題이기도 하겠지만 政府가 農漁村對策에 대한 弘報努力이 未洽하고, 그 施策도 可視化되지 못한데 있지 않나 생각됨.	<主管> 經濟企劃院 農林水産部 <關聯> 經濟部處

0195

題　　目	當　　付　　발　　씀	所管部處
	ㅇ 內閣에서도 農業發展綜合對策을 關係機關에서 研究.檢討하고 있는 줄 알 고 있으나 이를 早速 確定시키고 弘報活動은 물론 그 實踐에 萬全을 기해야 하겠음. 이는 經濟副總理가 責任을 지고 잘 推進하겠지만 實質的이고 說得力있는 對策이 나오도록 總理도 農村問題解決에 恪別한 關心갖고 對處해 주기 바라며, 아울러 오늘 午前 報告되고 指示한 "製造業의 競爭力 強化方案"도 하루속히 施行될 수 있도록 恪別한 關心을 가지고 챙겨 주기 바람.	

0196

외 무 부

종 별 :

번 호 : GVW-0509 일 시 : 91 0319 1750

수 신 : 장 관(통기,경기원,재무부,농림수산부,상공부,특허청)

발 신 : 주 제네바 대사

제 목 : UR/ 협상 비공식 협의 일정

연: GVW-0375

연호 일정이후 계속되는 DUNKEL 사무총장 (TNC 고위급 의장) 주재 비공식협의 일정은 아래와 같음.

- 3.20(수): 분쟁해결.최종의정서
- 3.21(목): 시장접근
- 3.25(월)-26(화): 규범제정
- 3.26(화): 향후 협상 계획
- 4.8(월)-12(금): 써비스
- 4.15(월)- 19(금): 농산물. 끝

(대사 박수길-국장)

통상국 2차보 경기원 재무부 농수부 상공부 특허청

PAGE 1

91.03.20 10:01 WG

외신 1과 통제관

0197

UR/농산물 협상 국내보조 분야 주요국

비공식 협의(91.3.11-15) 결과 요지

1991. 3.22.
동상기구과

1. 허용 및 감축대상 정책 범위

쟁 점	주 요 국 입 장	비 고
허용대상 정책 정의 필요성	o 대다수 국가 : 지지	- 향후 신규 도입 정책에도 적용
보조금 상한 설정	o 미국, 일본등 다수국가 : 반대 o EC, 북구 : 지지	
허용대상 정책 감시(Monitor-ing) 필요성	o 대다수 국가 : 어떤 형태로던 필요 o 일본 : 반대 o 미국 : Monitoring 보다는 Country plan을 review 하는것이 바람직	
허용대상 정책 사전 승인 (prior ratific-ation) 필요성	o 대다수 국가 : 반대 o 카나다 : 분쟁해결 관련 필요	
허용/감축대상 정책 결정 방법	o 대다수 국가 - 허용대상을 먼저 정하고 나머지는 감축대상으로 분류 o 일 본 - 감축대상을 먼저 정하고 나머지는 허용대상으로 분류 o 아 국 - 협상 촉진등을 위해 감축대상을 먼저 정하고 나머지는 허용대상으로 분류 (EC 지지)	
허용대상 정책 설정 방법	o 대다수 국가 : 열거 및 기준설정 혼용 지지 o 미국 : 기준설정 선호	

0198

쟁 점	주 요 국 입 장	비 고
대상정책별 허용 여부	o general services, 재해구호, 국내식량 원조, 자원사용 전환, 식량비축, 환경보전용 보조 허용 여부 - 대다수 국가 : 지지 o 지역개발, 소득안전대사업, 투자지원, 생산요소 지원, 구조조정 및 하부구조 개선용 보조 허용 여부 - 대다수 국가 : 감축요소 포함 여부 별도 검토 필요 ※ 투자지원, 구조조정 및 하부구조 개선용 보조 허용 여부 - 미국 : 반대 - 아국, 일본, 북구, EC, 스위스등 수입국 및 인도등 일부 개도국 : 지지	
개도국 우대	o 인도등 다수 개도국 - 감축수준, 기간등에서 충분한 우대 필요	
기준 설정 (De Zeeuw 초안 내용 기준)	o 아국, EC, 북구, 일본등 수입국 - De Zeeuw 초안 내용은 지나치게 엄격해 허용대상 정책을 인정하는 취지를 무의미하게 하므로 무역 왜곡 효과를 기준으로 판단 필요 o 미국, 케언즈그룹 - De Zeeuw 초안 기준 적용 필요 o 카나다 - De Zeeuw 초안 내용을 기초로 하되 세부 기준 운용 가능	
허용대상 정책 기준 및 일탈 (derogation) 인정범위	o 미국, EC, 오지리 - 모든국가에 전반적으로 적용 될수 있는 기준 필요 o 북구, 알젠틴, 우루과이 - 국별 실정에 따라 개별적 일탈 가능	※핀랜드등 다수 국가 : 허용기준 완화 필요
개도국 우대	o 브라질, 멕시코등 개도국 - 개도국에 대하여는 별도의 허용정책을 인정하거나 기준완화 필요 o 미국, EC - 감축대상 정책범위, 기간, 감축폭과 관련하여 논의 필요	

0199

2. AMS

쟁 점	주 요 국 입 장	비 고
AMS의 역할	o 아국, 일본, EC, 북구등 - 감축대상 보조금에 활용 o 미국, 호주, 카나다 - AMS 계측치의 국내보조, 국경보호의 연계성으로 인해 AMS의 역할이 정해지지 않은 현단계에서는 기술적 문제와 논의 필요 . 미국 : Total AMS 필요	
기준싯점	o EC, 일본 : 86년 o 미국, 카나다 : 정치적 결정사항	
감축대상 보조금 기준	o 대다수 국가 : 기준 완화 또는 조정 필요 ※ 일본 : 생산조정용 직접지불과 구조조정용 투융자정책, 유통시설 개선정책등은 무역왜곡 효과가 없는한 감축대상에서 제외 필요	

0200

원 본

외 무 부

종 별 :

번 호 : GVW-0579 일 시 : 91 0327 1900

수 신 : 장 관(통기,경기원,재무부,농림수산부,상공부)

발 신 : 주 제네바 대사

제 목 : UR/ 농산물 주요국 비공식 회의

4.15-19 기간중 개최 예정인 표제회의 소집통지서를 별첨 FAX 송부함.

첨부: UR/농산물 주요국 비공식 회의 소집통지서 1부. 끝

(WGV(F)-110)

(대사 박수길-국장)

통상국 2차보 경기원 재무부 농수부 상공부

PAGE 1

91.03.28 08:50 WG

외신 1과 통제관

0201

1991-03-27 19:48 KOREA MISSION GENEVA 2 022 791 P.04
MAR-27-'91 11:13 ID: 0041 22 731 42 05 TEL NO: GATT GENEVE #019 P01

GATT FACSIMILE TRANSMISSION

GVW(F)-0110 10327 1900

Centre William Rappard — Telefax: (022) 731 42 06
Rue de Lausanne 154 — Telex: 412324 GATT CH
CH-1211 Genève 21 — Telephone: (022) 739 51 11

GVW-579

TOTAL NUMBER OF PAGES 1 Date: 25 March 1991
(including this preface)

From: Arthur Dunkel
Director-General
GATT, Geneva

Signature: A. Dunkel

To:

ARGENTINA	H.E. Mr. J.A. Lanus	Fax No:	798 72 82
AUSTRALIA	H.E. Mr. D. Hawes		733 65 86
AUSTRIA	H.E. Mr. F. Ceska		734 45 91
BRAZIL	H.E. Mr. R. Ricupero		733 28 34
CANADA	H.E. Mr. J.M. Weekes		734 79 19
CHILE	H.E. Mr. M. Artaza		734 41 94
COLOMBIA	H.E. Mr. F. Jaramillo		791 07 87
COSTA RICA	H.E. Mr. R. Barzuna		733 28 69
CUBA	H.E. Mr. J.A. Pérez Novoa		758 23 77
EEC	H.E. Mr. Trân Van-Thinh		734 22 36
EGYPT	Mr. M. El-Falaky		731 68 28
FINLAND	H.E. Mr. A.A. Hynninen		740 02 87
HUNGARY	Mr. A. Szepesi		738 46 09
INDIA	H.E. Mr. B.K. Zutshi		738 45 48
INDONESIA	H.E. Mr. H.S. Kartadjoemena		793 83 09
ISRAEL	H.E. Mr. I. Lior		798 49 50
JAMAICA	H.E. Mr. L.M.H. Barnett		738 44 20
JAPAN	H.E. Mr. H. Ukawa		733 20 87
KOREA	H.E. Mr. S. G. Park		791 05 25
MALAYSIA	Mr. Supperamanian Manickam		788 09 75
MEXICO	H.E. Mr. J. Seade		733 48 10
MOROCCO	H.E. Mr. M. El Ghali Benhima		798 47 02
NEW ZEALAND	H.E. Mr. T.J. Hannah		734 30 62
NICARAGUA	H.E. Mr. J. Alaniz Pinell		736 60 12
NIGERIA	H.E. Mr. E.A. Azikiwe		734 10 53
PAKISTAN	H.E. Mr. A. Kamal		734 80 85
PERU	Mr. G. Gutierrez		731 11 68
PHILIPPINES	H.E. Mrs. N.L. Escaler		731 68 88
POLAND	Mr. J. Kaczurba		798 11 75
SWITZERLAND	H.E. Mr. W. Rossier		734 56 23
THAILAND	H.E. Mr. Tej Bunnag		733 36 78
TURKEY	H.E. Mr. C. Duna		734 52 09
UNITED STATES	H.E. Mr. R.H. Yerxa		799 08 85
URUGUAY	H.E. Mr. J.A. Lacarte-Muró		731 56 50
ZIMBABWE	H.E. Dr. A.T. Mugomba		738 49 54

The next consultations on agriculture, to which your delegation is invited, will start at 3 p.m. on Monday, 15 April 1991, in Room E of the Centre William Rappard, and will continue throughout that week. Attendance is restricted to two persons per delegation.

PLEASE NOTIFY US IMMEDIATELY IF YOU DO NOT RECEIVE ALL THE PAGES

0202

** OUR FAX EQUIPMENT IS HITACHI HIFAX 210 (COMPATIBLE WITH GROUPS 2 AND 3) AND IS SET TO RECEIVE AUTOMATICALLY **

정 리 보 존 문 서 목 록					
기록물종류	일반공문서철	등록번호	2019080085	등록일자	2019-08-13
분류번호	764.51	국가코드		보존기간	영구
명 칭	UR(우루과이라운드) / 농산물 협상 그룹 회의, 1991. 전7권				
생 산 과	통상기구과	생산년도	1991~1991	담당그룹	다자통상
권 차 명	V.2 4-5월				
내용목차	* 2.26. TNC, Dunkel 사무총장 제안서 채택 4.25. TNC, 농산물 그룹 의장에 Dunkel 선임 6.12. Dunkel 현황 보고서 배포 6.24. Dunkel 대안(optional paper) 제시 8.2. Dunkel 대안(6.24.) 부록 배포 11.21. Dunkel working paper 제시 - 11.25. Dunkel 작업문 초안 관련 농림부 장관 서한 발송 12.13. Dunkel 의장 농산물 협상 협정 초안 배포 - 12.17. 민감품목 관세화 예외 인정 수정 제안 사무총장앞 서면 제출				

0001

농 림 수 산 부

국협20644- 765 503-7227 1991. 4. 6.

수신 외무부장관

참조 통상국장

제목 UR 농산물협상에 관한 한.일간 비공식협의

1. '91.2.26 TNC회의에서의 UR협상재개 결정에 따라 농산물협상은 '91. 3. 1부터 재개되어 주요의제의 기술적 쟁점에 대한 협의를 진행중이며 일단 6월부터 핵심쟁점에 대한 협의가 본격적으로 추진될 것으로 전망됩니다.

2. 향후 본격적으로 추진될 대비, 협상여건이 아국과 유사한 일본과의 협력체제를 강화하고 4.15-19간 개최예정인 UR농산물 주요국 비공식회의(국내보조 및 시장접근분야 기술적 쟁점협의)에 대비 양국간 의견교환과 쌀등 TNC품목에 대한 일본의 대책파악등을 위하여 다음과 같이 당부대표를 파견코자하오니 협조하여 주시기 바랍니다.

- 다 음 -

가. 당부대표 : 농업협력통상관실 국제협력담당관 최 용 규

나. 출장기간 : '91. 3. 8 - 10 (3일간)

다. 출 장 국 : 일본 (동경)

라. 주요활동계획 : 일본농무성 UR 농산물협상담당 관계관과의 비공식협의 추진

마. 소요경비

○ 국외여비 : $650 (1113-213)

○ 특별판공비 : $500 (1113-234)

- 비공식협의 추진을 위한 특별판공비

0002

첨부 출장일정 및 소요경비 내역

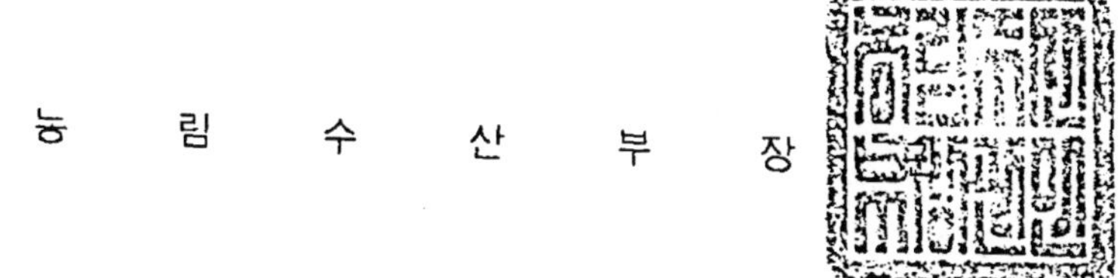

0003

여행일정 및 소요경비 내역

가. 여행일정

'91. 4. 8 (월) 10:30 서울발

12:30 동경착

9 (화) 일본농무성 방문 비공식협의

10 (수) 09:40 동경발

11:50 서울착

나. 소요경비 내역

(1) 국외여비

o 항공료 : $ 332

o 체재비

- 일 비 : $20 X 3일 = $ 60
- 숙박비 : $ 83 X 2 일 = $166
- 식 비 : $ 48 X 3일 = $144

소 계 $ 370

합 계 $ 584 (지변과목 : 1113-213)

(2) 특별활동비

- 비공식 협의 추진을 위하여 특별활동비를 지원 : $ 500

(지변과목 : 1113 - 234)

0004

발 신 전 보

	분류번호	보존기간

번 호 : WJA-1601 910409 1047 FN 종별 : 암호발신

수 신 : 주 일 대사. 총영사

발 신 : 장 관 (통 기)

제 목 : UR/농산물 협상

UR/농산물 협상 및 쌀시장 개방 문제에 대한 귀주재국 대처 동향 파악을 위해 농림수산부 국제협력담당관이 4.8-10간 귀지 출장중인 바, 귀주재국 농무성 관계인사 면담 결과중 참고사항 있으면 보고바람. 끝.

(통상국장 대리 최 혁)

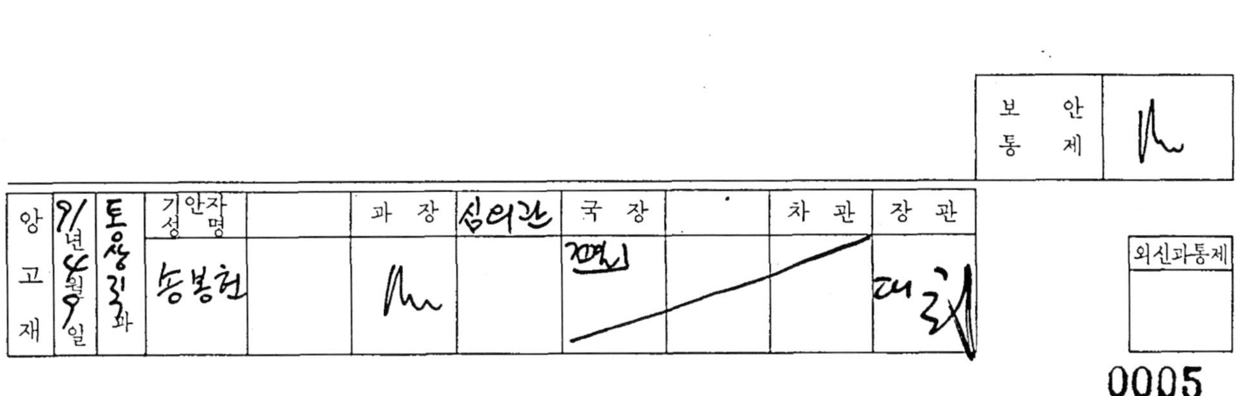

보안통제	

앙고재	91년 4월 9일	통상기구과	기안자 성명		과 장	심의관	국 장		차 관	장 관
			송봉헌				전결			대결

외신과통제

0005

원 본

외 무 부

종 별 :

번 호 : ECW-0319 일 시 : 91 0409 1530

수 신 : 장관 (통기,경기원,재무부,농수부,상공부,주제네바-직송필)

발 신 : 주 EC 대사

제 목 : GATT/UR 농산물 협상(자료응신 91-39호)

4.8. 당관 이관용 농무관은 OLSEN EC 표제 협상담당관을 접촉하여, 미.EC 간의 표제협상 관련 최근 동향을 문의한바 요지 하기 보 고함

1. 동인은 4.9. 미측의 표제협상 실무팀이 브랏셀을 방문하여 90년 하반기 양측이 갓트에 제출한 COUNTRY LIST 내용에 대하여 협의할 예정이라고 말함. 동 협의는 정치적 타협을 위한것은 아니며, 동 LIST 작성배경, 구체적으로 제시된 DATA 등의 확인등 TECHNICAL 한측면에 주안을 둘 것이라고 하며, EC 는 미국의 DEFICIENCY PAYMENTPROGRAMME 과 수출보조금과의 연관성등을 검토하고 있으며, 미측은 86-88 기간중 EC가 지급한 가격보조액, SMU 산정등에 관해 협의할 것이라고 말함

2. 이 농무관은 최근 미.EC 간에 국내보조금 감축을위한 BASE YEAR 및 감축폭에대한 비공식적인 협의 개최여부와 어떤 합의가 있었는지에 대하여 문의함. 이에대해동인은 금년에 들어와서 표제협상과 관련한 정치적 타협점을 모색하기 위한 미.EC 간 양자 협의는 가진바 없다고 말하고, EC 의 입장은 DUNKEL 갓트 사무총장이 매월 소집하고 있는 GREEN ROOM 협의에서 타협점을 찾는데 기여할 것이라고 답변함. 끝

(대사 권동만-국장)

통상국	2차보	정문국	안기부	경기원	농수부	상공부	재무부

PAGE 1 91.04.10 00:22 DN

외신 1과 통제관

0006

원 본

외 무 부

종 별 :

번 호 : GVW-0643 일 시 : 91 0409 1800

수 신 : 장 관(통기, 경기원, 재무부, 농림수산부, 상공부) Copy 1실 의전실

발 신 : 주 제네바 대사

제 목 : UR/ 농산물 주요국 비공식 회의

4.15 주간 개최 예정인 표제 협상 주요국 비공식회의시 논의 예정인 갓트 사무국이 작성한 주요문제 검토 자료를 별첨 송부함.

첨부: 주요문제 검토자료(시장접근 분야) 1부. (GVW(F)-119)

(대사 박수길-국장)

통상국 2차보 경기원 재무부 농수부 상공부

PAGE 1

91.04.10 09:26 WG

외신 1과 통제관

0007

GVW(가)-011호 1040A/1800
GVW-643 첨부 9.4.91

Agriculture

TECHNICAL WORK ON MARKET ACCESS

Suggested checklist of issues, by Arthur Dunkel

for the consultations on agriculture, 15-19 April 1991.

1. At the meeting of the informal group on 1 March 1991, it was agreed that the Chairman, on his responsibility, would prepare and circulate to participants checklists of technical issues to facilitate the work of the group. Following on from the first discussion on domestic support, this note contains a checklist of issues in the area of market access, including points of particular concern for developing countries and net food importing countries and those concerns relating to food security. It should be noted that the checklist is not exhaustive and nor is it intended to prejudge participants' positions on the issues to be discussed. Participants may wish to add specific points to the checklist, but it is not intended that the checklist itself be discussed.

2. The checklist is divided into five areas; the modalities of tariffication, the modalities of a possible special safeguard for agriculture, the modalities of a minimum access commitment, the treatment of existing tariffs and the reinforcement of GATT rules and disciplines.

A. Modalities of tariffication

3. The scope of tariffication is largely a political question and will not be discussed at present. It is hoped however, that participants will be able to discuss the modalities of tariffication that can be used in an agreed rôle at a later date.

4. The base year for the calculation of tariff equivalents is also largely a political question and will have to be decided in line with decisions taken elsewhere. It should be noted however that a technical issue does exist in this area, i.e. many participants have changed to the Harmonized System from other classification systems and, as a result, the availability of a consistent series of data is sometimes limited.

5. The replacement of non-tariff measures with tariffs ("tariffication") involves the estimation of an ad valorem or specific tariff rate. It is generally calculated using the difference between domestic and world prices for like products. The rationale for this is that the tariff equivalent is designed to represent the "value" of the non-tariff measures i.e. the tariff that, when applied to imports, reflects the actual price in the domestic market for the period in question. Is this an appropriate approach for our purposes? Are there alternative approaches?

6. If the price difference approach is to be followed, what external price should be used? Should the price be an actual price, such as the actual c.i.f. price for the product concerned, or should it be a representative price applicable to all participants?

15AG91.DOC

0008

7-1

7. Where such a price is not available or appropriate, what external price should be used to calculate the tariff equivalent? Is the price in a neighbouring country sufficient, or should a price be estimated from the f.o.b. price of a major exporting country (plus any transport cost or quality adjustments)?

8. What domestic price should be used to calculate the tariff equivalent e.g. the domestic market price, the domestic support price, the domestic intervention price, or the producer price etc.?

9. If the producer price is to be used as the domestic price, should it include any price related payments such as deficiency payments?

10. Where the quality of the imported product differs substantially from that produced domestically, how can it be ensured that the resultant tariff equivalent will be accurate? If qualitative adjustments need to be made, how can adjustment factors be calculated?

11. At what level of disaggregation should tariff equivalents be calculated? Should it be at the same level for all products e.g. the six digit level, or should it depend on the "principal" or "basic" component of the products?

12. How should the tariff equivalents for transformed/processed products or products at the more disaggregated levels be calculated? Should the tariff equivalents be based solely on the tariff equivalents of the "principal" or "basic" component of the products, or should the tariff equivalents be calculated using direct price comparisons for the products concerned?

13. Should the resultant tariff equivalents be expressed in ad valorem or specific terms?

14. What mechanisms are needed to ensure that the tariff equivalents calculated are accurate? Should other participants have the right to dispute tariff equivalent calculations?

15. What is the relationship between tariffs that are currently bound, but associated with NTMs, and the tariff equivalents that would replace them if the tariffication approach was to be followed? What, if any, special provisions are necessary when the tariff equivalents calculated are lower than existing tariffs? Should new tariff equivalents be bound?

16. The amount, if any, of reduction in tariff equivalents is a political question, but the modalities involve some technical issues. Such technical issues are largely the same as for the tariffs in tariff-only protection and are considered in Section D below. What if any, should be the relationship between such new tariff equivalents resulting from tariffication and existing tariffs as discussed in Section D?

B. Modalities of a possible special safeguard for agriculture

0009

15AG91.DOC 7-2

17. Is a special safeguard for agriculture a necessary part of the outcome of the negotiations?

18. If a special safeguard is necessary, what should be the scope of the special safeguard in terms of product coverage i.e. should the special safeguard only apply to products that have been tariffied? Should the special safeguard apply also to those products with prohibitively high tariffs? Should the special safeguard apply to all agricultural products?

19. When should the special safeguard begin to operate i.e. should it only be available after the reductions of tariffs or tariff equivalents have started, or should it be available immediately? How long should the special safeguard operate, only for the implementation period (i.e. the period of support etc. reductions resulting from the Uruguay Round), or permanently?

20. What should be the relationship between such a special safeguard and current GATT provisions, particularly Article XIX?

21. Should the special safeguard be triggered by:

(a) a quantity based trigger only;

(b) a price based trigger only;

(c) both a quantity and/or price based trigger?

22. If a <u>quantity based trigger</u> is to be used (either alone or along with a price based trigger), what level of imports should activate the special safeguard? Should imports within any quantitative restrictions or tariff rate quotas (see Section C below) be included in the total level of imports for the purposes of the trigger? How would the imports of processed products with agricultural components be handled? Should such a trigger be the same for all countries/commodities? Should there be other conditions that also have to be met to activate the special safeguard?

23. If a <u>price based trigger</u> is to be used (either alone or along with a quantity based trigger), what price should be used as the measure to activate the special safeguard? What movement in this price should allow the special safeguard to be used? Should such a trigger be the same for all countries/commodities? Should there be other conditions that also have to be met to activate the special safeguard? If the price is not expressed in national currency, should price changes resulting from exchange rate fluctuations be treated in any special manner? If so, how should they be handled?

24. If the special safeguard is triggered under either the quantity or price based trigger, what recourse should be able to be taken by the importing country? Should the recourse be to slow down the rate or any tariff or tariff equivalent reduction, or to return to an earlier step in the reduction process? Should the recourse be to increase ("snapback") the tariff or tariff equivalent by an agreed percentage or to an agreed maximum

15AG91.DOC

7-3

0010

level? Should recourse to quantitative restrictions be available? Should any special safeguard action affect imports under any quantitative restrictions or tariff rate quotas?

25. Should action taken under a special safeguard mechanism involve compensation? Should there be other restrictions on the product concerned, such as a prohibition on export subsidies, during the period when special safeguard action is being taken?

26. For how long should the special safeguard action continue? Should there be a limit to the number of actions that can be taken for a particular commodity within an [x] year period?

27. What notification provisions would be appropriate for importing countries taking or contemplating such special safeguard action? How can it be ensured that exporters have sufficient time to take action in the case of an importing country imposing special safeguards, in particular for perishable products?

C. The modalities of minimum access

28. The concept of minimum access is generally considered to cover two issues: the maintenance of current access opportunities; and the introduction of minimum access opportunities where there are little or no current access opportunities. (The latter, minimum access provision, does not include requirements under Article XI:2(c)i - this aspect is considered in Section E). The duration and possible expansion of such access opportunities are essentially political issues, but the modalities of any such expansion of access opportunities may need to be considered.

29. If current access opportunities are to be maintained, it seems that those opportunities are in the case of tariff-only protection and access opportunities subject to fixed finite limits (e.g. global or country-specific quantitative restrictions). In the case of restricted access opportunities not subject to finite limits however, (e.g. some access opportunities in variable levy systems or monopoly import regimes), how should the current access opportunity be evaluated? How can access opportunities be measured in the case of "voluntary restraint agreements", "voluntary export restraints" or like schemes?

30. How should such access opportunities be maintained, e.g. through the conversion of current mechanisms to tariff rate quotas? What tariff rate(s) should apply to such access opportunities? How should current allocations of restricted access be maintained to ensure no participant is "penalised" by any move to new import mechanisms? Where access opportunities are global in nature, are any specific measures necessary to ensure the non-discriminatory allocation of quotas to potential suppliers (this could be particularly important for perishable products)? Should the access be fixed at the "commodity" (e.g. the milk equivalent of all dairy imports) or tariff line level?

15AG91.DOC

7-4

0011

31. Should there be a requirement to introduce new (minimum) access opportunities where there are no current access opportunities or where current access opportunities are below some threshold level? If so, on what basis should the threshold level be measured e.g. a fixed percentage of production or consumption? How could such a level be converted into tariff quotas at the tariff line level? Should such access opportunities be global?

32. What tariff rate should apply to such access? How should such access opportunities be maintained, e.g. through tariff rate quotas? Where access opportunities are global in nature, are any specific measures necessary to ensure the non-discriminatory allocation of quotas to potential suppliers (this could be particularly important for perishable products)?

D. The treatment of products subject to existing tariffs only

33. This section concerns the treatment of current tariffs that are not associated with NTMs. In these cases, how should tariffs be reduced e.g. a linear approach, the use of a non-linear formula such as a harmonizing formula, request/offer with or without a target weighted average reduction, or a combination of these approaches? Should all such tariffs be bound?

34. Should, by the end of the implementation period, there be a maximum tariff that could be applied for each tariff line, or should there have been a minimum reduction per tariff line?

35. Should specific modalities be applied for particular types of products e.g. faster rates of tariff reduction for those products of particular importance to developing countries?

36. What if any, should be the relationship between such tariffs and new tariff equivalents that may be established as outlined in Section A?

E. The reinforcement of GATT rules and disciplines

37. This issue is linked closely to the scope of tariffication. It is therefore largely a political issue, but it is hoped that participants will be able to discuss the technical aspects of it within their overall political position.

38. If border measures other than tariffs are to be maintained:

(a) should they be maintained only "transitionally" to facilitate the implementation of the reform programme, or should the provisions be "permanent" measures?

(b) should the basis of application be the same for all participants?

7-5

0012

(c) what measures should be included as "prohibitions or restrictions" e.g. quantitative restrictions, minimum price arrangements, "voluntary restraint agreements", variable levies?

39. If Article XI:2(a) is to remain as a provision under which export prohibitions or restrictions may temporarily apply, is any reinforcement or clarification of the provision required? If so, what particular provisions need reinforcement or clarification? In what manner?

40. If Article XI:2(b) is to remain as a provision under which import or export prohibitions or restrictions may apply, is any reinforcement or clarification of the provision required? If so, what particular provisions need reinforcement or clarification? In what manner?

41. If Article XI:2(c)i is to remain as a provision under which border measures other than tariffs may be maintained, is any reinforcement or clarification of the provision required? If so, what particular provisions need reinforcement or clarification? In what manner? Could commitments on support or on minimum access be treated as equivalent disciplines to effective production controls for the purpose of a modified Article XI:2(c)i? Should the reinforced disciplines be equally applied to measures implemented through state trading enterprises, marketing boards or similar bodies? How should minimum access commitments under Article XI:2(c)i be expressed i.e.:

(a) should imports based on the proportion of "...total imports relative to the total of domestic production..." be linked to quantifiable parameters e.g. a percentage of domestic production or consumption?

(b) in the absence of imports, should there be a minimum access commitment?

(c) in either case, how should such access opportunities be allocated to potential suppliers? (The notes in paragraphs 30 to 32 could apply to this situation as well).

42. If Article XI:2(c)ii is to remain as a provision under which border measures other than tariffs may be maintained, is any reinforcement or clarification of the provision required? If so, what particular provisions need reinforcement or clarification? In what manner?

43. If Article XI:2(c)iii is to remain as a provision under which border measures other than tariffs may be maintained, is any reinforcement or clarification of the provision required? If so, what particular provisions need reinforcement or clarification? In what manner?

44. Is it necessary to provide for border measures other than tariffs to deal with participants' food security and other "non-trade" concerns? If it is necessary, what form should such provisions take?

0013

15AG91.DOC

7-6

45. Is it necessary to provide for border measures other than tariffs to deal with participants concerns about the conservation of exhaustible natural resources? If it is necessary, what form should such provisions take? Does Article XX(g) need to be clarified in terms of its interpretation and application?

15AG91.DOC

송

농 림 수 산 부

국협20644-317 503-7227 1991. 4. 10.

수신 외무부장관

참조 통상국장

제목 UR 농산물협상 주요국 비공식회의

1. 국협20644-312 ('91. 4. 8)호와 관련입니다.

2. '91.4.15-19간 개최예정인 표제회의(국내보조및 시장접근 분야에 대한 기술적 쟁점협의)의제에 대한 당부입장을 별첨과 같이 송부합니다.

첨부 UR 농산물협상 주요국 비공식회의 참가대책 1부. 끝.

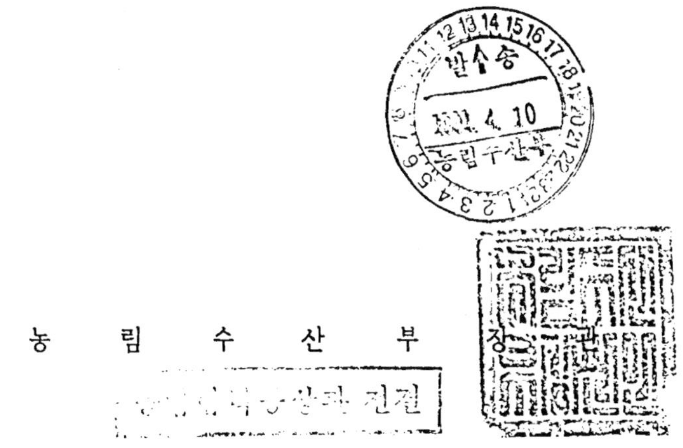

농 림 수 산 부 장 관

0015

UR 농산물협상 주요국 비공식회의 참석 대책

1. 회의개요

가. 일 시 : '91.4.15 ~ 19

나. 장 소 : GATT 본부 (Room E)

다. 참가범위 : 35개국 대표

라. 당부대표

o 대 표 : 농림수산부 농업협력통상관 조일호
" 국제협력담당관실 행정주사 최대휴

o 자 문 : 한국농촌경제연구원 부원장 (농림수산부장관 자문관) 최양부

마. 금차회의의제

(1) 국내보조부문 [지난회의 ('91.3.11-15)시 논의되지 않은 나머지 의제]

i) AMS의 정의 및 계산방법(Check List B)
ii) AMS 감축에 상응한 감축약속의 정의와 방법(Check List C)
iii) 인플레이션 고려방법(Check List D)
iv) 국내보조관련 GATT 규정개정 방향(Check List E)

(2) 시장개방 부문

i) 관세화의 범위와 양식
ii) 특별 피해구제제도 제정방안
iii) 최소시장접근 범위와 양식
iv) 현행관세에 대한 합의방법
v) 시장접근관련 GATT 규정 강화방안

0016

바. 예상 협의방식과 전망

o 던켈 GATT 사무총장이 회의주재 (회의이전 협상그룹 재구성 및 그룹의장 결정시는 교체가능)

o GATT 사무국이 쟁점별 토의자료를 작성배포

o '91.2.26 TNC 회의에서 채택된 던켈총장의 의견서(Note for Chairman)와 작업계획 (Programme of Work)에 따라 그동안 논의된 모든사항이 논의의 토대가 될 것임.

o 모든 국가가 합의가능한 결론을 도출하는데 주력할 것으로 보이나 지난번 회의에서와 같이 합의를 이루기 보다는 각국입장 개진을 통하여 쟁점을 정리해 나가는 방향으로 전개될 것으로 예상

2. 금차회의 참가대책

가. 기본방침

o 수정된 협상대책이 충분히 관철되도록 기술적 의제 토의에 적극참여, 아국입장 표명

- 협상목적 및 개도국우대와 식량안보등 고려사항, 수출.입국간 선.개도국간 이해관계가 균등히 반영되도록 객관적이고, 논리적인 입장개진을 통하여 운용가능한 원칙설정에 주력

o 기술적쟁점이 상당부분이 접근방식과 정치적 쟁점의 타협을 전제로 하고 있으므로 이들문제에 대해서는 신중하게 대처하되, 아국의 핵심관심사항에 대하여는 적극적인 의견개진으로 기술적 문제에서부터 관철시킬 수 있는 토대를 마련해 나가고 쟁점이 현격한 분야에 대하여는 문제점제기에 중점

0017

나. 의제별 아국 중점사항

(1) 국내보조

o 감축대상정책 결정방법에 있어서 Negative System 채택

o 허용대상정책의 인정범위 확대

- 농업의 비교역적기능, 구조조정 및 투자지원, 농업 및 농촌개발지원들을 허용대상 정책에 포함

o 감축 또는 허용대상정책 조건의 합리적 결정

- 엄격한 분류기준을 배제하고 실제 운용가능한 기준설정

o AMS 계산방식에 있어서 수출국 제안의 논리적모순 시정

- (국내외 가격차 x 지원물량및지원액)으로 계산된 시장가격 및 직접지원액은 국경보호 효과를 포함하게 되고 생산지원효과를 누락시키게 됨으로써 수입국과 현격한 감축의무 불균형 초래

o 개도국우대의 충분한 고려

- 허용대상정책의 일반원칙으로 반영

o 수입국 입장을 고려한 AMS 조정계수 인정

- 1-수입비율, 1-생산통제비율

o 농업의 특수성을 반영한 현행 GATT 골격 유지

0018

(2) 시장개방

o 관세화 대상품목 범위와 양식

- 식량안보 대상품목, GATT 11조 2항(C)의 개선과 동 규정을 원용하여 수입수량을 규제하는 품목은 관세화 대상에서 제외

o 실질적이고 운용가능한 T.E 산출방법 결정

- 미국과 EC의 접근방법의 대립에 대해서는 소극적 대처

o 안정적이고 실효성 있는 특별 피해구제제도 설정

- 대폭적인 T.E 감축배제, 감축이행기간 연장이라는 아국입장의 관점에서 항구적인 조치로 설정

- 구제조치의 안정성 및 실효성 확보 : 위험수준의 축소 및 조치조건의 탄력성 확보

o 최소시장접근 이행범위와 방법 : 4가지 분야별 접근주장

- 관세화 대상품목의 초기 Tariff Quota 결정

- GATT 11조 2항 (C) 적용대상품목의 최소수입량

- 식량안보를 위한 최소시장접근 예외

- 관세에 의하여만 보호되고 있는 품목

o 관세인하 방식은 관세협상 그룹에서 채택한 협상원칙을 수용

0019

3. UR 및 BOP 예시계획 관련 EC와의 사전교섭 추진

o 일 정 : '91. 4. 12 오후

o 면 담 자 : 표제 업무관련 고위관계자 (EC 대표부에 일정주선 협조)

o 목 적

- '92-'94 수입개방 예시계획의 방문설명을 통한 이해증진 도모
- UR 농산물협상에서의 협력방안 모색

o 설명 및 협의사항

- '92-'94 개방예시계획의 내용
- UR 농산물협상에 대한 아국입장
- 한국농업의 어려움과 농업개혁 추진내역
- 기타 한.EC간 통상현안문제 협의

0020

기 안 용 지

분류기호 문서번호	통기 20644-	(전화: 720 - 2188)	시 행 상 특별취급	
보존기간	영구. 준영구 10. 5. 3. 1.	차 관	장 관	
수 신 처 보존기간		전결		
시행일자	1991. 4.10.			

보조기관		협조기관		
국 장	전결	제2차관보:	문 서 통 제
심의관			
과 장			
기안책임자	송 봉 헌		발 송 인

경 유 수 신 참 조	건 의	발신명의		

제 목	UR/농산물 협상 회의 정부대표 임명 건의

1991.4.15-19간 스위스 제네바에서 개최되는 UR/농산물 협상 주요국 협의에 참가할 정부대표를 "정부대표 및 특별사절의 임명과 권한에 관한 법률"에 의거 아래와 같이 임명할 것을 건의하오니 재가하여 주시기 바랍니다.

- 아 래 -

0021

1. 회 의 명 : UR/농산물 협상 주요국 협의

2. 회의기간 및 장소 : 1991. 4.15-19, 스위스 제네바

3. 정부대표

o 농림수산부 농업협력통상관 조일호

o 농림수산부 농업협력통상관실 행정주사 최대휴

o 주 제네바 대표부 관계관

(자 문)

o 한국농촌경제연구원 부원장 최양부

4. 출장기간(본부대표) : 1991. 4.11-21 (10박 11일)

- 4.12-13간 EC 본부를 방문, 아국의 제2차('92-'94)

수입자유화 예시 계획 설명 및 농산물 협상 전망등에

관한 의견 교환 예정

5. 소요경비 : 소속부처 소관예산

6. 훈 령 : 별도 건의 예정. 끝.

0022

농 림 수 산 부

국협 20644-312 503-7227 1991. 4. 8.

수신 외무부장관

참조 통상국장

제목 UR 농산물협상 주요국 비공식회의 참석

1. UR 농산물협상 주요국 비공식회의(국내보조및 시장접근분야 기술적 쟁점협의)가 '91.4.15-19간 개최될 예정입니다.

2. 지난 회의에 이어 금차 회의에서도 아국입장의 논리적 대응과 아국과 입장을 같이하는 국가들과의 협상력 강화를 위하여 다음과 같이 당부 대표단을 파견코자 하오며 아울러 당부 대표단의 회의참석 경로에 UR 협상 및 수입자유화예시계획 관련 EC 본부을 방문, 사전교섭을 추진코자 하오니 협조하여 주시기 바랍니다.

- 다 음 -

가. 당부대표단

구 분	소 속	직 위	성 명	비 고
대 표	농업협력통상관실	농업협력통상관	조일호	
	국제협력담당관실	행 정 주 사	최대휴	
자 문	한국농촌경제연구원	부 원 장 (장관자문관)	최양부	소요경비 :농림수산부 부담

나. 출장기간 : '91.4.11-4.21(11일간)

다. 출 장 지 : 벨기에(브랏셀), 스위스(제네바)

0023

국협 20644- 503-7227 1991. 4. 8.

라. 출장목적 : UR 농산물협상 주요국 비공식회의 참석
(국내보조및 시장접근분야 기술적쟁점 협의)

0 UR 및 수입자유화예시계획 관련 EC 와의 사전교섭

마. 소요경비

0 국외여비 : $10,533(지변과목 : 1113-213)

첨부 : 1. 출장일정 및 소요경비내역

2. 금차회의 참가대책(추후 별도보고). 끝.

농 림 수 산 부 장 관

0024

출장일정 및 소요경비 내역

가. 출장일정

4. 11 (목)	12:40	서울발 (KE 907)
	17:55	런던착
12 (금)	09:50	런던발 (BA 394)
	11:50	브랏셀 착
	오 후	EC 본부방문
13 (토)	14:40	브랏셀발 (SN 371)
	15:50	제네바착
14 (일)		협상참가 대책협의
15 (월) ~ 19 (금)		UR 농산물협상 주요국 비공식 회의 참석
20 (토)	10:50	제네바발 (LH 1855)
	12:15	프랑크푸르트착
	14:20	프랑크푸르트발 (KE 916)
21 (일)	09:50	서울착

나. 소요경비

1) 국외여비 : $ 10,533

구 분	농업협력통상관	최양부 부원장	최 대 휴
항 공 료	$ 2,159	$ 2,159	$ 2,159
일 비	$25 X 1일 = $25 $25 X 10일 = $250 계 $ 275	$25 X 1일 = $25 $25 X 10일 = $250 계 $ 275	$16 X 1일 = $16 $16 X 10일 = $160 계 $ 176

0025

구 분	농업협력통상관	최양부 부원장	최 대 휴
숙 박 비	$100X 1일 = $100 $79 X 8일 = $632 계 $732	$100 X 1일 = $100 $79 X 8일 = $632 계 $732	$75 X 1일 = $75 $59 X 8일 = $472 계 $547
식 비	$53 X 1일 = $53 $46 X 9일 = $414 계 $467	$53 X 1일 = $53 $46 X 9일 = $414 계 $467	$43 X 1일 = $43 $38 X 9일 = $342 계 $385
체재비계	$ 1,474	$ 1,474	$1,108
합 계	$ 3,633	$ 3,633	$ 3,267

- 지변과목 : 1113-213

2) 특별활동비 : $1,000 (지변과목 : 1113-234)

0026

15721

기 안 용 지

분류기호 문서번호	통기 20644-	(전화: 720 - 2188)	시 행 상 특별취급	
보존기간	영구. 준영구 10. 5. 3. 1.	장 관		
수 신 처 보존기간				
시행일자	1991. 4.10.			

보조기관	국 장		협조기관		문 서 통 제
	심의관				1991. 4. 11 통 제 관
	과 장	전 결			
기안책임자		송 봉 헌			발 송 인

경 유 수 신 참 조	농림수산부장관	발신명의		발송 1991. 4. 11 외무부
제 목	UR/농산물 협상 정부대표 임명 통보			

1991.4.15-19간 스위스 제네바에서 개최되는 UR/농산물 협상 주요국 협의에 참가할 정부대표가 "정부대표 및 특별사절의 임명과 권한에 관한 법률"에 의거 아래와 같이 임명 되었음을 알려 드립니다.

- 아 래 -

1. 회 의 명 : UR/농산물 협상 주요국 협의

/뒷면 계속/

0027

2. 회의기간 및 장소 : 1991.4.15-19, 스위스 제네바

3. 정부대표 (본부)

o 농림수산부 농업협력통상관 조일호

o 농림수산부 농업협력통상관실 행정주사 최대휴

(자 문)

o 한국농촌경제연구원 부원장 최양부

4. 출장기간 : 1991.4.11-21 (10박11일)

5. 소요예산 : 소속부처 소관예산

6. 출장 결과 보고 : 귀국후 20일이내. 끝.

0028

	분류번호	보존기간

발 신 전 보

번 호 : WGV-0444 910410 1800 FL 종별 : 암호발신

수 신 : 주 제네바 대사. 총영사

발 신 : 장 관 (통 기)

제 목 : UR/농산물 협상

연 : WGV-288

1. 91.4.15-19간 귀지에서 개최되는 UR 농산물 협상 주요국 협의에 아래 대표를 파견하니 귀관 관계관과 함께 참석토록 조치바람.

o 농림수산부 농업협력통상관 조일호

o 농림수산부 농업협력통상관실 행정주사 최대휴

(자 문)

o 농촌경제연구원 부원장 최양부

2. 금번 회의에서 논의될 국내보조 분야에 대하여는 연호 입장에 따라 대처하고, 시장접근 분야에 대하여는 아래 기본입장과 본부대표가 지참하는 쟁점별 세부 입장에 따라 적의 대처바람.

가. 관세화 대상품목

o 식량안보 대상품목, 갓트 11조 2항(C) 대상품목은 관세화 대상에서 제외

보 안 통 제	(서명)

앙 고 재	91년 4월 10일	통상기구과	기안자 성명		과 장		국 장		차 관	장 관
			송봉헌		(서명)		전결			대결

외신과통제

0029

나. 최소 시장접근 이행범위 및 방법 설정 문제

ㅇ 하기 3개분야별로 논의 필요

- 관세화 대상품목의 tariff quota 설정

- 갓트 11조 2항(C) 적용 대상품목의 최소 시장접근 결정

- 소수의 식량안보 품목을 최소 시장접근의 예외로 인정

다. 특별 Safeguards 제도

ㅇ 발동요건 완화 및 항구적 제도로 인정 필요

라. 관세인하 방식 : 관세협상 그룹에서 채택한 협상원칙 수용

마. TE 산출방법 : 미.EC간 접근방법 대립을 감안 소극적 대처. 끝.

(통상국장 대리 최 혁)

0030

	분류번호	보존기간

발 신 전 보

번 호 : WEC-0210 910410 1759 FL 종별 : 암호발신

수 신 : 주 EC 대사. 총영사 (사본 : 주제네바 대사) WGV -0443

발 신 : 장 관 (통 기)

제 목 : UR/농산물 협상

91.4.15-19간 제네바에서 개최되는 UR 농산물 협상 ~~주요국~~ 협의에 참가하는 정부 대표가 아국의 제2차('92-'94) 수입자유화 예시 계획 설명 및 UR/농산물 협상 ~~같방등~~에 대해 EC 집행위 관계관과 의견 교환을 위해 아래와 같이 귀지 방문 예정이니 참고바람 (일정은 귀관 관계관을 통해 주선중이라 함)

1. 출장 직원
   - o 농림수산부 농업협력통상관 조일호
   - o 농림수산부 농업협력통상관실 행정주사 최대휴
   - o 농촌경제연구원 부원장 최양부

2. 귀지 도착/출발일정
   - o 브랏셀 도착 : 4.12(금) 11:50 (BA-394)
   - o 제네바 향발 : 4.13(토) 14:40 (SN-371). 끝.

(통상국장 대리 최 혁)

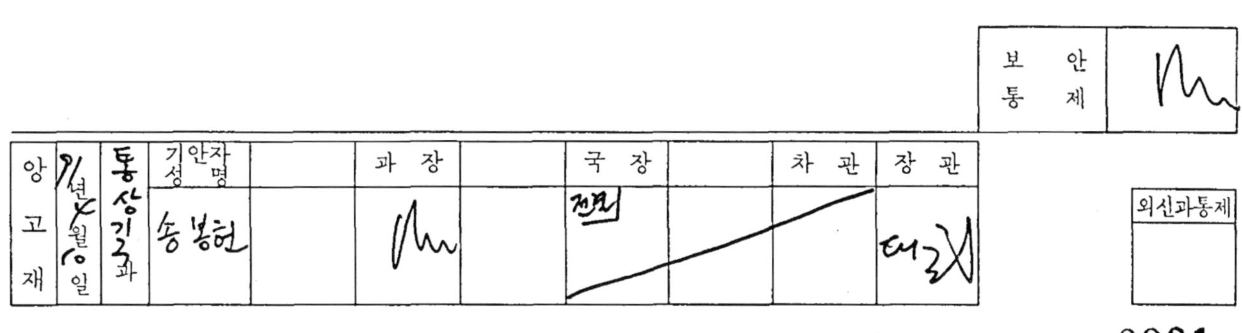

보안 통제	

앙 고 재	91년 4월 10일	통상기구과	기안자 성명		과 장		국 장		차 관	장 관
			송봉헌				전결			

외신과통제

0031

원 본

암호수신

외 무 부

종 별 :

번 호 : JAW-2151 일 시 : 91 0411 1514

수 신 : 장관(통기)

발 신 : 주 일 대사(경제)

제 목 : UR/농산물 협상

대: WJA-1601

1. 대호, 농림수산부 국제협력 담당관은 주재국 농림수산성 국제부장, 국제경제과장, 무역관세과장등을 면담코, 4.10. 오전 귀국하였음.

2. 대호 접수 시점에서 동 담당관은 이미 귀로에있어서 활동사항을 청취할 기회가 없었으며, 당관 농무관이 대호관련, 귀국후 보고서 작성시 반드시 외무부에 내용을 통보토록 조치하였음. 끝

(공사 이한춘-국장)

통상국 차관 2차보

PAGE 1 91.04.11 16:11

외신 2과 통제관 CF

0032

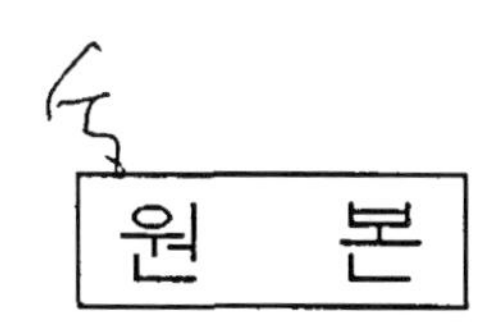
원 본

외 무 부

종 별 :

번 호 : GVW-0690 일 시 : 91 0416 1000

수 신 : 장 관(통기,경기원,재무부,농림수산부,상공부)

발 신 : 주 제네바 대사

제 목 : UR/ 농산물(갓트 11조 개선)

1. 4.18(목) 09:00 당지 카나다대표부 초청으로 표제협상 갓트 11조 2(C) 개선 관련 비공식 협의회가 개최될 예정임.

2. 동 회의에는 아국포함 일본, 이씨, 핀랜드, 아이슬랜드, 노르웨이, 오지리, 스위스, 이스라엘등이 초청되었으며, 갓트 11조 2(C)주석 조항 개선 공동 제안 여부등이 논의될 전망임

3. 관련 공한 사본 별첨 FAX 송부함.

첨부: 관련 공한 사본 1부.(GVW(F)-0128). 끝

(대사대리 박영우-국장)

통상국 2차보 경기원 재무부 농수부 상공부

PAGE 1 91.04.16 17:28 WG

외신 1과 통제관

0033

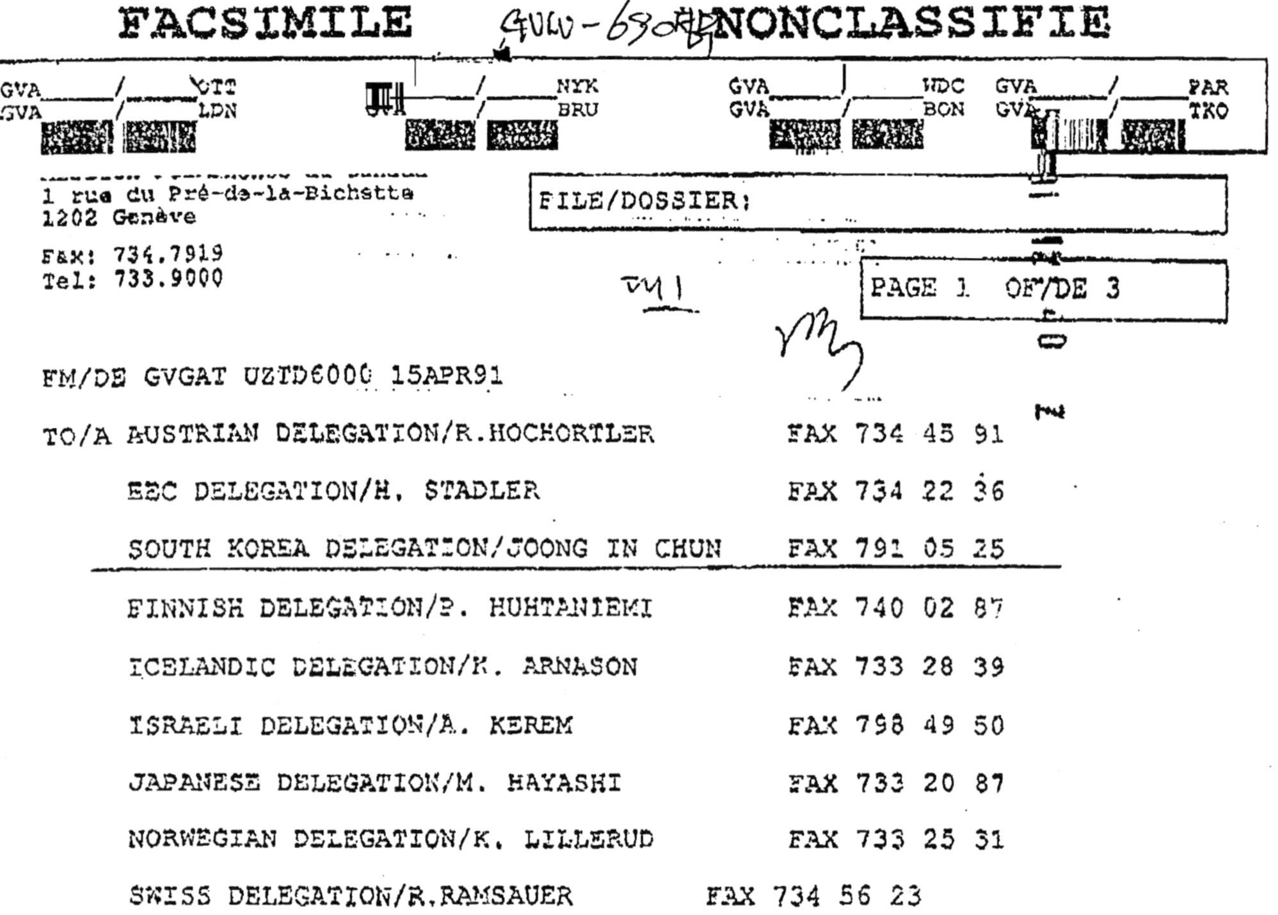

FACSIMILE GVW-0690 **NONCLASSIFIE**

GVA / OTT	GVA / NYK	GVA / WDC	GVA / PAR
GVA / LDN	GVA / BRU	GVA / BON	GVA / TKO

1 rue du Pré-de-la-Bichette
1202 Genève

Fax: 734.7919
Tel: 733.9000

FILE/DOSSIER:

PAGE 1 OF/DE 3

FM/DE GVGAT UZTD6000 15APR91

TO/A AUSTRIAN DELEGATION/R.HOCHORTLER	FAX 734 45 91
EEC DELEGATION/H. STADLER	FAX 734 22 36
SOUTH KOREA DELEGATION/JOONG IN CHUN	FAX 791 05 25
FINNISH DELEGATION/P. HUHTANIEMI	FAX 740 02 87
ICELANDIC DELEGATION/K. ARNASON	FAX 733 28 39
ISRAELI DELEGATION/A. KEREM	FAX 798 49 50
JAPANESE DELEGATION/M. HAYASHI	FAX 733 20 87
NORWEGIAN DELEGATION/K. LILLERUD	FAX 733 25 31
SWISS DELEGATION/R.RAMSAUER	FAX 734 56 23

---INFORMAL MEETING ON ARTICLE XI.2

Your delegation is invited to be represented at an informal discussion on the strengthening and clarification of GATT Article XI.2, to be held in Room 119 at the Canadian Mission at 09:00 hrs, Thursday, April 18. We anticipate that the meeting can be concluded by 10:00 hrs.

Attached for ease of reference, is a copy of the current draft proposal for a new interpretive note to the Article.
Grateful you confirm your attendance by telephone to Mme Mireille Wensel, 733 90 00 (ext 212).

DRAFTER/REDACTEUR	TELEPHONE NBR	APPROVED/APPROUVE
S. BORLAND		S. BORLAND

15 APR '91 16:19 MISSION DU CANADA +4122 7347919 P.1/3

3-1

0034

November 27, 1990

Ad Article XI for Agricultural Products

UNCLAS / NONCLAS
UTD 6000
PAGE 2 OF/DE 3

Paragraph 2(C)

Coverage

1. The term "in any form" covers:

   (a) fresh products and those processed products made wholly or mainly from the fresh product under effective production or marketing control. Products made wholly or mainly from the fresh product are those whose content by weight or value of the product under [illegible] fifty per cent;

   (b) processed products reversible to the fresh products which are under effective production or marketing control;

   (c) products, as set out in an agreed list; and

   (d) other products* which, in the opinion of a Panel, may be controlled since, while not meeting the criteria of (a) (b) or (c) above, imports nevertheless would undermine the effectiveness of domestic governmental production or marketing controls.

Supply Controls

2. (a) The term "restrict" in XI:2(C)(i), means:

   (i) the volume of production or marketing may not exceed the designated level notified to the CONTRACTING PARTIES at the beginning of each production or marketing control period;**

---

*Other products include mixtures, new products and those which would qualify as like products (e.g. cane sugar and beet sugar, potato starch and other starches), but do not include those which are simply competitive products (e.g. butter and margarine).

**The volume produced or marketed must be effectively limited to the notified level regardless of whether the controls are applied directly on the level of production or marketing or indirectly through limits on inputs, such as the size of cultivated area.

15 APR '91 16:13 MISSION DU CANADA +4122 7347319 P.2/

2-2

0035

(ii) enforcement provisions are applied in such a manner as to ensure that the designated level is not exceeded; and

(iii) substantially all the quantities permitted to be produced or marketed are under effective control as per (i) and (ii) above. The term "substantially all" means not less than [X]* per cent of domestic production or marketings.

(b) [As of January 1, 199_, only those contracting parties who are net importers of the products subject to domestic production or marketing control would be eligible to use the provisions of Article XI:2(c) as it would be interpreted for agricultural products.]

or (b) [The level of exports in any form shall not exceed the average level which prevailed in the three year period immediately preceding the imposition of import restrictions under Article XI:2(c)(i).]

Paragraph 2, last sub-paragraph

3. (a) The proportion of controlled imports in any form to domestic production of the fresh product "which might reasonably be expected to rule..." in the absence of restrictions shall be that proportion which prevailed in the three year period immediately preceding the imposition of import restrictions; or

(b) Where this three year period is not representative because of non-tariff barriers, the level of an overall import restriction for a commodity sector shall be no less than [Y]* percent of domestic production on a fresh product equivalent basis;

(c) Where import quotas exist for specific products of which there were little or no imports in the three year period, referred to in 3(a), the minimum size of any import quota for any specific product shall be no less than [Z]* percent of the domestic production of that product;

(d) Import quotas shall be adjusted annually to maintain the ratios described above.

---

*Canada has suggested that X equal 95, Y equal 5 and Z equal one.

P.3/3

3-3

0036 15 APR '91 15:21 MISSION DU CANADA +4122 7347919

TOTAL P.01

원 본

외 무 부

종 별 :

번 호 : GVW-0689　　　　일 시 : 91 0416 1000

수 신 : 장 관(통기,경기원,재무부,농림수산부,상공부)

발 신 : 주 제네바 대사

제 목 : UR/ 농산물 주요국 비공식 회의(1)

4.15.개최된 표제협상 회의에서는 시장접근분야의 주요쟁점 리스트에 포함시킬 사항에 대한 논의를 가진후 지난회의때 논의되지 못한 국내보조 분야에 대한 논의를 계속 하였음.

1. 시장접근 분야 주요쟁점 CHECK-LIST 와 관련 이씨는 전체적으로는 받아들이지만 보정인자 (CORRECTIVE-FACTOR) 를 포함시킬 것을 제의하였고, 인도는 개도국 관심사항이 더 많이 포함되야한다고 제의함.

2. 국내보조 분야 주요쟁점 리스트 14항부터 20항까지 논의하였음.

- 대상범위 (14항)에 지방정부 (SUB-NATIONAL BODY)를 포함 시키는데는 일본을 제외하고는 대부분 국가가 문제를 제기하지 않았으며- 품목분류 기준 (15항)에 대해서 일본, 이씨등은 품목군별 접근을 주장하였고 미국, 카나다, 호주등은 개별 품목으로 계산되어야 함을 주장함.

아국은 현실적인 계측 가능성에 비추어 품목군별접근과 개별품목별 접근이 병용될 필요그있음을 제기함.

특히 이씨는 아국 발언과 관련 개별 품목별로 접근하는 경우에도 현실적인 계산 가능성을 감안하여 품목군별 계산을 예외적으로 허용하는일탈 (DEROGATION) 이 허용되어야 함을 주장

- AMS 계측 단위 (16항)에 대하여는 일본을 제외한 대다수 국가가 총량 계측 방법을 지지함.

- AM 계측방법 (17-18 항)과 관련하여 미국은 정부의 가격지지 정책이 있는 경우에 한하여 지지가격을 기준으로 평가하자고 제시하였음. 아국은 AMS 가 감축 약속 기준으로 사용될 경우 실제적으로 지원예산 기준으로 하는 것이 현실적대안이 될것이라고 발언하였음. 이에 대하여 핀랜드 및 카타다가 같은 의견임을 표명하였음

통상국 2차보 경기원 재무부 농수부 상공부 경제국

PAGE 1　　　　91.04.16 17:27 WG

외신 1과 통제관

0037

0 이씨는 국내가격 지지의 간접적인 영향을 고려하여야 하므로 AMS 가 국내외 가격차를 전체적으로 계량하여야 함을 주장하였고 일본은 내외 가격차이를 국경조치분과 가격지지 분으로 구분할 수 없다는 문제를 들어 이씨 입장에 동조함

0 특히 이씨는 미국의 결손지불 (DEFICIENCY PAYMENT)이 AMS 계측에 포함되어야 한다고 언급함

- 국내 가격 기준 관련 (19항)미국, 일본등이 명료성을 이유로 국내지지가격 (SUPPORT PRICE) 을 기준으로 하자고 제시하였고, 국제가격 (20항)에 대하여는 고정 기준 가격을 자국화폐 기준으로 정하고 일정기간후 재평가 하는 방안에 대하여 대부분 찬성하였음.

3. 미국의 BARBARA CHATTIN (USTR) 은 아측에 대하여 5월중 국별리스트와 관련 비공식 양자협의를 가질것으로 제의한바 아측은 원칙적으로 이에 동의하고 일정관련 차기 갓트회의 일정등을 감안 추후 별도 협의키로 하였음.끝

(대사대리 박영우-국장)

원 본

외 무 부

종 별 :

번 호 : GVW-0695　　　　　　　　　　일 시 : 91 0417 1000

수 신 : 장관(통기,경기원,재무부,농림수산부,상공부)

발 신 : 주 제네바대사대리

제 목 : UR/ 농산물 주요국 비공식 회의(2)

4.16. 속개된 표제협상 회의 요지 하기 보고함.

1. 국내보조 부문 주요쟁점 리스트논의(21-27항)

가. 생산통제 효과(21항)을 가격지지 계측에 반영하는 문제관련 일본,이씨, 카나다, 오지리, 북구등 대부분 국가가 필요성을 인정 하였으나 계측 방법과 관련일본은 통제물 량을 이씨는 SHADOW- PORICE 를 오지리는 가격차를 기준으로한 조정계수를 사용하자고 제의함.

,- 덴켈총장은 이에관한 구체적 방법론을 다시 점검해 보자고 제시함.

- 아국은 생산 통제효과 반영과 더불어 개도국의 경우는 자가 소비분을 제외하거나 상품화 비율을 고려하는등 추가적 조정이 필요하다고 제의함.

나. 직접지불의 계측방법(22항) 관련,아국, 일본,이씨등이 예산 지출액을 기준으로 해야한다고 제의하였고 미국은 고정 참고가격을 기준으로 할것을 주장함.

다. 결손보전(23항) 포함문제와 관련 미국은 수출보조가 아니라고 주장하였고,이씨,일본, 카나다등은 수출보조로 보아야 할 것이라고 주장함.

라. 가공업자 포함문제 (24항) 관련 일본은 실제 계측상 어려움을 들어 제외시킬것을 주장하였음

- 이씨는 명백히 생산자 가격지지로 이전되는 경우외에는 포함시키지 말자는 입장을 밝힘

- 오지리는 식용과 비식용으로 구분하여 접근할것을 제시

- 북구 및 헝가리는 농가판매가격 기준으로 계산할 경우 이러한 문제점이 해소할 것이라고 주장

- 던켈총장은 가공업자를 통해 생산농민에게 직접 이전되는 지원의 경우는 포함시키는 것이 필요하나 그밖의 경우는 추가적인 OPTION 으로 정치적으로

통상국　경제국　재무부　농수부　상공부　경기원　2차보

PAGE 1　　　　　　　　　　　　91.04.18　05:45 DA

외신 1과 통제관

0039

검토하고자 함

마. 기타 감축대상 정책(25항) 관련 아국,이씨, 일본,북구등이 예산지출액 만으로 계측하였고 미국, 우루과이, 뉴질랜드, 카나다등은 실생산자 수혜액을 기준으로 하자고 제안함

- 계측방법(26항) 관련 이씨,일본, 오지리, 뉴질랜드, 카나다등이 품목별 할당을 주장 하였고 미국은 단일 접근 SINGLE SECTOR- WIDEAPPROACH) 방법을 주장함

바. 수입비율 또는 긴급사태시 AMS 조정관련 (27항) 일본이 수입비율을 감안조정해야 한다고 하였고, 뉴질랜드, 알젠틴 등이 반대입장을 표명 하였음. 북구는수입비율 반영문제를 정치적 결정사항으로 하되 긴급사태시 적용할수 있는 예외조항을 만들고자 함.

- 아국은 대부분을 수입에 의존하면서 소량을 지역개발 또는 농가소득 유지등 ~~비교역적 수입에 의존하면서 소량을 지역개발 또는 농가소득 유지등~~ 비교역적 관심사항(NTC) 목적으로 생산하는 품목에 대해서는 예외적 취급이 필요하다는 점에서 수입비율 감안이 필요함을 주장하였음.

2. 던컬 사무총장은 기술문제 협의와 관련 현싯점에서 모든 문제를 논의하고 있으나 결론을 도출하지 못하고 있음을 지적하고, 토론과정에서 나타난 선택가능 대안(OPTION) 에 대해서는 사무국이 정리토록 할것임을 밝히면서 특히 이에 포함되야 한다고 생각되는 관심사항을 사무국에 전달해 줄것을 당부함.

끝

(대사대리 박영우-국장)

원 본

외 무 부

종 별 :

번 호 : GVW-0716 일 시 : 91 0419 1130

수 신 : 장 관(통기,경기원,재무부,농림수산부,상공부)

발 신 : 주 제네바 대사대리

제 목 : UR/ 농산물 주요국 비공식 회의(3)

4.17. 속개된 표제협상 회의 요지 하기 보고함.

1. 국내보조 부문 논의 요지

가. 보조 비중이 적은 품목 (28항) 관련 실질적으로 보조 영향이 적은 품목까지 모두 다루는 것이 행정적으로 어려울 것이고 별 의미도 없다는 점에서 동 개념의 필요성을 인정하는데 별이견이 없었음.

- 이씨는 그경우에도 삭감약속의 예외로 하지말고 동결 (STANDSTILL) 약속은 필요하다고 하였고, 스위스, 인도등은 완전히 예외 취급하자고 주장하였으며 멕시코, 알젠틴, 칠레등은 조화 (HARMONIZATION) 방법을 주장함

- 헝가리는 동 개념외에 마이너스 AMS 에 대한 CREDIT 인정이 필요하다고 함.

나. 기타 품목에 대한 상응한 감축약속관련 (29-31항) 이씨는 국경조치에서 취급해야한다고 하였고, 일본 및 북구는 국내가격 지지조치가 있을 경우는 예산지출을 기준으로 국내보조부분에서 다루고 그밖의 경우는 국경조치에서 취급하고자 함.

- 미국, 카나다, 알젠틴등은 국내보조 부문에서 취급되어야 한다고 주장

- 아국은 예산지출액 기준으로 국내 보조 부문에서 취급하자고 제시함.

다. 인플레 반영문제 (32-37항) 관련 미국은 인플레를 이유로 삭각약속을 회피할 우려가 있고 인플레 지표 이용을 수용할 수 없다 하면서 명목가격을 사용하자고 주장하였고, 북구, 일본, 알젠틴, 이씨등은 인플레가 고려되어야함을 주장함.

- 일본은 형평상 THRESHOLD 개념을 인정해서는 않된다고 하였고, 카나다 알젠틴등은 동 개념을 인정하되 반영 수준의 상한을 설정하자고 제시

- 이씨는 인플레 반영 상한선이 필요하다고 함.

- 북구는 인플레가 예산편성 및 가격 결정과 직결된 문제이므로 이를 고려치 않을 경우 협상의마지막 단계까지 문제될 것임을 표명

통상국 2차보 경기원 재무부 농수부 상공부

PAGE 1

91.04.20 10:00 WG

외신 1과 통제관

0041

- 던켈 총장은 인플레의 반영 여부는 정치적 결정 사항이므로 방법론만 협의 하자고 함.

라. 갓트 규범 (38-39항) 관련, 호주, 알젠틴등은 분쟁해결 및 상계조치와 관련 보조금 규정의 강화 필요성을 주장하였고, 이씨는 보조금 협상그룹에서 논의가 되고 있는 상황임을 들어본 조항 개정이 아닌 협정문 (CODE) 방식으로하는 것을제시함.

- 오지리, 미국등은 허용대상 보조금이 정리된후 추후 논의하자고 함

- 던켈 총장은 보조금 협상 그룹과 충분한 협의를 해줄 것을 당부함으로서 간접적으로 상계조치등의 문제는 보조금 협상 그룹에서 논의할것을 시사함.

2. 금일 오전 미국 초청으로 일본, 이씨, 호주, 뉴질랜드, 카나다, 알젠틴, 북구(핀랜드)등 8개국이 비공식 회의를 개최하여 그동안 주요국 비공식 회의에서 논의된 국내 보조관련 주요쟁점과 대안 (OPTION) 에 대하여 의견 교환을 하였다고 함. (일본대표부 관계관으로 부터 탐문)

- 특히 허용대상 보조금의 범위에 대해 집중적으로 논의하였으며 향후 표제 주요국 비공식회의 진행방법에 대한 논의도 있었으며

- 일본은 삭감대상정책 (AMBER) 이 먼저규정되야 함을 강조하였다고 함.끝

(대사대리 박영우-국장)

PAGE 2

0042

원 본

외 무 부

종 별 :

번 호 : GVW-0721　　　　　일 시 : 91 0419 1730

수 신 : 장 관(통기,경기원,재무부,농림수산부,상공부)

발 신 : 주 제네바 대사대리

제 목 : UR/ 농산물 주요국 비공식 회의(4)

4.18(목) 속개된 표제 협상 회의에서는 시장접근분야 주요 쟁점 리스트에 대하여 논의한바 요지 하기보고함.

1. 시장접근 분야 접근 방법 논의 요지

가. 시장접근 분야 개도국 우대 관련 인도는 개도국 농업의 특수성을 들어 관세화에 있어 갓트 18조에 의한 예외 조치를 인정해야하고, 특별세이프 가드와 최저 시장 접근에 있어서도 예외적조치가 인정되야 하며, 갓트 11조 2(C) 도 개선되어야한다 고 주장하면서 개도국 우대가 기술문제 논의에서도 포괄적으로 논의되야 한다고 함.

- 이집트는 순수입 개도국에 대한 특별 고려를 통해 농업 개혁의 부정적 효과를 최소화 해야한다고 주장함.

- 이씨 및 미국은 원칙적으로 개도국 문제를 중시해야 한다고 언급

- 던켈 총장은 개도국 우대 문제가 주로 정치적인문제이므로 토의 진전에 따라 검토해 나가자고 함.

나. 관세화 방법론에 대해 이씨는 분명한 개념이 정리되어 있지 못하며, 기본적인 합의가 없으므로 개념정립이 선행되야 한다고 주장하였고, 일본은 관세화가 국경조치 모두를 포괄하는 개념이 아니며 식량안보 생산 통제등과관련 시장접근 분야의 하나의 대안 (OPTION)이라는 입장을 표명함.

- 아국은 관세화가 비관세 조치를 관세로 전환시킴으로서 농산물 교역을 갓트 체제로 합치시키는 데는 유용한 방법이나, 이러한 제도개혁이 국내 농업에 주는 영향 및 기존 농업보호정책과 종합 검토되야 함을 제기하고, 특히 소득및 복지 지원 정책이 없는 개도국에 대한특별 고려가 필요하며, 특별 세이프가드와 기존 갓트 19조와의 관계, 가변 부과금, 웨이버, 기초 식량의 식량안보등이 함께 균형되게 다루어져야

통상국　2차보　경기원　재무부　농수부　상공부

PAGE 1　　　　91.04.20　10:33 WG

외신 1과　통제관

0043 

한다고언 급함.

2. 관세화 방법론에 관한 주요 쟁점 리스트논의 요지

가. 관세 상당액 산출 방법 (5-10 항)관련내외 가격차 기준을 사용하는데 별 이견이 없었으나 일본 및 이씨는 내외 가격차가 비관세조치를 정확히 반영하지 못한다는 점을 들어융통성이 필요함을 주장.

- 대부분의 국가들이 기준가격을 획일적으로 정하는 것에 대하여 실제 적용상 어려움을 들어 반대하였음.

- 국제가격의 경우 CIF 가격을 사용하되 없을 경우에는 인근 국가의 CIF 가격등을 활용할수 있다는데 큰 이견이 없었음. 미국 및 오지리는 가스가 국제가격 기준자료를 제시하면 각국이 참고할수 있을 것이라고 함.

- 국내가격의 경우 미국은 도매가격을 주장하였고 카나다 북구등은 농가 판매가격을 기준으로 하자고 주장하였으며, 이씨, 일본은 지지가격 (지지가격없는 경우 농가 판매가격)을 사용할 것을제시함. 아국은 지지가격이 있는 경우는 지지가격, 없는 경우는 도매가격 또는 농가판매 가격을 실정에 따라 사용할수 있도록 하자고 제시하였음.

- 품질차이 반영관련 아국 포함 대부분 국가가 필요성을 인정하였음.

나. 결손 지불 (DEFICIENCY PAYMENT) 을 TE 에 포함시키는 문제와 관련 이씨, 일본, 북구 카나다등 다수 국가가 포함시킬것을 주장하였고, 미국은 국내 보조에서 취급해 야하며, TE 에 포함할수 없다고 함.

다. 품목별 계산 문제 (11 항) 관련 대부분 국가가 세분하여 계산할것을 지지하였음. 가공품에 대하여 (12항) 이씨, 카나다, 오지리 등이 원료를 기준으로 계산하자고 주장하였고 북구는 가공품에 포함된 산업지원적 요소에 대한 적절한 고려를 주장함.

라. 표현 방법 (13항) 에 대하여는 회원국 선택에 따라 종량세, 종가세를 택할수 있도록 하자는데 이견이 없었음.

마. TE 계산을 분쟁조정 대상으로 할것인지 (14항)에 대하여 미국은 회원국간에 사전협의하여 동의되야 한다는 사전 승인 방식 (APPROVAL) 을 제기하였고 알젠틴은 명확한기준 (GUIDELINE) 을 설정하고 분쟁해결을 할수있는 방안이 확립된다고 주장함.

- 북구는 기준 (GUIDELINE) 의 필요성은 인정되나 분쟁해결 보다 협의 방식이

좋다는 입장 표명

- 이씨는 명료성 확보를 주장함.

바. 양허(15항)관련 일본은 관세화가 현존비관세조치를 관세로 전환하는데 상응하도록 기존 양허 관세도 재조정되어야 하며, TE 는 양허할수도 있음을 표명하였음. 구주, 미국, 카나다는 양허 품목도 비관세 조치가 있을 때 관세화할수 있으나 기존 양허 품목의 양허 관세 조정은 별도의 관세 재협상 절차에서 다루거나 1단계 TE감축이 끝난 단계에서 논의도 하자고 함. 끝

(대사대리 박영우-국장)

0045

관리 번호 91-292

원 본

외 무 부

종 별 :

번 호 : GVW-0718 일 시 : 91 0419 1230

수 신 : 장관(통기,경기원,재무부,농림수산부,상공부)

발 신 : 주 제네바대사대리

제 목 : UR/농산물 갓트 11조 개선 비공식 협의

연: GVW-0690

1. 4.18 카나다대표부 초청으로 아국포함 일본, 이씨, 핀랜드, 노르웨이, 아이슬랜드, 오지리, 스위스, 이스라엘등이 참석한 갓트 11 조 개선 관련 비공식 협의 공동제안 여부 및 문서배포 시기등에 대하여 협의하였음.

- 문안 추인(ENDORSE)문제관련 모든 참가국가가 원칙적으로 지지 의사를 표명하였으나, 구체적으로 공동제안 방법에 대하여는 일본은 각국 이름을 나열할 것을 주장하였고, 북구는 본국과 협의가 되지 않았음을 들어 여러 국가가 협의 작성 하였고 지지하고 있다는 표현을 선호하였으며, 이씨는 카나다 책임으로 배포할 것을 희망하였음.,- 배포시기 관련 오지리는 이번 회의때(4.18-19 일중) 배포하면 여타국가가 충분히 검토할 시간을 가질수 있기 때문에 차기 주요국 비공식 회의때 배포하는 것보다 좋을 것이라고 하였고, 이씨 및 스위스도 이번회의때 배포될 것을 희망하였음.

0 아국은 차기회의(5 월중순 예상) 초에 배포하는 것이 이번회의때 불필요한 논란을 피할 수 있어 좋을 것이라고 하였고, 일본도 5 월회의시 배포를 지지하였음.

0 핀랜드 및 아이슬랜드는 이번 회의때 배포할 경우는 본국 정부와 협의문제로 공동제안에 각국 이름을 나열하는데 어려움이 있을 것이므로 서문에 본 문안이 여타 국가와 협의하여 작성되었으며 이들 국가(A NUMBER OF COUNTRIES)가 공동 입장임(ASSOCIATE WITH)을 표명하고, 주요국 비공식 회의때 해당국가가 공동 입장임을 발언(ONE OF THE COUNTRIES) 하는 방법이 좋을 것이고, 차기회의때 배포할 경우는 각국 이름을 구체적으로 나열하는 방법이 가능할 것이라고 함.

0 이씨는 갓트 11 조 개선 문제를 심도있게 논의한다는 점에서 이번회의때(4.18-19 일중) 동 문서를 배포하는 것은 유용할 것이라고 하고 그러나 내용을

통상국 차관 2차보 청와대 안기부 경기원 재무부 농수부 상공부

PAGE 1 검 토 필(1991. 6.30.) 91.04.20 01:54

외신 2과 통제관 CF

일반문서로 재분류(1991 .12 .31 .)

0046

추인(ENDORSE)하는 문제는 회원국과 협의가 필요하다는 점과 괄호안 내용 때문에 다소 어려우마고 이 있다고 하면서 현문안 그대로는 수용할 수 없다는 입장을 시사함.

- 카나다는 회의결과를 종합 다음과 같은 작업계획을 제시하였으며 각국이 이에 동의하였음.

0 공동제안 방식은 각 지지국명을 나열하는 방법과 여러나라와 협의 작성되었으며 지지하고 있음을 표명하는 방법이 있는바 갓트 11 조 개선을 최대한 효율적으로 추진하기 위해서는 가능한 많은 국가의 지지가 필요하고 또한 공동제안에 구체적으로 지지 국명을 나열하는 것이 좋을것임.

0 본국 정부와 협의하여 5.1 까지 상기 대안에 대한 입장을 전달해 주면 그결과에 따라 공동제안 방식을 정하여 5 월 첫주중에 갓트에 제출하고 주요국 비공식 회의에 참석하는 33 개국에 사전 배포될 수 있도록 하여 차기 회의때 논의토록함.

2. 관찰 및 평가

- 각국은 갓트 11 조 개선문제가 관세화 원칙과 관련하여 어려운 협상이 될 것임을 의식하고 가능한 타협이 이루어질 수 있도록 제안 제출 및 토의 진행에 있어 가장 효율적인 방법을 찾고자 노력하고 있음(952)

0 특히 이씨 태도 여하가 매우 중요한바 이씨는 원칙적 지지 의사를 표명하면서도 일부 내용에 유보의사를 갖고 있어 주요국 비공식 회의에서 비판적 발언을 할 가능성에 대하여 여타 참가국이 우려를 갖고 있음.

- 일본 및 카나다는 협상 입장의 강화를 위해 지지 국명을 나열하려하고 북구는 다소 중립적인 입장을 표명하고 있음.

- 아국은 향후 갓트 11 조 활용 필요성을 감안 갓트 11 조 개선노력에 적극적 지지 의사를 표명하였는바 공동제안 문제도 같은 맥락에서 검토가 요망됨.

검토 결과 회시 바람. 끝

(대사대리 박영우-국장)

예고 91.12.31.까지

0047

원 본

외 무 부

종 별 :

번 호 : GVW-0728 일 시 : 91 0422 1000

수 신 : 장관(통기,경기원,재무부,농림수산부,상공부)사본:박수길대사

발 신 : 주 제네바 대사대리

제 목 : UR/농산물 주요국 비공식 회의(5)

4.19 속개된 표제협상 회의 논의 요지 하기 보고함.

1. 시장 접근분야 주요국 비공식 회의 논의.

가. 관세상당치(TE) 감축(16항)과 관련 일본은 TE 가 비관세 장벽을 관세화 했다는 점에서 관세와는 달리 융통성이 부여되야 한다는 입장을 제시하였고, 호주는 TE 감축이 실효성을 갖기 위해서는 양허 해야한다는 의견을 제시함.

- 던켈총장은 관세화가 되면 원칙적으로 관세에 적용되는 갓트 규범이 당연히 적용되야 할것이나 양허보다는 약속(COMMITMENT) 으로 표현하고 감축기간중 특수상황이 발생할 경우 특별 세이프가드로 대처토록 하는것이 고려될수 있을 것이라고함.

나. 최저시장접근 관련 관세화 이후에도 현재의 시장접근 수준을 보장할수 있는지 문제(28-30항)를 중점 논의 하였음.

- 캐나다는 비관세 조치의 관세화와 관련 이씨의 가변부과금과 여타국가의 수량제한(QR)의 두가지 형태가 있으므로 그 성격에 따라 효과가 다름을 지적하면서, 현재의 시장접근 수준이상으로 수입될수 있도록 하기 위해서는 TE 의 상한(CEILING)설정이 불가피할 것임을 제기하고 특히 관세화 조치를 하는 경우 시장개방 수준을 확대시키기 위해서는 TQ 의 확대가 필요함을 주장함.

또한 이행기간이 경과된 이후 TQ 가 소멸되지 않고 TE 로 인한 괴리가 발생할 수 있으므로 이문제를 다음 라운드에서 다룰것인지 하는 문제가 있음을 제기하고 양허된 품목에 대해서 TQ라운드에서는 기양허 세율을 적용해야 할것이나 양허세율 이상의 TE 는 별도로 협의 해야 한다고 함.

- 이씨는 현수준의 시장접근 확보문제는 수입물량보다 제도적인 문제가 더 중요함을 지적함. 이씨는 현수준의 시장접근을 보장하고 계속 개선해 나간다는

통상국 구주국(ЕМА)경기원 재무부 농수부 상공부 2차보

PAGE 1

91.04.22 23:37 DA

외신 1과 통제관

0048

방침하에 관세 상당치(TE) 를 삭감해 나갈것이나, 고정요소(FIXEDCOMPONENT) 와 보정인자(CORRECTIVE FACTOR) 가 반영되고 이씨가 희망하는 재균형화(REBALANCING)가 인정되는 것을 전제로 한다고 밝히면서 기존 수출자율규제협정(VRA) 에 의한 국별 수량제한은 별개의 문제로서 존중되어야 한다고 주장함. 결손지불(DEFICIENCY PAYMENT) 는관세화되야 함을 주장

- 일본은 관세할당(TQ) 에 융통성이 인정되어야 하며, 기본 식량에 대한 TQ 는수용하 수 없음을 표명하고, 총체적 시장개방 상태가 제대로 평가되어야 함을 강조함.

- 알젠틴, 브라질, 호주, 카나다, 미국등은 이씨 입장관련 관세양허 품목에대해 고정요소(FIXEDCOMPONENT) 를 종량세 개념으로 적용하는 것은 현갓트 규정상문제가 있으며, TQ 를 국별로 할당하는 것은 수용할수 없음을 지적하면서, TE및 TQ가 명확해야 하고 TE 가 계속 감축됨으로서 현 수준의 시장접근 보다 개선되는것이보장되어야 한다고 주장함.

- 북구는 TE 로의 전환임 현재의 시장접근 수준을 보장할 것인지의 문제는 실제관세화 제도로 이행한 이후에야 확인될수 있을 것이나, 북구의 경우는 현 수준 이상의 시장접근이 가능하며 TE 의 점진적 감축에 의해 확대될 것임을 주장.

- 오지리는 현 시장접근 수준은 금액과 물량면에서 파악될수 있으므로 약속한 대로 TE를 감축해가면 시장접근 개선여부가 쉽게확인될수 있을 것이라면서, 양허관세와 수출자율 규제를 보다 중점적으로 논의해야 한다고하고, 이행기간 경과후 TE와 기존 관세와의 관계를 재정립하는 문제가 검토되어야 한다고 함.

- 던켈총장은 TE 가 현재 시장접근수준 보다 불리하게 작용할 것이라는 전제하에서 ①TE 에 상한을 설정하고 TQ 를 확대해 나가야 한다는 견해와②TE 감축에 따라 현수준 이상의 시장접근이 가능하다는 견해가 있는바 이와 관련된 기술적 문제를보다 구체적으로 검토되어야 함을 지적함. 사무국이 이와관련 토의자료(NON-PAPER) 를 작성토록 하겠다고 함

2. 차기회의: 5.13-17 일간 시장 접근분야 잔여사항및 수출보조에 대하여 논의키로 함(잠정)

- 향후 작업계획관련 던켈총장이 RICUPERO 갓트 총회의장과 논의중에 있는바, 내주중 TNC 회의를 소집, 동문제를 협의할 계획임을 밝힘.

3. 아국 국별리스트(CL) 관련한 한미양자 협의에 관하여 미측 협상대표는 5.18(토) 당지에서 동 협의를 갖기를 희망함.

_ 424

기 안 용 지

분류기호 문서번호	통기 20644-	(전화: 720 - 2188)	시 행 상 특별취급	
보존기간	영구. 준영구 10. 5. 3. 1.	장 관		
수 신 처 보존기간				
시행일자	1991. 4. 19.			

보조기관			협조기관		문서통제
	국 장				1991. 4. 19
	심의관				
	과 장	전 결			
기안책임자		송 봉 헌			발 송 인

경 유 수 신 참 조	주 일본 대사	발신명의		1991. 4. 19 외무부
제 목	농림수산부 직원 출장 결과			

대 : JAW-2151

연 : WJA-1601

UR/농산물 협상 및 쌀시장 개방 문제에 대한 귀주재국 대처 동향을 파악키 위해 91.4.8-10간 귀지 출장한 바 있는 농림수산부 국제협력담당관의 출장 결과 보고서를 별첨 송부하오니 참고하시기 바랍니다.

첨 부 : 상기 보고서 1부. 끝.

0050

UR협상 한·일 비공식협의 결과보고

국제협력담당관 최 용 규

1. 목 적

가. UR동향과 전망에 대한 정보교환

나. 4.15-19회의(시장개방분야) 사전협의

다. 일본의 쌀 분분개방 문제(미.일 정상회담)

라. 아국의 BOP이행('92-'94 자유화계획) 설명

2. 일정 및 면담자

4. 8. 11:00 출 국

16:30-18:00 농림수산성 국제부장(東)

4. 9. 10:30-12:00 " 무역관세과장(大野)외 2인

4.10. 09:40 귀 국

0051

3. 주요 협의내용

가. UR동향과 전망

O '91.4.5 미.일 정상회담에서 쌀문제는 UR에서 계속 협의해 가기로 합의

- 海部수상을 반대하는 측에서 언론을 유도한 것으로 평가

- 자민당내에서 미국쌀을 일부 수입하여 제3국에 원조하는 방안을 제시하였으나 미국이 반대

- '91.4.22의 지방의회 선거를 앞두고 있어 정치적으로 민감한 문제임

O 시장개방분야(관세화)에서 미국.EC의 입장이 오히려 강화

- 미국은 최소시장접근(Minimum Market Access)만 허용하면 11조2항C나 식량안보등의 예외를 인정해 줄듯하던 종전의 방침을 바꾸어 완전관세화로 되돌아 감

- EC는 재균형(Rebalancing)과 보정요소(Corrective Factor)를 강경하게 주장

- 따라서 향후 협상은 미.EC가 관세화에서 어떻게 움직이느냐가 중요 관건이 될것임

O EC는 5월중에 역내가격결정, 9.10월중에 새로운 공동농업정책(CAP)개혁안을 심의해야 하므로 실질적 협상시기가 6.7월밖에 없어 미국이 상당히 초조해 하고 있음

O 2.26 채택된 Dunkel Note에 두가지 의미

- 분리접근(Seperate Approach)과 종합접근(Grobcl Approach)에서 가급적 Seperate Approach로 의견 절충

- 기술적협의(Technical Meeting)와 정치적협의(Political Meeting)의 양자협의(Two Track)에서 T.M은 이미 진전이 있으나 P.M은 주요협상국(미,EC,일,케언즈)에 의한 소 Group으로 5월말경 소집 시도

- EC가 이에 응할경우 정치적 협의도 시작될 것이나 현재의 움직임으로는 가능성이 희박

O EC가 보는 본격적인 협상은 가을(11월경)로 일본도 이가 현실적이라고 봄

0052

나. 주요 논점에 관한 동향과 전망

(1) 11조2항C 문제

0 향후 분쟁의 소지를 줄이기 위하여 조문의 명확화(Transparency)가 필요함

0 카나다, 일본, EC의 공동제안은 Canada가 Wheat Board의 제동으로 소극적으로 대응함으로 부진

- EC(특히 프랑스)가 소맥을 11조2C를 적용하면서 수출할 가능성이 높기 때문임

0 일본은 EC와 Canada가 우선 합의토록 권유

0 금차회의(4.15-19)시 일차조정을 시도하여 합의가 되면 공동제안을 할 생각임

0 동안을 지지하는 국가와는 적극 협의

(2) 시장개방에서의 일본 입장

0 식량안보대상품목(쌀)과 11조2항C 해당품목은 관세화 불가

0 긴급구제조치(Special Safeguard)에서 미국이 주장하는 관세만 전년수준으로 돌아가는 것(Snap Back)은 반대. 양적인 규제도 있어야 함

0 EC의 Corrective Factor를 지지할 것임

0 잔존 제한품목중 일부는 관세화를 수용할 것임(지금까지 쌀을 제외하고는 모두 11조2C로 하겠다는 입장변화)

0053

(3) 수출보조

0 EC의 입장

- 국내보조를 제외하면 시장개방과 수출보조 삭감을 약속할 수 있음

- 미국의 차액보조(Deficiency Payment)를 수출보조에 포함시켜야 함

- 수출보조 삭감을 금액이 아닌 량으로 할 경우 별도감축은 인정

0 미국의 입장

- Deficiency Payment는 국내보조임을 강조

- 다른 어떤 보조보다 급속감축

0 일본의 입장

- 미국과 EC가 먼저 가장쟁점이 되는 수출보조분야에서 합의하고, 일본과 다른문제를 협의할 것을 주장

0 그러나 미국, EC모두 재정문제로 어려움을 겪고 있기 때문에 경우에 따라서는 다른 분야보다 빨리 합의할 가능성이 높음

(4) 기타문제

(가) 미국의 Waiver문제

0 미국이 쉽게 포기하지 않을 것 같음. Waiver가 남게되면 문제는 최소시장접근 (MMA)만 남게됨. 따라서 식량안보나 11조2C의 운용이 다소 용이해 짐

(나) 향후 농산물 Group회의 의장문제

0 미국은 드쥬를 재 추대할 기미.

- EC는 반대(미 농무성차관 Crawder가 EC와 합의했다고 함)

- 일본도 드쥬는 반대임

0054

O GATT주재 Sweden대사는 UR을 잘 모를 뿐아니라 Helstrom사건등을 감안, 잘 맡으려고 않을 것임

O 오히려 GATT사무차장중에서 한사람이 맡을것이 예상

O GATT농업국장 룩크는 미국이 반대

- '90.12 Brussel회의시 루크가 헬스트롬안을 미국에 사전제시 하면서 EC와 일본이 동의했다고 하여 미국의 분노를 샀다고 함

다. 쌀 문제

O 일부 언론에서 부분개방문제는 전혀 정치적인 보도라고 봄

- 미국,EC가 기존 입장에서 전혀 변화를 보이고 있지 않는 상황에서 일본만 양보할 필요가 없음

O 11조2항C를 거론하는 것도 시기상조임. Minimum Market Access를 인정치 않으려고 식량안보등을 주장하고 있는 것이지, 만약 11조2C를 원용한다면 일본으로는 충분한 정당성이 있음

O 행정부로서는 국회결의등을 감안하여 부분개방을 입밖에 낼 수 없으나 정치적으로는 가능하다고 보는 인식이 점차 확산

라. BOP '92-'94계획설명

O 일본측의 관심품목 제시가 없었음을 주지시키고

O '92-'94 자유화 계획중 UR이 타결되면 관세화등 UR의 결정대로 될 것임을 설명

O GATT 이사회등에서 이와같은 아국의 입장을 지지해 줄것을 요청

0055

4. 평가와 건의

가. 일본은 쌀문제에 대하여 부분개방(Minimum Market Access)까지 대응태세를 갖추었음

0 정부는 아직까지 입장변화가 없음. 만약 미국이나 EC가 기존입장을 양보하여 어느정도 합의에 이르게 되면 국내적인 합의단계로 들어갈 것임

0 특히 4.22 지방의회 선거를 앞두고 정치적으로 크게 타격을 받을 것은 피하려고 함

0 부분개방이 되드라도 최소한 11조2항C로는 충분히 갈 수 있을 것으로 확신

나. 정치적협의(미,EC,일본,케언즈대표등 소Group)가 시작되는 것(미국은 5월말 시도예상)이 본격 협상의 관건이 될 것임

다. 따라서, 실질적인 협상은 7월 London Summit를 거쳐 EC의 새로운 공동농업정책(CAP)의 논의가 끝나는 11월부터 시작될 것으로 전망

라. 시장개방분야에서 미국,EC간의 견해차가 여전히 남아 있어 4.15-19회의에서 격론이 예상됨

0 다만, 민감한 부문을 정치적협의를 미루게 되면 형식적인 회의가 될 가능성도 있음

마. 최악의 경우, 일본이 쌀의 부분개방을 받아들일 경우, 우리는 현상태로 11조2항C는 원용할 수 없음

0 따라서 대외적으로는 일본과 긴밀한 협조관계를 유지하면서 식량안보가 반영되도록 UR에서 공동대처토록 하고, 국내적으로 11조2항C에 대한 법적,행정적인 조속한 제도정비가 필요함

바. 주요 쟁점사항중 아국입장에 유리한 11조2항C, Corrective Factor등에 대하여는 일본, EC등과도 공동보조를 취할 필요가 있음

0056

〈 미국쌀 일본의 막장멧세 전시회 사건 〉

0 '91.3월초, 미국이 일본 지바현 막장상설전시장의 국제 식품전시회에 쌀 20kg를 전시함

0 국회 공산당의원이 농림수산대신에게 질문함으로 표면화 되어, 농림대신은 미국 쌀의 전시는 일본의 식량관리법에 위반되었으며, 철거하지 않을 경우 법적인 조치를 취할 것임을 언명(3.16)

0 주일 미국대사관 농업담당공사가 각 신문사에 일측에서 관계자를 체포할 것이라는 전화를 걸게되어, 미국 신문(3.18)에 크게 보도됨에 따라 확대

0 이에 미국 농무부 마디간장관이 농림수산 대신에게 비난의 편지를 보냈음

0 농림수산성은 미국대사관에게 쌀이 들어오게된 경위를 밝힐 것을 요구 하였으나, 미측이 함구
- 일본의 어느 항구,공항에도 미국쌀의 검역실적이 없음
- 일본측은 동 공사를 기피인물(Persona Non Grata)로 지정할 것까지 고려

0 4월초 나까야마 일본외상 방미시, 대통령 안보담당보좌관이 나까야마 외상에게 쌀전시와 관련하여 미국의 절차상 잘못이 있었음을 시인하고 사과 하였음 .

0057

원 본

외 무 부

종 별 :

번 호 : ECW-0379 일 시 : 91 0426 1600

수 신 : 장관 (통기,정일,경기원,농림수산부,상공부) 사본:주제네바대사

발 신 : 주 EC 대사대리

제 목 : GATT/UR 농산물 협상(자료응신 제91-59)

대: GVW-0734

4.26. 당관 이관용농무관은 OLSEN EC농업총국 표제협상 담당관을 접촉한바, 요지하기보고함

1. MAC SHARRY 위원의 5.2-3 워싱톤 방문은 MADIGAN 미 농무장관 취임후 첫대면인데 의의가 있으며, 표제협상 내용과 직접 관련된 협의보다는 미행정부의 FAST TRACKAUTHORITY 연장문제, CAP 개혁방향 설명, 표제협상 추진방향및 기타 미.EC 간 농산물 교역 현안사항등 표제협상 추진과 관련한 저변(SURROUNDING) 문제들을 협의할 예정이라고 말함. FAST TRACK AUTHORITY 연장여부가 불투명한 상태에서 LONDON 정상회담에서 UR 협상 종결을위한 어떤 MOMENTUM 마련과 관련한 깊이있는 협의를 하는것은 어려울 것이라고 말함

2. 대호관련, DUNKEL 갓트 사무총장의 브랏셀 방문시기및 일정에대해 가까운 시일내에 주요협상국들을 방문할 것으로 예상은 하고 있으나 4월말에 브랏셀을 방문할 예정이라는 것은 사실과 다를것이라고 말함. 끝

(대사대리 강신성-국장)

통상국 2차보 정문국 대사실 경기원 농수부 상공부

PAGE 1 91.04.27 23:02 DQ

외신 1과 통제관

0058

UR 농산물협상 동향과 전망

1. 최근의 협상동향

가. 주요국 비공식회의 진행

0 2.26 TNC회의에서 던켈사무총장 제안서(statement)채택

- UR협상 공식재개 및 향후 협의의제 채택
- 식량안보, 개도국우대등 중간평가 합의사항을 토대로 기술적 실무회의의 추진에 합의

0 그동안 2차(3.11-15,4.16-19)에 걸쳐 국내보조 및 시장개방분야에 대한 기술적쟁점사항 토의

- 감축대상과 허용대상의 분류방법, 관세화방법, 최소시장접근 기준, 개도국우대조치등 논의

0 4.24 GATT이사회를 개최하여 '92-'94 BOP개방예시계획등 의제 토의

0 5.13-17일간 시장개방 및 수출보조분야 논의예정

나. 4.25 TNC공식회의 개최

0 협상을 보다 집중적으로 전개하기 위해, 15개 협상그룹을 7개그룹으로 재조정

0 농산물그룹 의장에 던켈사무총장 선임

0 새로운 협상구조는 지금까지의 주요국 비공식협의가 아닌 모든국가가 참여하는 공개회의 체제로 추진

0059

2. 비공식회의 논의결과와 예상

0 던켈사무총장은 지금까지의 논의결과를 토대로 Non-Paper를 제시할 계획임

- 사무국측은 Non-Paper의 기본골격을 이미 마련하고 있는 것으로 보이며, 비공식회의를 통해 Check List에 대한 세부논의는 각국의 반응을 진단하기 위한 것으로 보임

0 Non-Paper의 내용은 주요 8개국(미국,EC,일본,카나다,호주,뉴질랜드,북구,알젠틴)회의에서 결정될 것으로 예상

- 일본,EC는 8개국의 논의사항이 타 체약국에도 공개되어야 함을 강조하고 있으며,
- 특히, 일본은 기본입장에 전혀 변화가 없다는 점을 강조하고 아측에 회의내용을 상세히 전달할 것을 약속

0 앞으로의 회의는 던켈사무총장의 Non-Paper중심으로 기술적사항의 합의골격을 마련하는데 주력할 것으로 예상

- 6월 첫번째 회의에서는 그동안의 협상결과를 각국에 전달하는 형태가 될 것임
- 기술적사항의 골격을 마무리하는 작업을 추진하되 정치적 결정사항을 암시하는 정도가 될 것임
- 정치적 사항은 주요 8개국중심으로 논의될 것으로 보이나, 구체적인 논의시점과 실질내용에 대하여는 의견차가 좁혀지지 않고 있어 현재로서의 타협전망은 불투명함

0060

3. 정치적 쟁점사항과 앞으로의 논의전망

가. 주요 쟁점사항

0 Global Approach와 Separate Approach의 대립

- EC가 Separate Approach를 완전 수용할 것인가의 문제

0 Fixed Component, Corrective Factor, Rebalancing에 대한 EC의 강경입장에 대한 미국, 케언즈그룹의 수용여부

0 개도국우대의 반영방법

- 개도국측은 별도제안서 제출등 협상입지 강화를 추진하는 반면, 선진국측은 이에 소극적 입장을 견지

0 관세화의 예외

- 11조2(C)는 EC의 지지를 확보하여 공동제안하는 경우, 동조항 존치가능성 증대

- Food security는 Minimum Market Access, New Waiver방식등과 연계하여 검토될 가능성

0 국내보조의 감축방식

- 허용, 감축대상 정책분류 및 접근방식(Negative or Positive Approach)

- 감축대상 AMS에 정부재정 지출이외에 국내외가격 가격차를 포함할 것인가의 문제

- 수출과 관련된 Deficieney Payment의 처리문제(국내보조 또는 수출보조에서 다룰 것인가의 문제)

0 기준년도, 이행기간, 감축폭등 정치적 사항

0061

나. 논의전망

0 미국은 Fast Track연장문제가 5월중 의회에서 승인될 것으로 보고, 7월 G-7회의시까지 협상의 기본골격을 마련하기 위한 노력을 집중적으로 전개할 것으로 예상

0 EC는 공동농업정책(CAP)이 9-10월경이 되어야 본격적인 논의가 가능할 것으로 보아, 기존입장의 변화를 기대하기 어려운 상태임으로 7월까지의 협상에는 계속 협조할 것으로 보나, 실질적인 진전을 위한 노력보다는 소극적인 방어자세를 견지해 나갈 것으로 예상

0 일본은 EC의 입장을 고려할때, 협상타결이 단기간내에는 어렵다고 보고, Food Security등 예외인정 입장을 견지하면서 내심 EC의 협상기간 지연에 협조할 것으로 전망

0062

카나다의 11조2항(C) 공동제안에 대한 검토보고

1991. 4. 30.

농업협력통담당관실

0063

목 차

0064

I. 11조2(C) 공동제안 추진경과

1. 11조2(C)관련 비공식협의

0 BOP예시계획 협의차 당부 제2차관보 카나다 방문시 아측에 11조2(C) 소그룹참여를 제의(4.10)

0 11조2(C)개정관련, 카나다측 주관으로 비공식협의 개최(4.18)

- 카나다,아국,일본,EC,핀랜드,노르웨이,아이슬랜드,오지리,스위스,이스라엘등 10개국이 참석
- 카나다측이 제시한 11조2(C)개정안에 대한 공동제안 여부 및 제안서 배포시기등 협의

2. 공동제안 협의결과

0 모든 참여국이 공동제안 필요성을 공감하였으나 제안방식에 대해서는 다소간의 의견차 노출

- 카나다,일본은 11조2(C)개선을 보다 강력히 추진하기 위해 가능한 다수국가의 지지를 확보하며, 구체적으로 지지국명을 나열하는 방식을 주장
- 핀랜드, 노르웨이, 아이슬랜드등 북구국가는 중립적 입장을 표명
- 그러나, EC는 원칙적으로 지지의사를 표명하면서도 수출국입장에서 일부 내용에 대한 유보의사를 갖고 있어, 구체적 국명나열에 회의적인 입장을 표시

0 공동제안시 국가명을 명기하는 문제는 일단 각국이 본국 정부와 협의한후 카나다측에 통보키로 하며, 5월 첫주중 공동제안서를 GATT측에 제출, 5.13-17 실무회의 이전에 각국에 배포키로 합의

- 공동제안은 시장개방 규범제정과 관련, 동 실무회의시 논의예정

0065

II. 카나다 등록안의 내용

1. 동종산품 (like product)의 개념과 범위

〈 현행 GATT규정 〉

0 11조(2항 C)의 동종산품은「어떤 산품과 사실상 동일한 것」을 의미하며, 이는「형태여하를 불문 (in any form)」하고 있음

0 그러나 동규정의 주석서에 의하면「형태여하를 불문하고」는「가공초기단계의 부패성있는」 산품으로 한정하고 있음

0 따라서 동종산품(like product)에 신선품을 포함하는데 문제가 없으나, 가공산품인 경우 최근 냉동,보관 및 가공기술의 발달로 인해 동조항의 적용이 매우 어려워 사실상 사문화되고 있음

- 디저트, 아이스크림, 요구르트와 우유, 분유와 우유, 전분과 고구마 또는 감자, 도마도와 도마도케찹등은 GATT패널에서 동종산품이 아니라는 패소판정을 받은바 있음

〈 개정안에 의한 동종산품의 개념 〉

① 신선산품

② 가공산품으로서,

0 신선산품을「전적으로 또는 주로(wholly or mainly)」사용하여 가공한 산품

- 「전적으로 또는 주로」의 개념은 가공품중 신선산품 사용비중이 중량 또는 가격 기준으로 50%이상인 경우

0066

0 신선산품과 변환가능(reversible)한 가공산품(예:우유와 분유)

0 참여국간에 합의한 품목

0 여타 산품으로서 수입될 경우 정부조치의 유효성을 저해할 가능성이 있다고 패널에서 판단하는 품목

- 즉, 혼합품, 신규개발산품, 동종산품으로 인정될수 있는 산품(예:사탕수수와 사탕무, 감자전분과 기타전분등)
- 단, 단순한 경쟁관계에 있는 산품은 제외(예:버터와 마아가린, 사과와 배등)

〈 검토의견 〉

0 아국의 기본입장은 동종산품의 범위에 대해 가공초기단계 부패성 있는 산품으로 한정되고 있는 엄격한 해석기준을 개선, 대체효과를 기준으로 판단해야 함을 주장

0 공동제안은 가공산품의 범위를 아국입장을 포함하여 포괄적으로 인정하고 있음

- 원품을 50%이상 사용한 가공품, 변환가능한 산품은 물론, 참여국간의 합의 및 패널의 결과로 인정하는 품목을 포함

0 따라서, 공동제안의 동종산품의 개념과 범위를 적극적으로 수용

0067

2. 정부 제한조치의 효과성 확보

〈 현행 GATT규정 〉

0 11조2(C)에는 정부조치의 방법에 대해서는 구체적으로 규정하고 있지 않음

- 따라서, 강행적인 입법조치는 물론 행정지도사항도 동 조치범위에 해당된다고 볼수 있음

0 그러나, 정부조치는 생산통제효과가 실제로 나타나야함(effectiveness of supply control)

- 즉, 생산통제의 유효성은「동 제한이 없는 경우, 예상되는 생산량 수준보다 낮은수준을 유지하는 것」으로 해석되고 있음

〈 개정안의 내용 〉

0 정부통제대상이 되는 생산 또는 유통량은 통제조치 시행시점에서 체약국단에 통보한 수준을 초과하지 않아야 함

- 즉, 생산 혹은 유통량에 대한 직접적 통제조치와 경작면적등과 같은 생산요소 관리를 통한 간접적인 통제조치도 포함

0 생산통제조치의 유효성 보장방법은 통보한 목표수준을 초과하지 않도록 하는 것임

- 농가별 생산량할당, 약속불이행시 불이익 부여등의 구체적인 통제조치를 명시하지 않음

0 통제대상물량은 「실질적으로 모든(substatially all)」생산또는 유통 물량이어야 함

- 즉, 국내생산 또는 유통물량의 X%(카나다는 95%를 주장)이상되어야 함

0 11조2(C) 적용대상국

(제1안) : 이행년도(미정) 현재 통제조치 대상품목이 순수입 상태에 있는 국가에만 적용

(제2안) : 동조항에 의한 수입규제를 부과하기전 3년간의 평균 수출량을 초과하지 않는다는 조건하에 모든 국가에 적용

※ EC의 참여를 고려하여 수출국도 동조항의 적용대상국으로 인정

0068

〈 검토의견 〉

(i) 정부조치의 유효성 확보방안

0 각국의 농가규모, 경영규모, 영농형태 및 생산통제수단의 다양성으로 인해 정부조치의 성격을 획일적으로 규정함은 불합리함

0 특히, 개도국의 경우 다수의 농가가 광범위한 지역에 걸쳐 다양한 작물을 재배하고 있으므로 생산량 강제할당, 불이익부여의 요건을 적용하는 것은 사실상 불가능함

0 따라서 정부조치의 유효성은 강행성을 기준으로 판단하기 보다는, 생산통제의 실질적 효과발생 유무를 기준으로 판단하여야 할 것임

0 공동제안의 내용은 이와같은 아국의 입장을 충분히 반영하고 있으며, 특히 생산,유통에 대한 직.간접조치를 모두 포함하고 있으며, 유효성 보장은 국내생산 총량규제방식으로 하는등 정부조치 이행에 있어 상당한 융통성을 부여하고 있음으로 동제안을 지지

0 다만, 카나다는 국내생산 또는 유통량의 95%를 정부통제조치 대상으로 할 것을 제의하고 있으나, 이는 품목별 특성과 생산여건을 고려하여 신축적으로 적용할 필요가 있음

(ii) 적용대상국

0 또한 카나다,일본은 당초 순수입국에만 적용할 것을 예정(제1안)하였으나, 수출국도 적용대상에 포함하는 방안도 제시(제2안)하고 있음

0 아국은 기본적으로 모든 국가를 대상으로 동조항이 적용되어야 한다는 입장이며, 특히, EC의 적극적인 참여는 협상입지 강화에 중요한 영향을 미칠 것이라는 점을 감안, 제2안 채택을 지지함

0069

3. 최소시장접근 보장방법

〈 현행 GATT규정 〉

0 11조2항(C)를 적용할 경우 수입을 전면 금지할 수 없으며 일정량의 수입은 유지하도록 규정하고 있음

0 특히, 동조항에 의한 수입규제는 수입제한이 없는 경우 합리적으로 기대되는 수입량과 국내생산량간의 비율보다 낮게해서는 안됨

0 합리적인 비율은 과거의 대표적인 기간동안 수입과 국내생산량과의 비율을 기초로 산출하고 있으나, 구체적인 수입수준을 결정하는데 있어서 해석상 불명확한 점이 있으며, 각국의 관행도 일정치 않아 많은 논란이 제기되고 있음

〈 개정안의 내용 〉

0 국내신선산품의 생산량과 수입량간의 합리적인 비율은 수입제한조치 시행직전 3년간의 평균비율을 적용

0 최근 3년간의 수입이 대표성을 갖지 못할 경우, 시장접근은 수입이 제한되고 있는 품목군(a commodity sector)별로 신선산품기준 국내생산의 Y%(카나다는 5%를 주장)이상이 되어야 함

0 최근 3년간 수입이 없거나 미미한 품목은 국내생산의 Z%(카나다는 1%를 주장)이상의 최소시장접근을 보장하여야 함

0 수입쿼타는 상기 비율을 토대로 매년 조정함

0070

〈 개정안의 내용 〉

0 아국은 최소시장접근 비율은 과거의 대표적인 기간동안의 실제 평균수입량을 기준으로 결정하되, 수입이 없거나 미미하여 합리적 비율산정이 곤란한 경우는 전체소비량의 1%범위내에서 각국의 현실여건을 감안하여 결정할 것을 주장한바 있음

0 공동제안은 최근 3년간의 평균 수입비율의 채택등 기본적으로 아국입장과 동일함

0 다만, 3년간 수입량의 대표성을 갖지 못하는 경우, 국내생산의 Y%, 수입실적이 미미한 경우, 국내생산의 Z%로 제시하고 있으나, 이는 향후 협상을 통해 결정될 것임으로 특별한 문제는 없음

0071

III. 종합검토의견

1. 기본입장

0 미국 및 케언즈그룹은 GATT규정상 근거여부를 불문하고, 모든 비관세조치를 철폐하고, 관세화 해야한다는 입장에서 11조2(C)의 폐지를 주장하고 있음

0 농업의 특수성, 농산물수급의 불안정성, 과잉생산의 해소와 생산조절의 필요성등을 고려할때 11조2(C)는 필히 유지되어야 하며,

0 아울러 동조항의 적용요건이 까다롭고 불명확하여 사실상 사문화되고 있음으로 실제운용 가능하도록 개선되어야 함

0 따라서 카나다를 중심으로 일본,북구등 수입국과 EC가 11조2(C)의 존치,개선을 위해 공동제안을 준비하는데 적극 참여함으로서 아국의 실리를 확보하는데 주력하여야 할 것임

2. 공동제안의 내용

0 동제안은 가공산품 범위의 확대, 정부생산통제조치의 신축성부여등 아국입장이 충분히 반영되어 있음으로 이를 적극 지지할 필요가 있음

0 다만, 시장접근보장 비율등 구체적인 수치는 향후 협상을 통해 개도국우대등이 반영되도록 하는 것이 바람직할 것이며, 원료의 혼합, 변환가능성등 가공산품의 구체적 적용범위와 관련된 기술적문제 검토를 위한 기술그룹 설치문제도 검토되어야 할 것으로 판단됨

0072

3. 공동제안 방법

0 공동제안을 협상에서 관철하기 위해서는 보다 많은 국가의 참여가 필요하며, 특히 협상주도국인 EC의 참여는 협상력을 강화하는데 결정적인 계기가 될 것임

0 따라서 공동제안 내용에 EC의 입장을 최대한 수용함으로서, EC의 적극적인 지지를 확보하고 EC를 포함한 참여국들을 공동제안국으로 명시하는 것이 보다 유리할 것으로 판단됨

0 아울러, 최근 태국이 담배관련 GATT패널에서 패소한 이후, 11조2(C)의 유지,개선에 비공식으로 관심을 표명하고 있는바, 태국은 케언즈그룹의 일원임을 감안, 동 공동제안 그룹에 참여를 유도하는 것도 협상입지 강화에 도움이 될 것으로 봄 /

0073

갓트 11조 2항(C) 관련 카나다 제안 요지 및 대책

1991. 5. 2.
통상기구과

1. 카나다 제안 요지

가. Coverage

o 생산 또는 유통 통제중인 fresh products와 동 fresh products를 중량 또는 가격면에서 50% 이상 함유하고 있는 가공산품

o 생산 또는 유통 통제중인 fresh products로 전환될 수 있는 가공산품

o 합의된 품목

o 상기 3개 coverage 이외의 품목으로서 수입제한 없이는 당해 정부의 생산 또는 유통통제의 효율성을 저해할 수 있기 때문에 패널 의견에 따라 통제 가능한 여타품목

- 혼합산품(mixtures), 신상품, 동종산품 포함(단, 경쟁산품은 제외)
  . 동종산품 예 : cane sugar, beat sugar
  . 경쟁산품 예 : 버터, 마아가린

나. 생산통제

o 생산 또는 유통 통제 물량을 당해년도 초에 체약국단에 통보

- 단, 국내생산 또는 유통물량의 최소 X%(카나다 제안 : 95%) 이상을 통제 필요

o 199X.1.1. 현재 해당품목 순수입국만 11조 2항(C) 원용 가능 (11조 2항(C) 원용직전 과거 3년간의 평균 수출수준 이상의 수출은 불가)

0074

o 최소 시장접근 보장

- 수입실적이 있는 경우

. 과거 3년간의 수입과 국내생산 비율

- 과거 3년간의 수입실적이 비관세 장벽으로 인해 대표적이 아닐경우

. 국내생산의 최소 X% (카나다 제안 : 5%) 이상

- 수입실적이 미미하거나 전무한 경우

. 국내생산의 최소 X% (카나다 제안 : 1%) 이상

- 수입쿼타는 상기 3개 기준에 따라 매년 조정

2. 대 책

o 아국의 11조 2항(C)원용 가능성에 대비, 국명 나열의 공동 제안국으로 참여 필요

- 일본, 카나다 : 국명 나열의 공동제안에 적극적

- EC : 원칙적으로 지지하나 순수입국만 11조 2항(C) 원용 가능하다는 내용에 대하여는 반대

- 북구 : 원칙적으로 지지. 끝.

0075

UR 농산물 협상 관련 대책 실무회의 개최

1. 일시 및 장소 : 5.2.(목) 16:00, 경기원 대조실장실

2. 참석범위

   o 경제기획원　대조실장, 제2협력관

   o 외 무 부　통상국장

   o 상 공 부　국제협력관

   o 농 수 산 부　농업협력통상관

3. 회의 안건 (농수산부 보고)

   o GATT 11조 2항 C 개선 관련 아측 입장

   o Country List 관련 한.미 양자협의 대책

   o BOP 관련 갓트 이사회 결과.　　　　끝.

공람	통상기구과	91 년 월 일	담당	과장	심의관	국장	차관보	차관	장관
			송봉헌	(서명)		(서명)			

0076

관리 번호	91-315

	분류번호	보존기간

발 신 전 보

번 호 : WGV-0571 910502 1854 FN 종별 : 지급

수 신 : 주 제네바 대사. 총영사

발 신 : 장 관 (통 기)

제 목 : UR/농산물 (갓트 11조 2항 C)

대 : GVW-718, 690

금 5.2. 개최된 관계부처 실무대책 회의에서 대호 갓트 11조 2항 C 개선 제안에 지지 국명 나열 방식의 공동 제안국으로 참여키로 결정 하였으니 필요한 조치를 취하기 바람. 끝. (통상국장 김 삼 훈)

예고문에 의거 분류 1991.6.30. 직위 성명

보안 통제	代

앙 고 재	91년 5월 2일	통상기구과	기안자 성명		과 장		국 장		차 관	장 관
			송봉헌		보고필					보고필

외신과통제

0077

관리 번호	91-316

원 본

외 무 부

종 별 :

번 호 : GVW-0813 일 시 : 91 0502 1830

수 신 : 장관(통기,농림수산부)

발 신 : 주 제네바 대사

제 목 : UR/농산물(갓트 11조 2항 C)

연: GVW-0718

대: WGV-571

1. 5.2(목) 당지 카나다 대표부 관계관(BORLAND 농업담당 참사관)에게 갓트11 조 2 항 C 개선 제안 관련 지지국명 나열 방식의 공동 제안국으로 참여키로한 아국 입장을 통보하였음.

2. 탐문한 바에 따르면 금일 현재까지 지지국명 나열 방식을 선호한 국가는 카나다, 일본, 아국, 핀랜드, 오스트리아등 5 개국이고, 노르웨이, 아이슬랜드, 스위스등은 이씨의 동향을 관망하면서 아직 입장을 정하지 못한 상태라고 하며, 카나다는 이씨를 끌어들이기 위한 노력으로서 금 5.2(목) 오후 비공식 협의를 가질 예정이라고 함.

3. 갓트 11 조 2 항 C 개선 제안은 내주초(5.6-7 일) 갓트에 배포 요청할 전망임.끝

(대사 박수길-국장)

예고: 91.6.30 까지

예고문에 의거 일반문서로 재분류(1991.6.30.) 직위 성명

통상국 차관 1차보 2차보 농수부

PAGE 1

91.05.03 05:44

외신 2과 통제관 CA

0078

조, 통,

원 본

외 무 부

종 별 :

번 호 : GVW-0798 일 시 : 91 0501 1800

수 신 : 장관(통기, 경기원, 농림수산부, 상공부)

발 신 : 주 제네바 대사

제 목 : UR 협상

연: GVW-775

1. 박공사는 금 5.1. 오전 갓트 사무국 PETERWILLIAMS TNC 담당 사무국장을 만나연호 TNC회의 이후 동향에 관해 탐문한바, DUNKEL 사무총장은 BRUSSELL 방문후 현재 미국을 방문중에 있고 5.3 귀임 예정이며 귀임하는 대로 새로 선출된 각 협상 그룹의 장들과 향후 협상일정 및 의제등을 협의할 예정이라 하고 이미 날자가 정해져 있는 협상 일정은 그대로 두고 이에 추가하여 새로운 일정을 마련하게 될 것이라 하였음.

2. 동인은 이어 대부분 나라들이 5월말 미의회의 PAST TRACK AUTHORITY 연장문제가 결말이나기 전에는 협상에 대한 열의가 저조하기 때문에 5월 중에는 협상 진행이부진을 탈피하기 어려울것 같고 6월 부터는 협상이 활발해 질것으로예상된다고 부연하였 음.

3. 한편 당치 주요국 대표들과 접촉한 바에 의하면 정치적 결정을 요하는 본격적인 실질문제협상은 EC 의 공동 농업 정책 개혁 토의가 본격화될 91.9월 이후에나 가능할 것으로 관측하는 견해가 유력함. 끝

(대사 박수길-국장)

통상국 2차보 청와대 경기원 농수부 상공부

PAGE 1 91.05.02 05:45 FO

외신 1과 통제관

0079

3, 송

원 본

외 무 부

종 별 :

번 호 : ECW-0390 일 시 : 91 0502 1800

수 신 : 장 관(통기,경기원,농림수산부,상공부) 사본:주제네바 대사-직송필

발 신 : 주 EC 대사대리

제 목 : GATT/UR 협상

1. 당지발행 AGENCE EUROPE 지에 의하면 4.30.GROS-ESBIELL UR/TNC 각료회의 의장은 7.28-29기간중 표제협상의 중간평가를 위한 각료회의를 개최할 것을 고려하고 있다고 말함. MERCOSUR (MEMBERS OF THE NEW SOUTH AMERICAN COMMONMARKET-알젠틴, 브라질, 파라과이및 우루과이) 와 EC 의 협력증진을 모색하기 위해 MERCOSUR대표 단의 일원으로 브랏셀을 방문하고 있는 동인은 EC 의 표제협상 대표들과 만난자리에서 위와같이 말하고, 이 각료회의 (7.28-29) 에서는 금년 하반기의 표제협상 추진방향을 토의하게 될것이라고 말함. 한편, 동인은 표제협상이 현재와같은 추세로 진행된다면 92.2. 까지는 합의에 도달할수 있을것이라고 전망하면서, 그러나 합의결과는 DUNTA DEL ESTE 선언정신에 비추어 긍정적이라 할 (LESS AMBITIOUS) 수는 없을것이나, 보호주의에 로의 복귀를 회피하고 2-3년내에 추가협상 재개 가능성을 남겨둘수있을 정도의 비교적 긍정적 (MODERATELY POSITIVE) 인것이될 것으로 본다고 말함

2. 한편 5.2-3 워싱턴을 방문중에 있는 MACSHARRY 위원은 MADIGAN 미 농무, HILLS 미무역대표부 대표와 만나서 GATT 협상, EC 의 식물성 유지류 생산및 무역제도를 GATT 규범에 합치시키는 문제, 미국의 도축장의 위생기준을 EC 기준에 일치시키는 문제등 양측의 현안사항을 협의하고 EC/CAP 개혁방안을 설명할 것이라고 보도함. 끝

(대사대리 강신성-국장)

통상국 2차보 경기원 농수부 상공부

PAGE 1 91.05.03 08:52 WG

외신 1과 통제관

0080

원 본

외 무 부

종 별 :

번 호 : GVW-0808 일 시 : 91 0502 1500

수 신 : 장 관(통기,경기원,재무부,농림수산부,상공부)

발 신 : 주 제네바대사

제 목 : UR/ 농산물 수출경쟁 주요쟁점 리스트

5.13.주간 개최 예정 표제 협상 주요국 비공식회의시 논의될 수출경쟁분야 주요 쟁점 리스트를 별첨 송부함.

첨부: 수출경쟁분야 주요 쟁점리스트 1부.

(GVW(F)-0149). 끝

(대사 박수길-국장)

통상국 2차보 경기원 재무부 농수부 상공부

PAGE 1

91.05.03 08:26 WH

외신 1과 통제관

0081

GVW(F)-0149 10502 1600

1 May 1991

"GVW-0808 첨부"

Agriculture

TECHNICAL WORK ON EXPORT COMPETITION

Suggested checklist of issues, by the Chairman for the consultations on agriculture 13-17 May 1991

1. At the meeting of the informal group on 1 March 1991, it was agreed that the Chairman, on his responsibility, would prepare and circulate to participants checklists of technical issues to facilitate the work of the group. Following on from the discussions on domestic support and market access, this note contains a checklist of issues in the area of export competition, including points of particular concern for developing countries and net food importing developing countries and those concerns relating to food security. It should be noted that the checklist is not exhaustive, nor is it intended to prejudge participants' positions on the issues to be discussed. Participants may wish to add specific points to the checklist, but it is not intended that the checklist itself be discussed.

2. The checklist is divided into four main areas: a definition of export subsidies to be subject to the terms of the final agreement; modalities of commitments; means to avoid the circumvention of commitments while maintaining adequate levels of food aid; and reinforcement of GATT rules and disciplines.

I. Definition of export subsidies to be subject to the terms of the final agreement

3. It is assumed that one of the purposes of an agreed definition of export subsidies would be to determine what level or quantity of exports of a given product should be considered as "subsidized" and therefore subject to commitments. Likewise an agreed definition would provide a means of determining what budgetary outlays or revenue foregone would be subject to commitments.

0082

18AG-PS.DOC

4. Does the concept of subsidies which <u>operate to increase exports</u> in the sense of Article XVI:1 and 3 provide an operational criterion for determining the policy coverage of the commitments to be negotiated?

5. Would the concept of subsidies contingent in law or in fact upon export performance as set out in Article 3 of the draft text under discussion in the Negotiating Group on Subsidies and Countervailing Measures (MTN.GNG/NG10/23) provide such a criterion?

6. Given the inherent imprecision of broadly framed concepts in the context of a technical examination it is suggested that attention might initially be focused on what specific forms of export assistance should be covered by an eventual definition. Accordingly, does the list of export subsidy practices in paragraph 20 of MTN.GNG/NG5/W/170 (listed below) provide an adequate basis for developing an appropriate definition? Which practices should be added to or excluded from the list and on what conditions? What degree of precision should be developed in defining particular practices?

(a) direct financial assistance to exporters to compensate for the difference between the internal market prices in the exporting country and world market prices;

(b) payments to producers of a product which result in the price or return to the producers of that product when exported being higher than world market prices or returns;

(c) costs related to the sale for export of publicly owned or financed stocks;

(d) assistance to reduce the cost of transporting or marketing exports;

(e) export credits provided by governments or their agencies on less than fully commercial terms;

0083

(f) the provision of financial assistance in any form by governments and their agencies to export income or price stabilization schemes operated by producers, marketing boards or other entities which play de facto a dominant rôle in the marketing and export of an agricultural product;

(g) export performance-related taxation concessions or incentives;

(h) subsidies on agricultural commodities incorporated in processed product exports.

7. Some other issues for consideration are: whether the exception provided for in paragraph 2 of the note to Article XVI:3, which concerns certain price or income stabilization schemes, should be maintained; and whether export subsidies financed through levies on producers should be covered and, if so, on what conditions?

II. Modalities of specific commitments

8. The approaches for negotiating specific commitments on subsidized exports include commitments on the quantity of a product that may be exported with export subsidies; commitments on budgetary outlays and revenue foregone; commitments on per unit export subsidization; or on some combination of such commitments.

9. The quantitative approach involves a number of technical and other issues. These include:

(a) what base period would be used for establishing the initial quantity in respect of which commitments would be undertaken?

(b) in terms of product coverage, whether the approach would apply to all agriculture products which are to be regarded as subsidized in accordance with an agreed definition of export subsidies, or only to the major traded commodities?

(c) would the initial or base quantity cover commercial transactions only or would certain concessional and other non-commercial transactions be taken into account?

(d) would primary agricultural products incorporated in processed agricultural exports be included in the commitment on the primary product? Alternatively, would a separate quantitative commitment or sub-commitment be negotiated in respect of incorporated products?

10. In respect of the approach involving commitments on budgetary outlays and revenue foregone in respect of export assistance:

(a) what base period would be used for calculating the budgetary outlays (and revenue foregone) in respect of which commitments would be undertaken?

(b) would commitments relate to the level of export assistance for the agricultural sector as a whole, to the individual commodities, or to both?

(c) what transactions other than normal commercial sales would be covered?

(d) what arrangements should be made to attenuate the effect of world market price and currency fluctuations? Would a multi-year moving average provide a means of achieving this?

(e) what if any adjustments should be made for taking account of excessive rates of inflation?

0085

11. The approach involving commitments on per unit export subsidies and total outlays raises a number of issues in common with the modalities discussed above. An issue specific to this approach is whether a per unit export subsidy commitment would be based on the average price gap observed in, for example, a multi-year base period, or whether such a commitment would be based on the average per unit subsidy to be derived from data on budgetary outlays and revenue foregone?

12. Other issues that might be addressed would include the precise nature of commitments. For example, where commitments are exceeded or likely to be exceeded in any year, would there be an automatic commitment to take corrective action or would the exporting country concerned not be required to take corrective action unless a finding adverse to it is made under dispute settlement proceedings? What implications would an overshoot in one year have on the level of commitments in the following year? For example, would compliance with commitments be based on a multi-year moving average of subsidized exports?

13. Another issue for consideration, although this is ultimately a matter for political decision, concerns the modalities of differential treatment for developing countries as regards commitments in this area and their implementation.

III. Development of means to avoid circumvention of commitments while maintaining adequate levels of food aid

14. Since the specific commitments to be negotiated in the area of export competition would relate primarily to commercial sales in world markets, one of the principal concerns would be to ensure that concessional sales and other non commercial transactions are not used to circumvent the commitments that may be undertaken. The main disciplines in this area at present are the FAO Principles of Surplus Disposal which are administered by the FAO Consultative Sub-Committee on Surplus Disposal (CSD). Another area of concern is the question of export credits. Although aspects of

0086

this subject are covered by the FAO/CSD consultative arrangements as regards food aid transactions, there is no consensus or agreement on what export credit terms and conditions are to be regarded as commercial or non-commercial. A brief description of the current arrangements in these areas is attached.

15. There is a close linkage between food aid and concessional sales on the one hand and export credit arrangements on the other. Accordingly one of the main issues to be considered from the point of view of developing means to avoid circumvention concerns the basic approach that might be followed in each of these interrelated areas. One issue for consideration therefore is whether it would be operationally and technically feasible to compartmentalize commercial and non-commercial transactions in a way that would remove a large sector of the "grey area" that lies between the two and which may constitute a relatively broad avenue for potential circumvention of commitments?

16. In the area of food aid and concessional sales one issue would be whether the range of permitted forms of assistance should be confined to a more limited range of transactions? For example, under the Food Aid Convention, the basic elements of which were negotiated in the Kennedy Round, the form in which food aid may be provided is restricted to gifts of grain (or cash equivalents); sales for the currency of the recipient country which is not transferable or convertible into currency or goods and services for use by the donor; and, sales on credit over twenty years or more on certain conditions regarding repayment. Should this basic approach be extended to all the major traded commodities, and if so, with what modifications regarding Usual Marketing Requirement (UMR) disciplines? What disciplines would be needed to prevent permitted (high grant element) food aid transactions being tied to commercial sales?

17. Some of the issues involved in defining normal commercial transactions would include:

(i) what limit should be placed on commercial credit? (180 days?)

(ii) what limits should be placed on repayment terms beyond (i) above?

(iii)should official support for transactions under (ii) above be prohibited?

(iv) what means should be employed to prevent tied-aid credit transactions?

(v) what provisions should be made for differential treatment in respect of sales to developing country markets?

18. Question (iv) above is part of a broader issue, namely under what arrangements could transactions in the "grey area" be prohibited or strictly disciplined?

19. The maintenance of adequate levels of food aid is an issue which would involve substantive review of current levels of food aid commitments, their product coverage and their adequacy. One issue that may be considered is whether, given that an approach along the lines outlined in paragraph 16 above could lead to a higher overall grant element in food aid transactions, consideration should be given to accompanying measures to progressively increase food aid commitments? Aspects relating to net food importing developing countries would also be relevant in this context as regards the availability of adequate supplies of foodstuffs both as food aid and under concessional sales on appropriate terms.

IV. Reinforcement of GATT Rules and Disciplines

20. It is a matter for political decision whether the reinforcement of GATT rules and disciplines in the area of export competition would be encompassed within the existing Article XVI framework or within a new framework such as that provided for in MTN.GNG/NG10/23. The listing of suggested issues under both these alternatives is accordingly intended to

be without prejudice to the decisions that might ultimately be taken in this respect.

A. Reinforcement of Existing GATT Rules and Disciplines

More than Equitable Share

21. The following suggested issues are listed for consideration regarding the reinforcement of the "more than equitable share" discipline on "export subsidies" (as eventually defined):

(i) should the more than equitable share concept be developed as a specific binding limitation on the global level of exports of an agricultural product in respect of which a contracting party is entitled to use export subsidies in any calendar or marketing year?

(ii) how would this level be determined? On the basis of the average annual level of subsidized exports over the most recent three-year period, on the basis of the average resulting from the exclusion of the highest and lowest annual levels from the most recent five year period, or on some other basis?

(iii) how should the resulting shares be expressed: as a percentage of world export trade in the product concerned, or, in quantitative terms?

(iv) if equitable shares are to be quantified along the above lines should Article XVI:3 be amended or interpreted to provide that a subsidized share of world export trade would not be considered to be more than equitable as long as the level of subsidized exports in any period does not exceed the negotiated level applicable to the period in question as recorded in the subsidizing contracting party's schedule of reduction commitments?

0089

18AG-PS.DOC

(v) what obligations should be imposed under reinforced disciplines on a subsidizing exporter which has exceeded or which is likely to exceed the commitment level specified for a given year?

(vi) what reinforced rules and disciplines would apply to subsidized exports of products in respect of which the calculation of shares for the purpose of reinforced Article XVI:3 disciplines is not practicable? In other words, should a reinforcement of the more than equitable share discipline be limited to the major traded commodities, with subsidized exports of other products being subject to commitments on budgetary outlays and to reinforced disciplines on "serious prejudice"?

22. Another issue for consideration is how specific binding commitments negotiated on quantities that may be exported with the use of export subsidies (as eventually defined) would be be integrated into the existing framework of rules and disciplines? For example, would an amendment or note to the first sentence of Article XVI:3 regarding the avoidance of the use of subsidies on the export of primary agricultural products, provide an appropriate means for integrating schedules of commitments into the existing framework?

23. A procedural aspect of the reinforcement of Article XVI:3 disciplines is whether an amendment or note should be introduced providing that once a _prima facie_ case had been established by the complainant that the specified commitment level had been exceeded the onus would rest with the subsidizing exporter to demonstrate conclusively that the increased share (in quantitative or percentage terms) is nevertheless not more than equitable?

24. The integration into Article XVI:3 of commitments to progressively reduce budgetary outlays on export subsidies raises specific issues. Existing Article XVI:3 disciplines are essentially concerned with quantities and with shares of the volume of world export trade in particular products, not with the budgetary outlays involved. It would therefore be an issue for consideration whether there is any inherent

0090

18AG-PS.DOC

difficulty in such commitments being inro pu.ated as an amendment or note to the first sentence of Article XVI:3 as outlined in paragraph 22 above. Where a commitment on budgetary outlays is not respected, should this be treated as a breach of the equitable share rule or as the breach of a specific commitment that would be deemed to constitute serious, or both?

New Framework of Rules and Disciplines

25. The issues relevant to an examination of an improved framework for limiting the use of export subsidies include: the scope of a general prohibition subject to exceptions; and, the nature of possible exceptions. The question of the disciplines that might apply to the case of subsidies permitted under exceptions is dealt with in the next sub-section of the checklist since the issues relating to reinforced disciplines in large measure apply to both the existing and an improved framework.

26. The range of export subsidy practices that, in principle, would be prohibited under the framework of a prohibition with exceptions would depend on the scope or policy coverage of the definition of export subsidies to be subject to the terms of the final agreement.

27. The following possible exceptions are listed as issues for examination:

(i) food aid and concessional sales in which the grant element is not less than [ ] per cent and which are not tied directly or indirectly to commercial sales and which comply with the relevant FAO/CSD principles and procedures;

(ii) export subsidies on products in respect of which specific binding commitments to limit or progressively reduce such subsidization has been entered into in terms of the final agreement;

(iii) subsidised export credits on terms and conditions that conform with specific criteria;

0091

(iv) producer financed export subsidies, subject to appropriate terms and conditions;

(v) subsidies on agricultural primary products incorporated in exports of processed agricultural products, subject to appropriate terms and conditions.

(vi) developing countries: terms and conditions.

(vii) other exceptions for discussion.

28. It is to be noted that items (iv), (v) and (vi) above are included for discussion as possible exceptions on the basis that the criteria or conditions that might be applied to these practices could be elaborated either in the context of a definition of export subsidies or in the context of conditional exceptions to a prohibition.

Reinforced Disciplines Applicable to Export and Other Subsidies Whose Use is Permitted Under the Existing or a New Framework

29. The issues that arise in this context may be discussed under two headings: namely, general disciplines and disciplines more directly related to reinforcing the rôle of serious prejudice.

General Disciplines

30. General disciplines or limitations on the use of permitted export subsidies which need to be considered are:

(i) a rule or discipline under which in all cases an export subsidy may not exceed the difference between the internal market price in the market of the exporting country and the f.o.b. export price. The precise basis on which such prices would be determined or constructed and the range of products where this would be feasible are some of the points that need to be examined;

(ii) a complementary discipline limiting the amount of an export subsidy to the amount of the corresponding import charge on the like product when imported into the market of the exporting country. What import charges should be included in this amount? How would this charge be determined in the case of non tariff access barriers such as quantitative restrictions?

(iii) a discipline or provision that export subsidies would not be granted: (a) in respect of products which are not eligible for export subsidies or in respect of which export subsidies have not in fact been granted during a recent representative period; and (b) in respect of any market or region where during a representative period prior to the final agreement, export subsidies have not been employed.

0093

Serious Prejudice

31. Some of the principal issues that arise are (i) whether the concept of serious prejudice should be reinforced as a discipline on permitted subsidy practices which seriously affect the commercial interests of contracting parties in individual or regional markets, with the "equitable share" discipline operating as a broader safeguard or preventive discipline on global shares; and (ii) whether the obligation in the second sentence of Article XVI:1 to merely discuss the possibility of limiting the offending subsidization should be upgraded to an obligation to take remedial action if a panel so determines.

32. The situations of serious prejudice which might be examined as a basis for developing reinforced disciplines under Article XVI:1 (second sentence) or as additional provisions under Article XVI:3 could include:

(i) significant price undercutting in individual markets, with the basis for determining undercut being a comparison with prices practised by traditional suppliers to the same market or region for the same or like products, as well as prices practised by the party complained against, adjusted as appropriate, in markets where it is a traditional supplier of the product concerned;

(ii) where export subsidies are applied in a manner which results in the displacement of the exports of a contracting party from an individual market or region, or which are applied in a manner, whether through price suppression or otherwise, which hinders or impedes the maintenance or development of the exports of traditional suppliers to an individual market or region.

33. Issues for consideration in this context would include the precise basis on which prices would be selected and adjusted the rôle of per unit export values, the definition of regional markets and traditional suppliers, as well as the question of the evidentiary onus in proceedings where the specific commitments discussed above have not been respected and

0094

18AG-PS.DOC

where the complainant does not use export subsidies as defined and/or is a developing country.

0095

18AG-P3.DOC

Annex

Background Note on FAO/CSD Principles and Procedures and on Agricultural Export Credits

1. The FAO Principles of Surplus Disposal constitute a non-binding code of conduct recommended to member governments involved in the provision of food aid. In the main, the principles seek to assure that food and other agricultural commodities which are exported on concessional terms result in "additional" supplies for the recipient country, that domestic production is not adversely affected, and that transactions do not displace normal commercial imports.

2. The protection of the trade interests of third countries is essentially achieved through two undertakings that are incorporated in certain types of agreements between donor and recipient countries for the supply of agricultural commodities on concessional terms. The first is an undertaking by the recipient country not to re-sell or tranship the commodity to third countries. The second is a usual marketing requirement (UMR) commitment by the recipient country to maintain at least a specified level of commercial imports in addition to any imports of the same commodities under the concessional transaction.

3. The proposed UMR for a particular concessional transaction is calculated by the supplying country and normally represents the average volume of commercial imports of the commodity concerned during the preceding five-year period. The FAO/CSD principles and procedures make provision for a range of special factors that may have affected the five-year representative period to be taken into account, such as substantial changes in the balance-of-payments position of the recipient country or in trends in production and consumption of the commodity in question.

4. Under FAO/CSD procedures the proposed transaction and UMR calculation are subject to prior notification to and bilateral consultations with

0096

countries having a substantial interest as suppliers to the recipients' market or as exporters of the product concerned. A period of fourteen days is allowed for such consultations. The proposed UMR as determined by the supplying country in the light of these bilateral consultations, together with the main features of the proposed supply agreement, are then notified to the CSD where the matter may be reviewed and further discussed. However, supplying countries remain free as to whether or not they accept any conclusions reached by the Sub-Committee in its review of proposed or adopted measures.

5. The UMR as incorporated in the bilateral aid agreement constitutes a commitment on the part of the recipient country to import the quantities concerned within a twelve months compliance period. The UMR may be re-negotiated in the event of subsequent developments in the balance-of-payments or economic situation of the recipient country. In practice there are many relatively small transactions for which UMRs are not established.

6. These UMR and prior consultation requirements do not apply to all non-commercial sales. They apply to a "catalogue" of thirteen "types" of transactions that are regarded as food-aid transactions within the responsibility of FAO/CSD and which form part of a list of twenty types of transactions (drawn up in 1970) ranging from donations to "transactions which conform to the usual commercial practices in international trade". A copy of the full list of transactions is attached. The catalogue of food-aid transactions subject to CSD notification, prior consultation and UMR obligations (except certain emergency, WFP and other transactions) cover Types 1 through 13 excluding Types 10(c) and 11(c).

7. Other international arrangements which cover food aid and non-commercial transactions include the International Wheat Agreement, under both the Wheat Trade Convention (Article 6) and the Food Aid Convention (Articles IV and VII), and the International Dairy Arrangement (Article V). In general these arrangements require or encourage, as appropriate, compliance with FAO/CSD principles and procedures.

0097

18AG-PS.DOC

8. Attempts so far to reach a consensus in other fora, mainly in the OECD, on agricultural export credit terms and conditions have not been successful. The basic objective in this area has generally been twofold: one being to reach agreement on standard terms and conditions for commercial transactions; the other being to negotiate limits on the use of aid funds or donations in conjunction with commercial transactions or credits.

List of Transactions

Types 1 to 13 transactions excluding 10(c) and 11(c) are subject to CSD notification and consultation obligations under the FAO Principles of Surplus Disposal
(selected footnotes not reproduced)

1. GIFTS OR DONATIONS OF COMMODITIES FROM A GOVERNMENT TO A GOVERNMENT OF AN IMPORTING COUNTRY, AND INTER-GOVERNMENTAL ORGANIZATION[1] OR A PRIVATE INSTITUTION FOR FREE DISTRIBUTION DIRECTLY TO THE FINAL CONSUMERS IN THE IMPORTING COUNTRY.

2. GIFTS OR DONATIONS OF COMMODITIES FROM A GOVERNMENT TO A GOVERNMENT OF AN IMPORTING COUNTRY, OR AN INTER-GOVERNMENTAL ORGANIZATION[1] OR A PRIVATE INSTITUTION FOR DISTRIBUTION, BY MEANS OF SALE ON THE OPEN MARKET OF THE IMPORTING COUNTRY.

3. MONETARY GRANTS BY THE GOVERNMENT OF AN EXPORTING COUNTRY TO AN IMPORTING COUNTRY, FOR THE SPECIFIC PURPOSE OF PURCHASING A COMMODITY FROM THE EXPORTING COUNTRY.

4. MONETARY GRANTS BY A GOVERNMENT EITHER TO A SUPPLYING COUNTRY (OR COUNTRIES) OR TO A RECIPIENT COUNTRY FOR THE SPECIFIC PURPOSE OF PURCHASING A COMMODITY FROM THE EXPORTING COUNTRY (OR COUNTRIES) FOR DELIVERY TO THE SPECIFIC RECIPIENT COUNTRY.

5. MONETARY GRANTS BY A GOVERNMENT TO AN INTER-GOVERNMENTAL ORGANIZATION[1] FOR THE SPECIFIC PURPOSE OF PURCHASING COMMODITIES IN THE OPEN MARKET FOR DELIVERY TO ELIGIBLE IMPORTING COUNTRIES (DEVELOPING COUNTRIES).

---

[1] Excluding World Food Programme, which is covered in 6.

0099

18AG-PS.DOC

6. TRANSFERS OF COMMODITIES UNDER THE RULES AND ESTABLISHED PROCEDURES OF THE WORLD FOOD PROGRAMME.

7. SALES FOR THE CURRENCY OF THE IMPORTING COUNTRY WHICH IS NOT TRANSFERABLE AND IS NOT CONVERTIBLE INTO CURRENCY OR GOODS AND SERVICES FOR USE BY THE CONTRIBUTING COUNTRY.

8. SALES FOR THE CURRENCY OF THE IMPORTING COUNTRY WHICH IS PARTIALLY CONVERTIBLE INTO CURRENCY OR GOODS AND SERVICES FOR USE BY THE CONTRIBUTING COUNTRY.

9. GOVERNMENT-SPONSORED LOANS OF AGRICULTURAL COMMODITIES REPAYABLE IN KIND.

10. SALES ON CREDIT IN WHICH, AS A RESULT OF GOVERNMENT INTERVENTION, OR OF A CENTRALIZED MARKETING SCHEME, THE INTEREST RATE, PERIOD OF REPAYMENT (INCLUDING PERIODS OF GRACE) OR OTHER RELATED TERMS DO NOT CONFORM TO THE COMMERCIAL RATES, PERIODS OR TERMS PREVAILING IN THE WORLD MARKET. IN PARTICULAR WITH RESPECT TO PERIOD OF REPAYMENT, CREDIT TRANSACTIONS ARE DISTINGUISHED AS FOLLOWS: (A) TEN YEARS OR MORE; (B) OVER THREE YEARS AND UNDER TEN YEARS; (c) up to three years.[2]

11. SALES[2] IN WHICH THE FUNDS FOR THE PURCHASE OF COMMODITIES ARE OBTAINED UNDER A LOAN FROM THE GOVERNMENT OF THE EXPORTING COUNTRY TIED TO THE PURCHASE OF THOSE COMMODITIES, DISTINGUISHED AS FOLLOWS WITH RESPECT TO PERIOD OF REPAYMENT: (A) TEN YEARS OR MORE; (B) OVER THREE YEARS AND UNDER TEN YEARS; (c) up to three years.[2]

12. TRANSACTIONS UNDER CATEGORIES 1 TO 4 AND 7 TO 11 SUBJECT TO TIED USUAL MARKETING REQUIREMENTS OR TO TIED OFFSET PURCHASING REQUIREMENTS.

---

[2]Category (c) would include commercial and quasi-commercial transactions.

0100

18AG-PS.DOC

13. TRANSACTIONS UNDER CATEGORIES 1 TO 4 AND 7 TO 11 TIED TO THE PURCHASE OF FIXED QUANTITIES OF THE SAME OR ANOTHER COMMODITY FROM THE EXPORTING COUNTRY.

14. Sales in which, as a result of government intervention or of a centralized marketing scheme: (a) prices are inconsistent with price provisions of an international agreement for the commodity concerned; or (b) prices are lower than prevailing world prices;[3] or (c) sales made in such ways as to disrupt prevailing world prices or the normal patterns of international trade

15. Subsidized exports and imports, including special transport arrangements.

16. Barter transactions not involving price concessions: (a) government-sponsored; (b) not government-sponsored.

17. Barter transactions involving price concessions: (a) government-sponsored: (b) not government-sponsored.

18. Sales for non-convertible currency: (a) involving price concessions; (b) not involving price concessions.

19. Any other categories of government-sponsored transactions which may interfere with normal commercial trade.

20. Transactions which conform to the usual commercial practices in international trade and which do not include those transactions listed above.

---

[3]Or, in the case of multi-year contracts, at prices lower than can be reasonably expected to prevail in international markets for the duration of the contract.

18AG-PS.DOC

0101

20-20

1991-05-02 19:01 KOREAN MISSION GENEVA 2 022 791 0525 P.01

조, 송

원 본

외 무 부

종 별 :

번 호 : ECW-0394 일 시 : 91 0503 1700

수 신 : 장관(통기,경선,재무부,농수부,상공부,제네바대사-직필)

발 신 : 주 EC 대사

제 목 : GATT/UR 협상

연: ECW-0391

1. 5.2. DUNKEL 갓트 사무총장은 ANDRIESSEN EC대외담당 집행위원을 만나 표제협상전분야의 추진상황및 대책에 대하여 협의함. 양인은 가급적 조속한 기한내에 표제협상을 종결시키는 데에 의견을 같이하고 가능한한 금년말까지 협상이 종결될 것을희망 함. 그러나 ANDRIESSEN 위원은 조기 각료급회의를 개최하는것은 협상의 실패를초래할 수도 있음을 지적, 동 문제에 대하여는 언급을 회피하고, 현재 제네바에서 진행되고 있는 실무회의를 계속하는 것을 선호하였으며, 미 행정부가 FASTTRACK AUTHORITY 연장승인을 기다리면서 동 협상이 서서히 진행되고 있는 현시점에서 특별한 DEADLINE 을 설정하는 것은 협상실패의 요인이될 것이라는 견해를 피력함

2. 한편 동 위원은 90.12. 브랏셀 각료회의 실패요인이 농산물협상을 다른 협상분야와 분리하여 타결코자 시도한데 있음을 지적하면서 모든분야를 포괄한 협상추진및 타결을 주장하고, 미국등 주요 협상국들이 농산물협상 타결에 초점을 두는 것은표제협상 진전에 유익하지 못할것이라고 말함

3. 5.2-3 워싱톤을 방문중인 MAC SHARRY 위원은 MADIGAN 미 농무, HILLS 대표및농민단체등을 방문, 1) UR 농산물협상, 2) EC OILSEEDS문제, 3) 미 도축장 위생기준, 4) CAP 개혁및, 5) 미.EC 의 농업현황등을 협의할것이라고 발표된 바 있으나 상금당관은 동협의 결과를 입수치 못한바 그 결과 추보함. 끝

(대사 권동만-국장)

통상국	차관	1차보	2차보	경제국	청와대	안기부	재무부	농수부
상공부								

PAGE 1

91.05.04 08:51 DN

외신 1과 통제관

0102

송

원 본

외 무 부

종 별 :

번 호 : ECW-0399　　　　일 시 : 91 0506 1600

수 신 : 장 관 (통기,경기원,재무부,농림수산부,상공부)제네바대사 직송필

발 신 : 주 EC 대사

제 목 : GATT/UR 협상

연: ECW-0394

1. 5.2-3 워싱턴을 방문한 MAC SHARRY 위원은 MADIGAN 미 농무장관, HILLS 대표등과 회담후 워싱턴에서 가진 기자회견에서 비록 UR 농산물협상은 앞으로도 어려움이많을 것이나, 금년내에 합의에 도달할 것을 낙관한다고 말하고, 금번 미국방문은 건설적이고 호의적이 었으며, 미.EC 양측은 동 협상의 기술적 토의를 촉진(INTENSIFY) 하고, 양측은 정기적인 각료급 접촉을 갖기로 합의하였다고 발표함

2. 동인은 미 대표들과 협의시 CAP 개혁은 EC 내부 문제이며, UR 협상과는 관련성이없음을 강조하였다고 말하고, 금번 방문으로 말미암아 양측간 농산물 현안 사항이 악화되는것을 방지하는데 도움이 되었으며, 말고기 수입재개, 미국의 도축장 위생기준 문제, OILSEEDS (대두) 의 갓트패널 결과 이행 문제등 협의결과에 대해 만족을표시하면서 동인은 양자 농산물 문제로 인하여 전반적 교역문제를 다루고있는 UR 협상의 목적달 성을 저해하는 사례가 발생하여서는 안된다고 강조함. 끝

(대사 권동만-국장)

통상국　경기원　재무부　농수부　상공부　2차보

PAGE 1　　　　91.05.07 07:40 CT

외신 1과 통제관

0103

농 림 수 산 부

국협20644-387 503-7227 1991. 5. 4.

수신 외무부장관

참조 통상기구과장

제목 UR농산물협상 동향보고

1. 최근의 농산물협상은 3월이래 2차에 걸쳐 기술적쟁점사항에 대한 논의가 진행중이며, 특히 4.25 TNC회의에서는 협상을 보다 집중적으로 전개하기 위해 협상그룹을 15개에서 7개로 재조정하는 한편, 농산물그룹의장에는 던켈 갓트사무총장을 선임한바 있으며, 앞으로의 협상은 모든 참가국이 참여하는 형태로 추진하되 정치적 쟁점사항은 미국,EC,일본등 주요 8개국중심의 논의가 이루어질 것으로 예상되고 있습 니다.

2. 미국은 Fast Track연장문제가 의회에서 승인될 것으로 보고 7월 G-7회의시까지 협상의 기본골격을 마련하기 위해 집중적노력을 전개할 것으로 예상되는 반면, EC는 공동농업정책(CAP)개혁에 대한 논의가 본격화될 9월이후에나 실질협상이 가능할 것이라는 관측이 있어 상반된 견해가 제시되고 있읍니다.

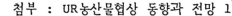

3. 이와같은 상황하에서 최근 던켈사무총장은 브랏셀과 미국을 방문하고 있으며, EC 맥세리 농업위원은 미국을 방문, Madigan농무장관과 Hills USTR대표와 향후협상 일정과 추진방식등에 대한 심도있는 논의를 하고 있는 것으로 예상되는바, 당부의 향후 협상대책수립에 참고코자 하니, 미국,EC, 제네바등 관련주재 공관으로 하여금 던켈사무총장 및 맥세리위원의 방문목적과 협의내용, 결과등에 대한 내용을 파악, 보고토록 조치하여 주시기 바랍니다.

첨부 : UR농산물협상 동향과 전망 1부. 끝.

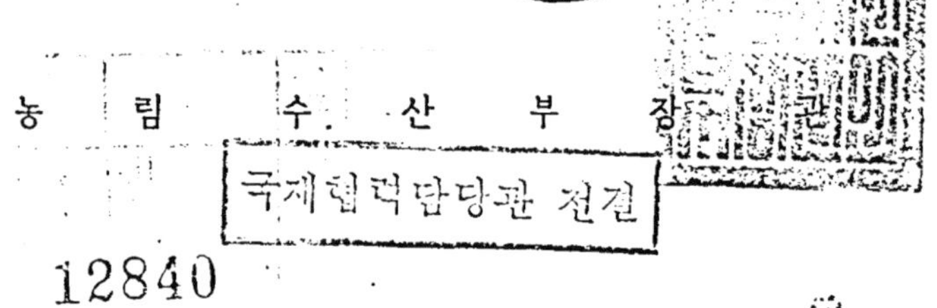

농 림 수 산 부 장 관

0104

12840

UR 농산물협상 동향과 전망

1. 최근의 협상동향

가. 주요국 비공식회의 진행

0 2.26 TNC회의에서 던켈사무총장 제안서(statement) 채택

- UR협상 공식재개 및 향후 협의의제 채택

- 식량안보, 개도국우대등 중간평가 합의사항을 토대로 기술적 실무회의의 추진에 합의

0 그동안 2차(3.11-15,4.16-19)에 걸쳐 국내보조 및 시장개방분야에 대한 기술적쟁점사항 토의

- 감축대상과 허용대상의 분류방법, 관세화방법, 최소시장접근 기준, 개도국우대조치등 논의

0 4.24 GATT이사회를 개최하여 '92-'94 BOP개방예시계획등 의제 토의

0 5.13-17일간 시장개방 및 수출보조분야 논의예정

나. 4.25 TNC공식회의 개최

0 협상을 보다 집중적으로 전개하기 위해, 15개 협상그룹을 7개그룹으로 재조정

0 농산물그룹 의장에 던켈사무총장 선임

0 새로운 협상구조는 지금까지의 주요국 비공식협의가 아닌 모든국가가 참여하는 공개회의 체제로 추진

0105

2. 비공식회의 논의결과와 예상

O 던켈사무총장은 지금까지의 논의결과를 토대로 Non-Paper를 제시할 계획임

- 사무국측은 Non-Paper의 기본골격을 이미 마련하고 있는 것으로 보이며, 비공식회의를 통해 Check List에 대한 세부논의는 각국의 반응을 진단하기 위한 것으로 보임

O Non-Paper의 내용은 주요 8개국(미국,EC,일본,카나다,호주,뉴질랜드,북구,알젠틴)회의에서 결정될 것으로 예상

- 일본,EC는 8개국의 논의사항이 타 체약국에도 공개되어야 함을 강조하고 있으며,
- 특히, 일본은 기본입장에 전혀 변화가 없다는 점을 강조하고 아측에 회의내용을 상세히 전달할 것을 약속

O 앞으로의 회의는 던켈사무총장의 Non-Paper중심으로 기술적사항의 합의골격을 마련하는데 주력할 것으로 예상

- 6월 첫번째 회의에서는 그동안의 협상결과를 각국에 전달하는 형태가 될 것임
- 기술적사항의 골격을 마무리하는 작업을 추진하되 정치적 결정사항을 암시하는 정도가 될 것임
- 정치적 사항은 주요 8개국중심으로 논의될 것으로 보이나, 구체적인 논의시점과 실질내용에 대하여는 의견차가 좁혀지지 않고 있어 현재로서의 타협전망은 불투명함

0106

3. 정치적 쟁점사항과 앞으로의 논의전망

가. 주요 쟁점사항

0 Global Approach와 Separate Approach의 대립

- EC가 Separate Approach를 완전 수용할 것인가의 문제

0 Fixed Compoment, Corrective Factor Rebalancing에 대한 EC의 강경입장에 대한 미국, 케언즈그룹의 수용여부

0 개도국우대의 반영방법

- 개도국측은 별도제안서 제출등 협상입지 강화를 추진하는 반면, 선진국측은 이에 소극적 입장을 견지

0 관세화의 예외

- 11조2(C)는 EC의 지지를 확보하여 공동제안하는 경우, 동조항 존치가능성 증대

- Food security는 Minimum Market Access, New Waiver방식등과 연계하여 검토될 가능성

0 국내보조의 감축방식

- 허용,감축대상 정책분류 및 접근방식(Negative or Positive Approach)

- 감축대상 AMS에 정부재정 지출이외에 국내외가격 가격차를 포함할 것인가의 문제

- 수출과 관련된 Deficieney Payment의 처리문제(국내보조 또는 수출보조에서 다룰 것인가의 문제)

0 기준년도, 이행기간, 감축폭등 정치적 사항

0107

나. 논의전망

0 미국은 Fast Track연장문제가 5월중 의회에서 승인될 것으로 보고, 7월 G-7회의시까지 협상의 기본골격을 마련하기 위한 노력을 집중적으로 전개할 것으로 예상

0 EC는 공동농업정책(CAP)이 9-10월경이 되어야 본격적인 논의가 가능할 것으로 보아, 기존입장의 변화를 기대하기 어려운 상태임으로 7월까지의 협상에는 계속 협조할 것으로 보나, 실질적인 진전을 위한 노력보다는 소극적인 방어자세를 견지해 나갈 것으로 예상

0 일본은 EC의 입장을 고려할때, 협상타결이 단기간내에는 어렵다고 보고, Food Security등 예외인정 입장을 견지하면서 내심 EC의 협상기간 지연에 협조할 것으로 전망

0108

	분류번호	보존기간

발 신 전 보

번 호 : WJA-2094 910507 1652 FN 종별 : 암호 발신

수 신 : 수 일 본 대사. ~~총영사~~

발 신 : 장 관 (통 기)

제 목 : 농수부 직원 출장

UR/농산물 협상 관련 귀주재국과의 협~~력 체제를~~ 외출 강화하고, ~~특히~~ 쌀등 NTC 관련 기초식량에 대한 시장접근 방법과 갓트 11조 ~~C~~ 2항 개선 관련 공동제안(카나다, 아국, 일본등 참여)에 대한 귀주재국 입장 파악을 위해 최용규 농수부 국제협력담당관이 5.8-9간 귀지 방문하니, ~~면담결과중 참고~~ 주재국와의 지원 내용 특기 사항 있으면 보고바람. 끝.

(통상국장 김 삼 훈)

보 안 통 제	

앙 고 재	91년 5월 7일	통상기구과	기안자 성명		과 장	심의관	국 장		차 관	장 관
			송봉헌				전결			

외신과통제

0109

	분류번호	보존기간

발 신 전 보

번 호 : WUS-1954 910508 1902 FO 종별 : 암호발신

WEC -0254 WGV -0601

수 신 : 주 미국, EC 대사. 총영사 (사본 : 주 제네바 대사)

발 신 : 장 관 (통 기)

제 목 : UR/농산물 협상

1. 4.25. TNC 회의에서는 15개 협상 그룹을 7개 그룹으로 재구성 하였으며 농산물 협상 그룹 의장은 Dunkel 갓트 사무총장이 직접 맡는등 본격 협상에 대비하고 있고, 금년 7월 런던 G-7 정상회담전 농산물 협상 타결을 위한 기본틀을 마련하기 위해 미, EC등 협상 주도국들의 집중적인 막후 교섭이 이루어질 전망임.

2. 상기 관련, Dunkel 사무총장이 5월초 귀지를 방문 하였으며 Macsharry EC 농업담당 집행위원은 5.2-3간 미국을 방문 하였는 바, 귀주재국 관련부서를 접촉, 동 방문 결과 파악, 보고바람. 끝. (통상국장 김 삼 훈)

보 안 통 제	

앙 고 재	91년 5월 8일	통상기구과	기안자 성명		과 장	심의관	국 장		차 관	장 관
			송봉헌			전결				

외신과통제

0110

농 림 수 산 부

국협 20644-407 503-7227 1991. 5. 7.

수신 외무부장관

참조 통상국장

제목 UR 농산물협상에 관한 한.일간 비공식협의

1. '91. 2. 26 TNC회의에서의 UR협상재개 결정에 따라 농산물협상은 '91.3.1부터 재개되어 주요의제의 기술적 쟁점에 대한 협의가 계속중이며, 6월부터는 핵심쟁점에 대한 협의가 본격적으로 추진될 것으로 전망됩니다.

2. 향후 본격적으로 추진될 협상에 대비, 협상여건이 아국과 유사한 일본과의 협력체제를 강화하고 5.13-5.17간 개최예정인 UR농산물 비공식회의(시장접근 및 수출보조분야 기술적쟁점협의)등에 대비 양국간의 의견교환을 통해 쌀 NTC 품목에 대한 시장접근 방법 및 11조 2항C의 공동제안에 대한 일본의 입장파악등을 위하여 다음과 같이 당부대표 파견코자 하오니 협조하여 주시기 바랍니다.

- 다 음 -

가. 당부대표 : 농업협력통상관실 국제협력담당관 최 용 규

나. 출장기간 : '91. 5. 8 - 5. 9 (2일간)

다. 출 장 국 : 일본 (동경)

라. 주요활동계획 : 일본 농무성 UR농산물협상 담당관계관과의 비공식협의 추진

마. 소요경비

o 국외여비 : $551 (1113-213)

첨부 출장일정 및 소요경비 내역 1부. 끝.

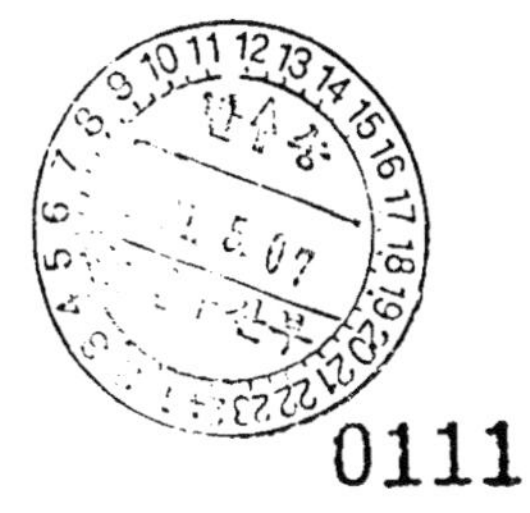

0111

국협 20644- 503-7227 1991. 5. 7.

농 림 수 산 부 

0112

여행일정 및 소요경비 내역

가. 여행일정

'91. 5. 8(수) 09:30 서울발 (KE 702)
11:30 동경착
5. 9 (목) 15:55 동경발 (KE 001)
18:05 서울착

(5.8 ~ 5.9: 일본농무성 방문비공식 협의)

나. 소요경비 내역

(1) 국외여비

○ 항 공 료 : $ 332

○ 체제비

- 일 비 : $20 × 2일 = $40
- 숙박비 : $83 × 1일 = $83
- 식 비 : $48 × 2일 = $96

소 계 $219

합 계 $551 (지변과목 1113 - 213)

0113

원 본

외 무 부

종 별 :

번 호 : GVW-0841 일 시 : 91 0508 1730

수 신 : 장관(통기, 경기원, 재무부, 농림수산부, 상공부)

발 신 : 주 제네바 대사

제 목 : UR/농산물 (주요국 비공식 회의)

5.13-17 개최 예정 표제 주요국 비공식 회의소집 통지서와 갓트 사무국이 작성한 국내 보조분야허용 정책 및 개도국 우대에 관한 토의 자료를 별첨 FAX 송부함.

첨부: 1. UR/농산물 주요국 비공식 회의 소집통지

2. 국내 보조분야 허용 정책 토의 자료

3. 국내 보조분야 개도국 우대 토의 자료 각 1부.

끝

(GVW(F)-0154)

(대사 박수길-국장)

통상국 경기원 재무부 농수부 상공부 2차보

PAGE 1

91.05.09 05:33 DA

외신 1과 통제관

0114

GATT FACSIMILE TRANSMISSION

Centre William Rappard
Rue de Lausanne 154
CH-1211 Genève 21

Telefax: (022) 731 42 06
Telex: 412324 GATT CH
Telephone: (022) 739 51 11

4VN(F)-0154 10-7 1230
"GVW-0849 첨부"

TOTAL NUMBER OF PAGES 1
(including this preface)

Date: 8 May 1991

From: Arthur Dunkel
Director-General
GATT, Geneva

Signature: [signature]

To:			Fax No:
	ARGENTINA	H.E. Mr. J.A. Lanus	798 72 82
	AUSTRALIA	H.E. Mr. D. Hawes	733 65 86
	AUSTRIA	H.E. Mr. F. Ceska	734 45 91
	BRAZIL	H.E. Mr. R. Ricupero	733 28 34
	CANADA	H.E. Mr. J.M. Weekes	734 79 19
	CHILE	H.E. Mr. M. Artaza	734 41 94
	COLOMBIA	H.E. Mr. F. Jaramillo	791 07 87
	COSTA RICA	H.E. Mr. R. Barzuna	733 28 69
	CUBA	H.E. Mr. J.A. Pérez Novoa	758 23 77
	EEC	H.E. Mr. Tran Van-Thinh	734 22 36
	EGYPT	H.E. Dr. N. Elaraby	731 68 28
	FINLAND	H.E. Mr. A.A. Hynninen	740 02 87
	HUNGARY	Mr. A. Szepesi	738 46 09
	INDIA	H.E. Mr. B.K. Zutshi	738 45 48
	INDONESIA	H.E. Mr. H.S. Kartadjoemena	793 83 09
	ISRAEL	Mrs Eva Gover (Brussels)	32 2 374 98 20
	JAMAICA	H.E. Mr. L.M.H. Barnett	738 44 20
	JAPAN	H.E. Mr. H. Ukawa	733 20 87
	KOREA	H.E. Mr. Soo Gil Park	791 05 25
	MALAYSIA	Mr. Supperamanian Manickam	798 11 75
	MEXICO	H.E. Mr. J. Seade	733 14 55
	MOROCCO	H.E. Mr. M. El Ghali Benhima	798 47 02
	NEW ZEALAND	H.E. Mr. T.J. Hannah	734 30 62
	NICARAGUA	H.E. Mr. J. Alaniz Pinell	736 60 12
	NIGERIA	H.E. Mr. E.A. Azikiwe	734 10 53
	PAKISTAN	H.E. Mr. A. Kamal	734 80 85
	PERU	Mr. J. Muñoz	731 11 68
	PHILIPPINES	H.E. Mrs. N.L. Escaler	731 68 88
	SWITZERLAND	H.E. Mr. W. Rossier	734 56 23
	THAILAND	H.E. Mr. Tej Bunnag	733 36 78
	TURKEY	H.E. Mr. C. Duna	734 52 09
	UNITED STATES	H.E. Mr. R.H. Yerxa	799 08 85
	URUGUAY	H.E. Mr. J.A. Lacarte-Muró	731 56 50
	ZIMBABWE	H.E. Dr. A.T. Mugomba	738 49 54

The next consultations on agriculture will start at 3 p.m. on Monday, 13 May 1991, in Room E of the Centre William Rappard, and will continue throughout that week as necessary. Attendance is restricted to two persons per delegation.

In addition to the Checklist on Export Competition which has already been distributed, technical notes by the secretariat on (i) Domestic Support: policies excluded from the reduction commitment and (ii) Domestic Support: special and differential treatment for developing countries in respect of reduction commitments are now available from the Agriculture Division (office 1028).

PLEASE NOTIFY US IMMEDIATELY IF YOU DO NOT RECEIVE ALL THE PAGES

** OUR FAX EQUIPMENT IS HITACHI HIFAX 210 (COMPATIBLE WITH GROUPS 2 AND 3) AND IS SET TO RECEIVE AUTOMATICALLY **

0115

1991-05-08 20:08 KOREAN MISSION GENEVA 2 022 791 0525 P.01

DOMESTIC SUPPORT: POLICIES THAT SHALL BE EXCLUDED FROM THE REDUCTION COMMITMENT

Technical note by the Secretariat

This note lists, with greater precision, those policies covered by paragraph 7(i) to 7(v) and 7(vii) of the checklist on domestic support as discussed in the informal group on agriculture on March 11-15, 1991. The underlined text is that contained in the checklist, while the text below each of the subheadings is intended to make a more precise definition and reflect the discussion. It should be noted that the definitions set out below do not purport to represent consensus in all cases and their inclusion is without prejudice to participants' positions.

[7(i) general services (e.g. research, pest and disease control, training services)]

Payments in relation to the provision of general services of a generally beneficial nature to agriculture and the rural community. While such payments benefit producers, they shall not be made to the producers directly. General services include, but are not restricted to:

research, including payments for general research and for research programmes relating to particular commodities;

pest and disease control, including payments for general pest and disease control and for pest and disease control relating to particular commodities;

23AG-CC.DOC

0116

training services, including the provision of both general and specialist training facilities;

extension and advisory services, including the provision of mechanisms to facilitate the transfer of the benefits of research to producers;

inspection services, including payments for general inspection services and for the inspection of particular commodities;

marketing and promotion services, including the provision of market information, advice and promotion relating to particular commodities (but excluding payments for unspecified purposes that could be used by sellers to reduce the selling price or those programmes that confer a direct economic benefit to purchasers); and

infrastructural services, including payments for the provision of: roads and other means of transport, water supply facilities for both irrigation and other uses (but excluding the subsidised provision of water and the provision of on-farm facilities) and dams and drainage schemes (but excluding the provision of on-farm facilities).

[7(ii) disaster relief, including crop insurance]

Payments made in compensation for the effects of natural disasters. The payments of premiums and/or the settlement of claims under financially sound crop (including livestock) insurance programmes designed to compensate for the effects of natural disasters.

In both cases such payments shall be limited to the value of lost production and any reparation of land, livestock, plant or equipment. Natural disasters include the damage resulting from unexpected or unusually severe: climatic events (such as typhoons, floods, drought, hail, etc.); insect plagues; earthquakes or volcanic activity; and the effects of war, etc.. (But exclude the effects of economic disasters whether or not they are a result of falls in domestic or international prices).

23AG-CC.DOC

0117

10-7

1991-05-08 19:08 KOREAN MISSION GENEVA 2 022 791 0525 P.01

[7(iii) domestic food aid]

Payments in relation to the provision of domestic food aid to portions of the population in need as an integral part of the implementation of national policy goals. Such aid shall be in the form of direct provision of food to those concerned or the provision of means to allow those concerned to buy food either at market or subsidised prices. The volume of such aid shall not be influenced by annual production fluctuations and the means of providing such aid will be financially transparent. Stocks of food for the provision of domestic food aid either directly or at subsidised prices, shall be accumulated in a non-discriminatory manner so as not to provide price support to producers i.e., purchases shall be made at current market prices.

[7(iv) resource diversion and retirement programmes]

Payments for the diversion of resources out of the production of a commodity in so far as such resources are not used for the production of other crops other than those that are: non-agricultural crops such as forests, crops not subject to support mechanisms, non-food crops such as crops for the manufacture of sources of energy, or cover crops designed to protect land from erosion.

Payments in relation to "set-aside" and other forms of the retirement of resources from agriculture for a period not less than [x] year(s). Such retired resources shall not be used for the production of crops other than those that are: non-agricultural crops such as forests, or cover crops designed to protect land from erosion.

In both cases such payments shall not be related to the type or quantity of production undertaken using the remaining resources.

23AG-CC.DOC

0118

10-4

1991-05-08 19:09 KOREAN MISSION GENEVA 2 022 791 0525 P.02

[7(v) public stockholding for food security purposes]

Payments in relation to the accumulation and holding of stocks of basic commodities that form an integral part of a national food security programme. The volume and accumulation of such stocks shall not be influenced by annual production fluctuations and the activities of stock accumulation and disposal shall be financially transparent. Stocks of food for food security purposes shall be accumulated in a non-discriminatory manner so as not to provide price support to producers i.e., purchases shall be made at current market prices and sales from food security stocks shall be made at more than the purchase price.

[7(vi) ...

[7(vii) environmental and conservation programmes]

Payments in relation to part of an integral national environmental or conservation programme. Such payments shall be unrelated to the level of output, dependent on specific conditions (related to production methods) and limited to the extra costs involved of moving from one form of agricultural production to another more environmentally sound form of production, or the extra costs involved in ensuring the conservation of designated areas.

[7(viii) ...

[7(ix) ...

[7(x) ...

[7(xi) ...

[7(xii) ...

[7(xiii) ...

Agriculture 8 May 1991

DOMESTIC SUPPORT: SPECIAL AND DIFFERENTIAL TREATMENT FOR DEVELOPING COUNTRIES IN RESPECT OF REDUCTION COMMITMENTS

Technical Note by the Secretariat

1. The following informal note is intended to assist the technical discussions on domestic support by examining further various technical questions concerning the treatment of domestic support in developing countries in relation to reduction commitments. It outlines in connection with each question a number of possible options which have emerged in the consultations to date. These options are presented in order to help focus subsequent discussions and do not purport to be an account of all of the positions of individual participants.

2. Paragraph 7(vi) of the checklist on domestic support posed the question whether all or some of the policies in the group "developing countries' assistance to agriculture in pursuit of development objectives" are to be excluded from reduction. The question to what extent developing countries should be expected to undertake commitments to reduce domestic support is primarily a political one. But in the light of the agreement in the Mid-Term Review (MTN.TNC/11) that special and differential treatment is an integral element of the negotiations and that government assistance measures to encourage agricultural and rural development are an integral part of the development programmes of developing countries, it is appropriate to examine in more depth the technical issues related to the implementation of these principles.

3. A basic question is whether the "green box" of policies exempt from reduction commitments includes, as discussed so far, sufficient provision for the development-oriented support policies of developing countries. For many participants the answer appears to be negative. If the coverage of exempt policies is to be improved, two main options seem indicated:

(a) to enlarge the "green box" in order to encompass the desired range of developing-country policies, possibly including some which would otherwise be considered "amber", subject to certain conditions;

0120

21AG-er

10-6

(b) to maintain a more limited "green box" but make specific derogations from the reduction commitment for certain "amber" policies when used by developing countries, subject to certain conditions.

4. Option (a) above raises further specific questions, e.g:

(i) What additional policies might need to be included in the "green" category? Should their use be generally permitted or restricted to developing countries?

If the "green box" was established by means of a descriptive list of policies, paragraph 7(vi) of the checklist could be expanded as appropriate to encompass the desired range of developing-country policies. However as it may be difficult to make such a list exhaustive, or flexible enough to cope with new or evolving policies in the future, a more practical option may be a combination of illustrative policy listing, showing the policy objectives and types to be considered "green", and criteria relating to the means of implementation and effects of those policies.

(ii) Do such policies fall within the scope of the general criteria (paragraph 9 of checklist no. 1) or are different criteria required? If so, what should they be?

The draft criteria set out in paragraph 9 of the checklist are essentially based on the concept of trade distortion, and do not distinguish between developed and developing-country policies. Developing countries have made the point that in many cases their development-oriented policies may involve product specificity, or links to production levels or indeed price support - all of which would run counter to the criteria in paragraph 9. If such support was to be listed as "green", the criteria would have to be amended in order to permit it to be applied. Such amendment could take the form of specific derogations from one or more of the standard criteria in respect of development-oriented policies in developing countries. Additional criteria or conditions might need to be agreed concerning the extent of these derogations. The resulting array of

21AG-er

0121

/6-7

permanent conditions and sub-conditions could weaken the general criteria without necessarily ensuring flexibility to developing countries in the implementation of their development strategies. A further technical point relevant to this option is that placing developing-country support in the "green box" means that in all cases exemption from reduction would be the only treatment available. On the other hand, option (b) could provide a range of possibilities, as noted below.

5. Option (b) in paragraph 3 (above) also raises some specific further questions. If it was to be agreed that certain forms of support, while clearly in the "amber" category, might be treated in a special and differential way when applied by developing countries in pursuance of their development programmes, then the precise nature, scope and duration of this special treatment would have to be agreed. Would it take the form of a complete or partial exemption from reduction commitments or a lesser depth of cut, some other form, such as extended time-frames, or a combination of these? Under what conditions would it apply? Would all internal support be eligible, or only certain forms? Could support through such policies increase? Would such provisions be limited in time?

6. These questions need further discussion, but so far a number of technical possibilities can be identified concerning the conditions on which exceptions to the reduction commitment might be applied. Paragraph 11 of MTN.GNG/NG5/W/170 proposed that:

> "developing countries' assistance to agriculture in pursuit of development objectives shall be exempt from the reduction commitments provided that (i) it has no, or a minimal effect on trade and that (ii) it does not act to maintain domestic prices higher than free-at-frontier prices for like products".

These conditions do not appear to be generally acceptable as they stand, and several possible amendments or alternatives have emerged. For example, condition (i) could be amended to require no, or minimal, effect on world trade; (ii) to stipulate that the internal price should be no

21AG-er

10-8

0122

higher than the c.i.f. import price, or the price of like products in international trade. These conditions are essentially effect-oriented. Others might be quantitative - e.g. permitting, on grounds of equity or a "de minimis" approach, developing countries to maintain "amber" support up to a certain level established by reference to developed countries; or qualitative, involving exemptions on grounds of programme type, e.g. generally available investment subsidies, or programme objective such as the eradication of illicit narcotics. Another option could be to define the development objectives which would be relevant to exemption, e.g. in terms of economic deficiencies in the agriculture sector. Commodity-specific exemptions for staple crops are a further technical possibility. Lastly, a general question is whether such conditions should be cumulative or not.

7. Under any of the approaches discussed above the question of country eligibility arises. Some specific questions are:

(a) Do developing countries need to be defined in any way for the purposes of these provisions? If so, how?

(b) Should eligibility be on a once-for-all basis, or should some distinctions be made among developing countries as to the degree of derogation from commitments they can claim? If so, on what basis?

(c) Should any derogations from the reduction commitment apply to developing-country export products which play a significant role in the world market?

8. If question 7(a) above is answered in the negative, presumably the present essentially pragmatic GATT approach to definition of a developing country would apply to this area also. In the event that a more precise selection was deemed necessary, account could be taken, inter alia, of work done in the Negotiating Group on Subsidies. Concerning 7(b), the broad options are to apply whatever special and differential treatment is agreed to all developing countries in a uniform manner, or to differentiate it in

some way. Options for implementing the latter approach generally attempt to relate the level of commitment to the level of development. This could be done by reference to certain economic indices, e.g. percentage of GDP derived from agriculture, proportion of the workforce involved in agriculture, share of food in household consumption. An individual country's place on a scale relating to these parameters would determine its obligations to reduce support. A reporting mechanism could enable review of obligations as appropriate in relation to measured changes in development level. A minimum form of differentiation which appears to be widely supported would be to exempt the least-developed countries from reduction commitments.

21AG-er

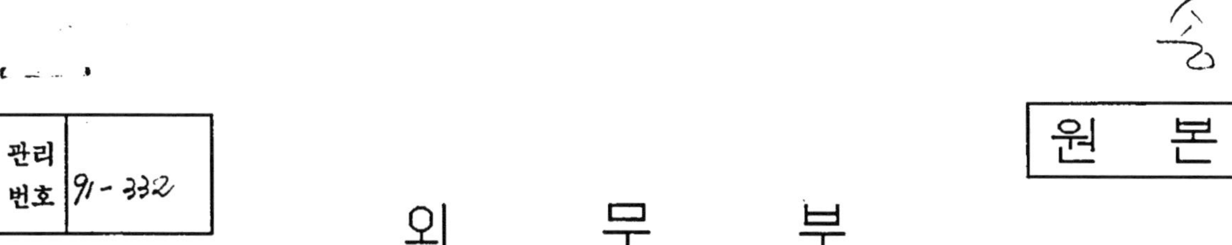

관리번호	91-332

원 본

외 무 부

종 별 :

번 호 : JAW-2838 일 시 : 91 0509 1728

수 신 : 장관(통기)

발 신 : 주 일 대사(농무관)

제 목 : UR 비공식 협의

대:WJA-2094

대호 관련, 방일중인 농림수산부 최용규 국제협력담당관은 5.8. 15:30-18:30 농림수산성 아즈마국제부장 및 키다하라 GATT 실장을 면담(주일대사관 김종주농무관, 조태영서기관 동석)한바 아래와 같이 보고함.

- 아 래 -

1. 향후 협상동향

가. 주요 8 개국(미국, EC, 일본, 호주, 뉴질랜드, 핀랜드, 알젠틴)회의 개최

0 5.13 오전 또는 5.15. 중 GREEN CATEGORY 협의

0 5.21-24. 미국, EC, 일본, 카나다의 COUNTRY LIST 설명회

- 일본으로서는 미국의 C/L 의 드퓨안과의 차이점을 지적하고자 하며, 사무적 실무적인 내용이 될것으로 봄.

나. 일.미농무장관 회담

0 6.5-7. 중 덴마크 코펜하겐에서 WFC(세계식량이사회)개최를 계기로 MADIGAN 미농무장관과 곤도모토지농림대신간 회담예정(MAC SHERRY EC 농업위원도 참석)

다.5.13-17. 실무협의

0 금번 비공식협의로 일단 기술적인 문제는 끝날것으로 보며 앞으로는 정치적인 협의가 될것임.

0 지금까지 개도국 우대문제에 대한 논의가 거의 없었기 때문에 별도 협의의 가능성도 있음.

0 이번 협의에서 일본으로서는 수출보조금의 부당성을 다음과 같은 점에서 강력히 주장할것임.

- 수출보조금을 주는 농산물과 국경보호가 제게된 국내농산물과는 경쟁이

통상국	장관	차관	1차보	2차보	외연원	청와대	총리실	경기원
농수부	상공부							

PAGE 1 91.05.09 21:01

외신 2과 통제관 CE

0125

되지않음.

- 국내적으로 생산통제를 할경우 국경에서 수량통제가 안되면 국내생산 조절이 불가능하게 되고 결국 과잉생산으로 이어져 이를 해결하기 위하여는 수출보조금을 주고 수출할수 밖에 없음.

0 식량안보등 NTC 에 대한 일본의 입장은 종전의 주장대로 21 조 2 항의 신설을 계속 주장할 것임.(한국의 지지를 암시)

라.11 조 2 항 C 의 공동제안 문제

0 카나다로 부터 EC 의 참여문제로 다소 시간이 걸릴것임을 통보받음.

0 EC 가 참여하게 될 경우 협상력이 보다 강화될 것으로 보나 여부는 불투명하지만 금번회의기간중 제출될 것으로 전망됨.

2. 일본의 쌀수입개방 문제

0 최근 일본국내에서 UR 협상의 진척상황이나 국내적인 절차를 잘알지 못하는 정치가들이 있음.

- 쌀에 대한 관세화나 최소시장접근을 허용하게 되면 일본의 식관법을 개정하여야 하는데 조약의 승인은 중의원만으로 가능하나 국내법개정은 중.참의원의 승인이 있어야 하는데 여소야대의 참의원으로는 불가능함을 지적함.(지난번 참의원선거에서 쇠고기, 오렌지개방 결정으로 참패한 것을 상기 시킴)

0 3-5 프로 최소시장 접근문제도 일부 정치가들이 얘기하고 있으나 책임있는 정치가나 정부로서는 전혀 고려하고 있지 않음.

- 만약 3 프로인 30 만톤을 사오게 되면 농민들에게 2 만 HA 의 감산을 명령하여야 하며, 이는 헌법에 위배될 뿐아니라 농민들로 부터 엄청난 반발을 받게될 것임.(지금까지의 감산은 국내생산과잉에 대한 농민들의 협조로 이루어졌음)

- 농민들이 응하지 않을 경우 과잉생산으로 이어지고 이를 해결하기 위하여는 보조금을 주고 수출할수 밖에 없게되며, 이와같은 수출보조금 부의 일본 쌀 수출을 인정한다면 일본도 최소시장접근을 받겠음.

0 일본으로서는 미국의 WAIVER, EC 의 LEVY 수출보조금의 문제가 같이 문의되어야 하며 상기문제들의 협상동향을 보아가면서 결정할 문제임.

0 최근 태국, 인도네시아등의 동남아국가에게 쌀의 중요성을 인식시켰음.(열대상품 5 프로 관세인하도 언급)

3. 앞으로의 협상전망

0 미국과 EC 의 협상전망에 대한 TIMING 에 차가 있음.

- EC 는 역내가격결정이 6.10, 11. 의 농무장관회의에서 결정할 예정이며, 새로운 농업개혁안(CAP)도 6 월중순경에나 본격협의가 이루어질 것으로 보여 6.7 월의 본격협상은 어려울 것으로 봄.

- 미국은 5 월중 실무협의와 의회로 부터 FAST TRACK 승인을 받으면 6 월중본격협상, 7 월중 FRAME WORK 의 작성이 가능할 것으로 전망.

0 UR 에서 농업 뿐아니라 서비스분야도 어렵게 되어가고 있음.

- 특히 미국은 보험, 해운, 항공분야등에서 국내적인 문제가 있어 기업들이서비스분야에서 흥미를 잃고 있어 적극적이지 못함.

4. 평가

0 일본의 쌀 시장개방에 대한 입장은 아직까지 변화가 없는 것으로 관측됨.

- 대외적으로는 미국의 WAIVER, 수출보조금, EC 의 LEVY 등과 쌀문제를 같이 취급함으로 미국, EC 의 양보없이는 일본도 양보할수 없음을 분명히 함.

- 국내적으로는 국내법개정 절차상의 문제가 있음을 이유

0 식량안보, 11 조 2 항 C 의 개선제안등에서 아국과 계속 긴밀한 협조관계유지를 희망.

0 협상에서 일본과는 관계가 없음에도 수출보조문제를 강력히 제기함으로 협상에서 유리한 위치를 점하려고 시도

0 금년말 타결도 다소 비관적으로 전망.

0 5.20. 예정인 한. 미간 COUNTRY LIST 협의에서 미국 C/L 과 미 드쥬의장안과의 차이점을 지적하는 것이 바람직함. 끝.

(공사 이한춘-국장)

예고:91.12.31. 까지

사본:청와대경제비서,국무총리행정조정실,농림수산부,경제기획원,상공부,주제네바대사-중계필

기 안 용 지

분류기호 문서번호	통기 20644-	(전화: 720 - 2188)	시 행 상 특별취급	
보조기간	영구. 준영구 10. 5. 3. 1.	차 관	장 관	
수 신 처 보존기간		전 결		
시행일자	1991. 5. 9.			

보조기관			협조기관		문서통제
	국 장			제2차관보	
	심의관				
	과 장				
기안책임자		송 봉 헌			발 송 인

경 유 수 신 참 조	건 의	발신명의		
제 목	UR/농산물 협상 회의 정부대표 임명 건의			

1991.5.13-17간 스위스 제네바에서 개최되는 UR/농산물 협상 주요국 협의에 참가할 정부대표를 "정부대표 및 특별사절의 임명과 권한에 관한 법률"에 의거 아래와 같이 임명할 것을 건의하오니 재가하여 주시기 바랍니다.

- 아 래 -

/뒷면 계속/

0128

1. 회 의 명 : UR/농산물 협상 주요국 협의
2. 회의기간 및 장소 : 1991.5.13-17, 스위스 제네바
3. 정부대표
o 농림수산부 농업협력통상관 조일호
o 농림수산부 농업협력통상관실 행정주사 최대휴
o 주 제네바 대표부 관계관
(자 문)
o 한국농촌경제연구원 부원장 최양부
4. 출장기간(본부대표) : 1991.5.11-20 (9박10일)
5. 소요경비 : 소속부처 소관예산
6. 훈령(안) : 별 첨
첨 부 : 훈령(안). 끝.

0129

훈 령(안)

1. 기본방향

ㅇ 주요품목의 보호 및 지원근거 확보와 공정한 교역질서 확립을 통한 아국 농산물의 경쟁력 확보측면에서 1.9 대외협력위원회에서 확정된 협상 대책을 토대로 기술적 쟁점토의 과정에서 아국 입장이 관철되도록 적극 대처

ㅇ 아국과 입장이 유사한 수입국과의 협력을 통하여 이행 가능한 원칙이 설정되도록 주력

2. 금차회의 주요 쟁점별 입장

가. 시장접근 분야

(1) 식량안보등 NTC의 GATT 규정 반영 문제

ㅇ 식량안보등 NTC의 기본취지와 이에 근거한 수입규제를 인정하는 GATT 규정을 11조 2항 또는 21조의 2항등에 신설하거나, 체약국단과의 합의를 통하여 최소시장 접근 및 관세화에서 이행 의무 면제 확보

(2) 11조 2항(C) 개선, 유지

ㅇ 11조 2항(C)의 기본골격 유지 및 동 조항 운용조건 개선에 관한 아국, 카나다, 일본등의 공동제안 관철

0130

(3) 특별 세이프가드 제도

o 안정적이고 항구적인 수단으로서의 특별 세이프가드제도 설정

- 발동 조건의 완화와 TE 인상외에 수량규제도 가능한 발동 수단 확보에 주력

(4) 최소시장 접근 보장

o 관세화 대상품목과 11조 2항(C) 적용대상에 한하여 인정하되, 식량안보 대상품목에 대하여는 최소시장 접근 허용 배제

나. 수출경쟁

o 수출보조는 국내보조와 국경보호에 비하여 가장 공정무역을 저해하는 정책 수단으로 인식되고 있으므로 이의 규율강화와 대폭감축에 역점을 두되, 식량안보등 아국 관심사항에 대한 상대측 반응을 고려하여 신축적으로 대처

다. 기 타

o 본부대표가 지참하는 쟁점별 세부입장에 따라 대처. 끝.

0131

송.

농 림 수 산 부

국협20644-413 503-7227 1991. 5. 9.

수신 외무부장관

참조 통상국장

제목 UR농산물협상 비공식회의 참석

1. UR농산물협상 주요국 비공식회의(시장접근분야 및 수출경쟁분야 기술적 쟁점협의)가 91.5.13-5.17간 개최될 예정입니다.

2. 지난 회의에 이어 금차회의에서도 아국입장의 논리적 대응과 아국과 입장을 같이하는 국가들과의 협상력강화를 위하여 다음과 같이 당부 대표단을 파견코자 하오니 협조하여 주시기 바랍니다.

가. 당부대표단

구 분	소 속	직 위	성 명	비 고
대 표	농업협력통상관실 국제협력담당관실	농업협력통상관 행정주사	조일호 최대휴	
자 문	한국농촌경제연구원	부원장(장관자문관)	최양부	소요경비 : 농림수산부부담

나. 출장기간 : '91.5.11-5.20(10일간)

다. 출 장 지 : 스위스(제네바)

라. 출장목적 : UR농산물협상 주요국비공식회의 참석(시장접근 및 수출경쟁분야 기술적 쟁점협의)

마. 소요경비

- 국외여비 : $9,800(지변과목 1113-213)
- 특별판공비 : $2,000(특별판공비 1113-234)

첨부 : 1. 출장기간 및 소요경비내역 1부.
2. 금차회의 참가대책 1부.

농 림 수 산 부 장 관

0132

출장 일정 및 소요경비 내역

가. 출장일정

5. 11(토)	12:40	서울발(KE 913)
	21:00	쮜리히착
5. 12(일)	10:50	쮜리히발(SR 928)
	11:35	제네바착
5. 13(월) ~ 5. 17(금)		UR농산물 협상 주요국 비공식회의 참석
5. 18(토)		한.미 C/L관련 양자협의 대책회의
5. 19(일)	18:45	제네바발(SR 728)
	19:50	파리착
	21:30	파리발(KE 902)
5. 20(월)	17:30	서울도착

0133

나. 소요경비

(1) 국외여비 : $9,800(지변과목 : 1113 - 213)

구 분	농업협력통상관	최양부 부원장	최 대 휴
항 공 료	$2,078	$2,078	$2,078
일 비	$25 x 10일 = $250	$25 x 10일 = $250	$16 x 10일 = $160
숙 박 비	$79 x 8일 = $632	$79 x 8일 = $632	$59 x 8일 = $472
식 비	$46 x 9일 = $414	$46 x 9일 = $414	$38 x 9일 = $342
체재비계	$1,296	$1,296	$974
합 계	$3,374	$3,374	$3,052

0134

UR 농산물협상 주요국 비공식 협의 참가대책

I. 회의개요

1. 일 시 : '91. 5. 13 ~ 17 (출장기간 : '91. 5. 11 ~ 5. 20)
2. 장 소 : GATT 본부
3. 참가대상국 : 35개 주요국 또는 전회원국
4. 당부대표단

구 분	소 속	직 위	성 명
대 표	농업협력통상관실	농업협력통상관 행 정 주 사	조 일 호 최 대 휴
자 문	한국농촌경제연구원	· 부원장 (장관 자문관)	최 양 부

5. 금차회의 의제

가. 시장접근 부문

1) 최소시장 접근 보장 방안 (의제 C)
2) 관세인하 및 양허 협상 방법 (의제 D)
3) Special Safeguard provision (의제 B)
4) 11조 2항 개정 및 NTC 고려방안등 GATT 규정개정 (의제 E)

나. 수출경쟁부문

1) 수출보조의 정의 (의제 I)
2) 수출보조의 감축방법 (의제 II)
3) 식량원조등 허용대상 수출지원의 조건 (의제 III)
4) 수출경쟁부문 GATT 규정강화 (의제 IV)

0135

Ⅱ. 금차회의 참가대책

1. 금차회의 의제관련 아국협상대책 (정치적 결정사항 포함)

가. 시장접근 분야

의 제 별	협 상 동 향	아 국 입 장
1) 최소시장 접근보장	o 미 국 - 모든 비관세 조치의 관세화를 전제 - 국내소비량의 3%를 최소시장 접근량으로 보장 o 케언즈 그룹 - 모든 비관세 조치의 관세화를 전제 - 국내소비량의 5%를 최소시장 접근량으로 보장 o E C - 국내소비량의 3% 보장 o 일본,스위스,오스트리아,북구등 - 관세화와 수량규제에 의한 시장접근을 분리 논의	o 시장접근에 대하여 3가지 입장하에 대처 1) 쌀등 최소한의 식량안보 대상품목 - 최소시장 접근의 예외 인정 2) GATT 11조 2항(C)(i)적용 대상품목 - 최소시장접근 보장(관세화의 T.Q가 아닌 수입수량규제) - 허용수준은 선진국 보다 적은 수준 3) 관세화 대상품목 - 최소시장 접근보장 - 허용수준은 선진국보다 적은 수준
2) 관세인하 및 양허협상 방법	o 미국,케언즈그룹 - 현행관세의 동결(모든 농산물 양허) - 합의기간동안 현행관세의 75% 인하 o EC, 일본 - R/O 방식에 의하여 인하및 양허 협상	o 아국의 관세인하 실적을 최대한 활용 o 협상방식은 농업의 특수성을 고려한 원칙설정 (일괄대폭 인하 반대)

0136

의 제 별	협 상 동 향	아 국 입 장
3) Special Safeguard Provision	o 미국케언즈그룹 - 관세화를 전제로 이행기간만 효력을 가지는 관세 인상만 허용되는 Safeguard o EC - 시장가격 변동을 TE 감축에 직접 반영하여 조정	o 수량규제도 허용되고 항구적으로 운용될 농산물에 대한 특별 Safeguard 제도설정
4) GATT 규정 개정	o 미국, 케언즈그룹 - 11조 2항 (C) 폐지 o 아국,일본,스위스,카나다,EC등 - 11조 2항(C)(i) 개선존치 o 아국, 일본 - 식량안보에 대한 예외 규정신설	o 식량안보에 대한 예외근거 확보 - 11조 2항 또는 21조에 예외근거 설정 - 모든 체약국관심 품목에 대한 waiver 설정 o 11조 2항 (C)(i) 개정공동 제안 관철에 주력

나. 수출경쟁부문

1) 논의현황

o 미국, 케언즈그룹, 북구

- 수출보조에 관한 규율강화와 대폭감축(90%이상) 또는 철폐

o E C

- 현행 GATT체제내에서 지원조건을 강화하고 전체 보조수준 감축의 일환으로 수출보조의 소폭감축

0137

2) 아국입장

ㅇ 수출보조는 공정무역을 가장 저해하는 정책이므로 이의 지원규율 강화와 지원수준 대폭감축 필요

2. 금차회의 참가대책

가. 기본방향

ㅇ 기술적 협의의제는 정치적 결정사항의 타결을 전제로 논의되고 기술적 문제의 타결은 사실상 정치적 쟁점타결 방향의 토대가 될 것임.

ㅇ 주요품목의 보호및 지원근거 확보와 공정한 교역질서 확립을 통한 우리농산물의 경쟁력 확보측면에서 1. 9 대외협력위원회에서 확정된 아국협상 대책을 토대로 기술적 쟁점토의 과정에서 아국입장이 관철되도록 논리적, 객관적 입장을 정립, 적극대처

ㅇ 아국과 입장이유사한 수입국과의 협력을 통하여 이행 가능한 원칙이 설정되도록 주력

나. 금차회의 중점사항

(1) 시장접근 분야

1) 식량안보등 NTC의 GATT 규정반영

ㅇ 기본취지와 수입규제를 인정하는 GATT규정을 11조 2항 또는 21조의 2등에 신설하거나 체약국단의 합의를 통하여 의무면제 확보

0138

2) 수량규제에 관한 GATT 규정 (11조 2항) 개선 유지

o GATT 11조 2항 (C)의 기본골격 유지

o GATT 11조 2항 (C)(i)의 운용조건 개선에 관한 공동제안 관철

3) Special Safeguard provision

o 안정적이고 항구적인 수단으로의 Safeguard 제도 설정

- 미국의 Special Safeguard provision체제 도입에 대비 발동 수준의 조정과 T.E 인상외에 수량규제도 가능한 발동수단 확보에 주력

4) 최소시장 접근 보장

o 관세화 대상품목과·11조 2항 (C)(i) 적용대상에 한하여 인정하되 식량안보 대상품목에 대하여는 최소시장 접근허용 배제

5) 수출경쟁

o 수출경쟁부문은 주로 기존수출국간 Market share를 둘러싼 논쟁임.

o 수출보조는 국내보조와 국경보호에 비하여 가장 공정무역을 저해하는 정책 수단으로 인식되고 있으므로 이의 규율강화와 대폭감축에 역점을 두되 식량안보등 아국 관심사항에 대한 반응을 고려하여 신축적으로 대처

첨부 : 금차회의 세부의제별 아국입장

0139

21496

기 안 용 지

분류기호 문서번호	통기 20644-	(전화: 720 - 2188)	시 행 상 특별취급	
보조기간	영구. 준영구 10. 5. 3. 1.	장 관		
수 신 처 보존기간				
시행일자	1991. 5. 9.			

보조기관			협조기관		문서통제
	국 장				접수 1991. 5. 10 통제관
	심의관				
	과 장	전 결			
기안책임자		송 봉 헌			발 송 인

경 유 수 신 참 조	농림수산부장관	발신명의		발송 1991. 5 10 외무부
제 목	UR/농산물 협상 회의 정부대표 임명 통보			

1991.5.13-17간 스위스 제네바에서 개최되는 UR/농산물 협상 주요국 협의에 참가할 정부대표가 "정부대표 및 특별사절의 임명과 권한에 관한 법률"에 의거 아래와 같이 임명 되었음을 알려 드립니다.

- 아 래 -

1. 회 의 명 : UR/농산물 협상 주요국 협의

/뒷면 계속/

0140

2. 회의기간 및 장소 : 1991.5.13-17, 스위스 제네바

3. 정부대표

o 농림수산부 농업협력통상관 조일호

o 농림수산부 농업협력통상관실 행정주사 최대휴

o 주 제네바 대표부 관계관

(자 문)

o 한국농촌경제연구원 부원장 최양부

4. 출장기간(본부대표) : 1991.5.11-20 (9박10일)

5. 소요경비 : 소속부처 소관예산

6. 출장 결과 보고 : 귀국후 20일이내. 끝.

0141

	분류번호	보존기간

발 신 전 보

번 호 : WGV-0614 910510 1453 FL 종별 : 암호발신

수 신 : 주 제네바 대사. 총영사

발 신 : 장 관 (통 기)

제 목 : UR/농산물 협상

1. 91.5.13-17간 귀지에서 개최되는 UR 농산물 협상 주요국 협의에 아래 대표를 파견하니 귀관 관계관과 함께 참석토록 조치바람.

   ㅇ 농림수산부 농업협력통상관 조일호

   ㅇ 농림수산부 농업협력통상관실 행정주사 최대휴

   (자 문)

   ㅇ 농촌경제연구원 부원장 최양부

2. 금번 회의에는 아래 기본입장과 주요 쟁점별 입장 및 본부대표가 지참하는 세부입장에 따라 적의 대처바람.

   가. 기본입장

   ㅇ 주요품목의 보호 및 지원근거 확보와 공정한 교역질서 확립을 통한 아국 농산물의 경쟁력 확보측면에서 1.9 대외협력위원회에서 확정된 협상 대책을 토대로 기술적 쟁점토의 과정에서 아국 입장이 관철되도록 적극 대처

보 안 통 제	

앙 고 재	91년 5월 10일	통상기구과	기안자 성명		과 장	심의관	국 장		차 관	장 관
			송봉헌				전결			

외신과통제

0142

o 아국과 입장이 유사한 수입국과의 협력을 통하여 이행 가능한 원칙이 설정되도록 주력

나. 금차회의 주요 쟁점별 입장

1) 시장접근 분야

o 식량안보등 NTC의 GATT 규정 반영 문제

- 식량안보등 NTC의 기본취지와 이에 근거한 수입규제를 인정하는 GATT 규정을 11조 2항 또는 21조의 2항등에 신설하거나, 체약국단과의 합의를 통하여 최소시장 접근 및 관세화에서 이행 의무 면제 확보

o 11조 2항(C) 개선, 유지

- 11조 2항(C)의 기본골격 유지 및 동 조항 운용조건 개선에 관한 아국, 카나다, 일본등의 공동제안 관철

o 특별 세이프가드 제도

- 안정적이고 항구적인 수단으로서의 특별 세이프가드제도 설정을 위해 발동 조건의 완화와 TE 인상외에 수량규제도 가능한 발동 수단 확보에 주력

o 최소시장 접근 보장

- 관세화 대상품목과 11조 2항(C) 적용대상에 한하여 인정하되, 식량안보 대상품목에 대하여는 최소시장 접근 허용 배제

2) 수출경쟁

o 수출보조는 국내보조와 국경보호에 비하여 가장 공정무역을 저해하는 정책 수단으로 인식되고 있으므로 이의 규율강화와 대폭감축에 역점을 두되, 식량안보등 아국 관심사항에 대한 상대측 반응을 고려하여 신축적으로 대처. 끝.

(통상국장 김 삼 훈)

0143

너와나의 통신보안 국가기밀 보호한다

농 림 수 산 부

국협20644-414 503-7227 1991. 5. 11.

수신 외무부장관

참조 통상기구과장

제목 UR협상 동향파악 보고

1. 최근 일본 농림성측으로 부터 탐문한바에 의하면 6.5-7일간 코펜하겐에서 개최되는 각료급 세계식량이사회(World Food Council)에 Madigan 미농무장관, 일본 교도농림장관, Macsherry EC농업위원등이 참석할 예정이며, 동회의 기간중 동인들은 UR협상 및 농업통상 현안문제에 관한 비공식협의를 가질 예정이라고 하는바, 주미, 주일, 주EC, 주이태리대사관등 관계공관으로 하여금 논의 의제등 상기협의 관련 동향을 파악, 보고토록 조치하여 주시기 바라며,

2. 아울러 USTR과 USDA간 UR협상에 대한 의견대립설, Carla Hills USTR대표교체설, Penut, Cotton등 Waiver 품목업계 동향등을 관찰 보고토록 주미대사관에 조치하여 주시기 바랍니다.

첨부 : 세계 식량이사회(WFC) 관련자료 1부. 끝.

접수 1991. 5. 11 농림수산부

농 림 수 산 부 장 관

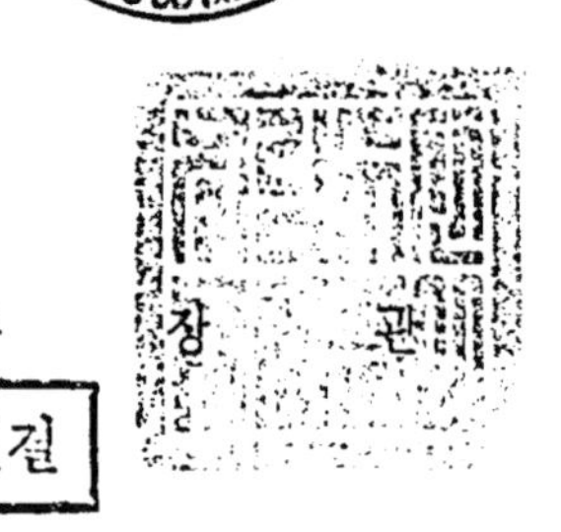

농업협력통상관 전결

13681 0144

세계식량이사회　　世界食糧理事會　　WFC

WFC World Food Council
CMA Conseil Mondial de l'Alimentation

1. 소 재 지

주　소 : Via delle Terme di Caracalla, 1-00100 Roma, Italy

전　화 : 57591

Cable　FOODAGRI ROME

Telex　610181 FAO I

Exec.Director:Gerald Trant

2. 설립연혁

1974년 11월 Rome에서 개최된 세계식량회의 권고에 따라 1974년 12월 제 24차 UN총회 결의 3348호에 의거 설립되었다.

3. 목　적

식량의 생산, 세계영양문제, 식량안보, 교역 및 원조에 관한 전반적인 정책 및 식량조기경보체계의 수립에 관해 유엔경제사회이사회를 통해 유엔총회에 보고하는, 유엔의 직속기관의 역할을 수행함을 목적으로 한다.

4. 조　직

가. 구성

이사회는 아래와 같은 지역배분에 따라 ECOSOC에서 임명되고 유엔총회에서 선출되는 36개국 정부대표로서 구성된다. 이사국의 임기는 3년이다.

나. 회 의

이사회는 연례정기총회와 특별총회를 개최한다.

다. 기 구

이사회는 상설기구로써 사무국과 사무총장을 두며 사무총장은 지역윤번원칙을 고려, 유엔사무총장이 임명하고 임기는 4년이다.

0145

5. 재 정

FAO 재원으로 충당한다.

6. 주요활동

매년 각료급회의를 89년까지 15회 개최하였으며, 세계식량안보, 극빈국의 농업개발문제, 식량교역문제에 관한 정책토의와 권고를 행하고 있으며 한발국의 식량위기 해소를 위한 식량원조모금,개도국의 식량자급정책에 관한 지원을 행하고 있다.

7. 간 행 물

세계농업정책에 관한 보고서 다수

8. 타국제기구와의 관계

FAO, WFP, IFAD, UNDP 등 유엔전문기구와의 정책수행에 있어 공동보조를 취하며 EC, GATT와도 상호 옵서버를 파견하고 있다.

원 본

외 무 부

종 별 :

번 호 : ECW-0419 일 시 : 91 0513 1800

수 신 : 장관 (통기,경기원,재무부,농림수산부,상공부) 사본: 주제네바대사-직송필

발 신 : 주 EC 대사

제 목 : GATT/UR 농산물 협상등

1. 5.13. 당관 강신성 공사와 이관용 농무관은 SCHIRATTI EC 집행위 농업총국 담당국장을 방문, 표제협상 EC/CAP 개혁작업 전망등에 관해 협의한바, 요지 하기 보고함

가. UR 농산물 협상

0 5.2. MAC SHARRY 위원과 MADIGAN 미농무장관간에 표제협상을 가급적 금년말까지(또는 92.3.월말) 종결하며, TECHNICAL 협의를 촉진키로 합의함에 따라, 금년 상반기 중에는 제네바에서 DUNKEL 사무총장 주재하에 30여국회의 또는 경우에 따라서 3-8개 국 주요협상국들 모임이 활발히 추진될 것임.

0 미.EC 간 양자간 실무협의도 제네바에서 가질것이며, 구체적인 양자간 각료급회의 일정은 아직없음

0 TECHNICAL MEETING 에서의 현안문제는 INTERNALSUPPORT 감축방법 결정을 위한 AMS 계산 및사용방법을 결정하는 문제와 ISSUE 별 각국의입장을 개진하기 위한 OPTION PAPER 를 수집하는것임

0 TECHNICAL 한 현안문제들의 조기 합의필요성은 동 합의를 전제로 정치적인 합의를추진하는데 있으며, 정치적 합의도출을 위한 향후일정은 거론되고 있지 아니하나,EC 뿐 아니라미국도 UR 문제가 7월 런던 G-7 회담에서 논의되기를 원하지 아니하며,6월 파리에서 개최될OECD 총회에서 UR 협상 문제가 주요 ISSUE로 토의될 것임

0 한편, 런던 G-7 회담을 전후하여 주요협상국들간에 정치적 타협점을 모색하기위한 별도회의 개최 가능성은 있으며, 금년 하반기에 본격적인 정치적 타협을 모색할 것임

나. EC/CAP 개혁

통상국 경기원 재무부 농수부 상공부 2차보

PAGE 1

91.05.14 06:24 FN

외신 1과 통제관

0147

0 EC 농업이사회에 상정되어 있는 CAP 개혁및 91/92 농산물 가격 결정안의 핵심은 BUDGETSTABILIZER 에 의거, 제한되어 있는 EC 의농산물 보조금 지출한도액 문제와관련되어있음

0 보조지출 한도 증액문제는 재무장관 보임에서 결정할 문제이므로 5.24-25 농업이사회에서도 91/92농산물 가격안의 결정은 이루어지기 어려울 것임

0 CAP 개혁과 UR 농산물협상 종결시기는 연관성이 있으므로 결국 CAP 개혁문제는농업 또는 재무이사회에서 타협점을 찾기 어려울것이므로 EC 정상회담에서 결정될 것으로 보며,11월 또는 12월 개최될 화란 EC 정상회담이중요한 계기가 될것임

0 CAP 개혁의 주요내용은 보조금및 생산감축이외에 미국의 DEFICIENCY PAYMENTS PROGRAMME 과유사한 제도를 도입함으로서 수출보조금의 감축을시도하고 있음

2. 한편, 5.11. 남아공 농무관이 주최한 당지농무관 모임 (미, 카나다, 뉴질랜드, 알젠틴,화란, 코트디브와르 등 참석) 에서 이관용농무관은 LIVELY 미국 농무관에게미.EC 간표제협상 관련한 양자간 접촉일정을 문의한바,동인은 제네바 TECHNICAL 협의와 병행하여 양자간 실무협의를 가질 것이라고 답변함. 끝

(대사 권동만-국장)

PAGE 2

0148

원 본

외 무 부

종 별 :

번 호 : USW-2335 일 시 : 91 0514 1832

수 신 : 장관 (통일, 통일, 경기원,농수산부)사본:주제네바,주 EC 대사(중계필)

발 신 : 주 미 대사

제 목 : UR/ 농산물 협상

대: WUS-1954

당과 이영래 농무관과 김중근 서기관은 5.13. 농무부 다자교역과 CRAIG THORN부과장과면담, 대호 DUNKEL 사무총장 및 MACSHARRY EC 집행위원 방미 관련 사항에 대해 협의한바, 요지 하기 보고함.

1. DUNKEL 사무총장

0 4.29- 30 간 방미, MADIGAN 농무장관과 HILLS 무역대표를 면담하였으나, 양측의 기본 입장을 전하는 외에 특이 사항은 없었다함.

0 미측은 92년 이 총선거의 해이므로 금년말까지 UR 협상을 종료 시켜야 하며, 이를 위해서는 휴가철이 시작하기 전인 7월초 까지는 UR 협상의 관건인 농산물 협상의 기본틀 (DOCUMENTS, CHECK LIST, AGENDA) 을 마련하여야 할 것이라고 하고, 협상시일이 촉박함을 감안 FAST TRACK 연장 전이라도 실무접촉을 통하여 기술적인 문제를 마무리지어야 할것이라고 설명하였음. 또한, 92 총선거를 감안할때 미측 이장이 충분히 반영되지 않은 UR 결과는 결코 받아들일수 없는 입장이라는점을 강조 하였음.

0 이에 대해 DUNKEL 사무총장은 농산물 협상이 UR 타결의 관건임에 인식을 같이 하였으며, 브랏셀 각료회의 이후 UR 관려 진전 사항에대해 설명 하였음.

또한, 동 차무총장은 협상 타결을 위해서는 7월이전에 각료급 (또는 차관급) 회의를 통하여 정치적 해결 방안을 모색하는것이 필요 하다고 강조 하였음.

2. MCSHARRY EC 농업 담당 집행위원

0 5.2-3 간 방미, MADIGAN 농무장관 과 HILLS무역대표를 면담하였으나, 결과는 매우 실망스러운 것이 었음.

0 동 집행위원은 브랏셀 각료회의 이후 완강 하였던 태도를 다소 굽히고 있는

통상국 2차보 통상국 경기원 농수부

PAGE 1

91.05.15 10:21 WG

외신 1과 통제관

0149

것으로 보였으며, 연말까지 협상타결, 7월까지 협상의 기본틀 마련, 기술적 문제 협의를 위한 실무 회담의 조속한 종결 필요성등에 미측과 입장을 같이 하였으나, 실질문제에 있어 브랏셀 각료회의시 제시 하였던 EC 안을 그대로 반복하고 있어, 2월 DUNKEL 사무 총장의 STATEMENT 이후 EC 의 입장 반화에 기대를 걸었던 미측에게 큰 실망을 주었음.

3. UR 협상 전망

0 5.9. GEPHARDT 의원이 FAST RRACK 연장에 대해 지지 의사를 표명함으로써 FAST TRACK 연장은 거의 확실시 되고 있으므로 타결의 관건은 EC, 일본, 및 한국의 성의에 달려 있다고 언급함.

0 농무성으로 서는 한국이 브랏셀 각료회의 이후 매우 유연한 태도를 보이고 있다고 평가하고 있음.

0 미국으로서는 EC 가 보다 구체적이고 신속한 CAP 개혁안을 제시하도록 압력을 가하고 있으나, 현 상황으로는 연말까지 타결을 낙관할수는 없음.

4.기타

0 제네바에서 개최되고 있는 실무 협의는 별성과없이 진행되고 있어 당초 목표 시한인 5월말까지는 실무회의 종결이 난망시 되고 있으므로 6월중 실무회의 재개가 필요한 것으로 예상됨.

0 MARIGAN 농무장관은 6.5- 8 간 코펜하겐에서 개최는 WFC 회의에 참석 예정인 바, 이때 주요인사와의 협의를 통해, 농산물 협상 타결에 진전이 있기를 기대함.

(대사 현홍주- 국장)

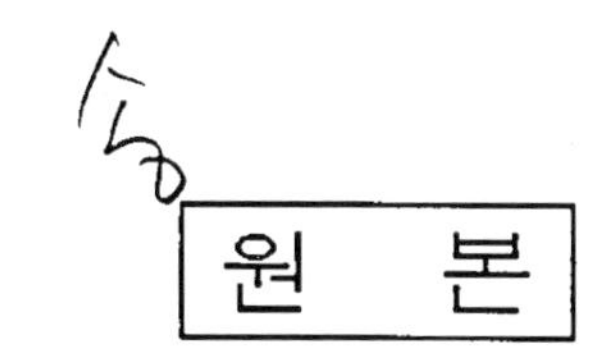

외 무 부

종 별 :

번 호 : ECW-0430 일 시 : 91 0514 1800

수 신 : 장 관 (통기,경기원,재무부,농림수산부,상공부)사본:주제네바 대사-직송필

발 신 : 주 EC 대사

제 목 : GATT/UR 협상

대: WEC-0254

5.14. 당관 김광동 참사관과 이관용농무관은 DE PASCALE EC 집행위 대외총국 갓트 담당 총괄과장을 오찬에 초대, 표제관련하여 요지 하기 보고함

1. 김참사관은 UR/농산물 협상에서 금년초아국이 제시한 입장변화, 즉 NTC 품목의 축소조정, 개도국에 대한 보조금 감축및 수입개방에 있어 장기 유예기간 인정등은 협상진전에 기여할수 있으며, 농업특성상 동입장은 아국이 양보할수 있는 최저선임을 강조하고, EC 의 농산물 협상에서의 입장변화시기및 협상 예상일정에 대해 문의함

2. 동인은 표제협상으 금년말 또는 92.3.월 까지 종료시키고자 하는 의도는 미국의 FAST TRACK AUTHORITY기간이 2년동안 연장될 것이라는 점, EC 의경우 CAP 개혁문제와 UR 협상 MANDATE변경은 직.간접적으로 연계되어 회원국들간에 합의되어야 한다는 점등을 감안할때, 탄력적으로 보아야 할것이라고 말하고, EC 로서는 협상 종료시기를 설정하는 것은 무의미하며, 92년말 이후까지 연장하여도 무방할것이라고 말함. 이런 맥락에서 볼때, 5.2. DUNKEL갓트 사무총장의 브랏셀 방문시 ANDRIESSEN부위원장이 밝힌바와 같이 EC 는 조기에표제협상 관련한 각료급 회의를 개최하는 것에 동의할 이유는 없는것임. 그러나 동인은 농산물협상에서 토의되고 있는 TECHNICALISSUE 에 대한 합의를 전제로 TNC 각료회의 또는 기타형태의 고위급 협의를 개최하여 정치적 타협점을 모색하는 것은 가능할 것이라고 말함

3. 동인은 표제협상 관련한 미.EC 양자간 접촉을 위해 워싱턴 실무자들이 브랏셀을 방문하지는 않으나, 브랏셀 주재 미 대표부의 농산물협상 담당관들의 접촉 창구는 SCHIRATTI농업총국 대외국장이며 실무선에서의 접촉은 빈번한 편이라고 말함. 끝

(대사 권동만-국장)

통상국 2차보 경기원 재무부 농수부 상공부

PAGE 1 91.05.15 08:48 WH

외신 1과 통제관

0151

원 본

외 무 부

종 별 :

번 호 : GVW-0871 일 시 : 91 0514 1000

수 신 : 장관(통기,경기원,재무부,농림수산부,상공부)

발 신 : 주 제네바 대사

제 목 : UR/ 농산물 주요국 비공식 회의(1)

1. 5.13(월) 개최된 표제 비공식 회의에서는 시장접근 분야 주요 쟁점 리스트중최저 시장접근(31,32 항)에 대하여 논의하였음.

가. 이씨는 관세화 대상품목에 대한 최저시장접근 개념이 불분명하며, 관세항목(TARIFFLINE) 별로는 최저 시장접근을 정할수 없으므로 품목별로 해야하고, 이경우에도 R/O 방식으로 정해야 한다고 주장함..

- 일본, 오지리, 북구등은 비관세 조치를 관세화하는것 자체가 시장을 개방하는것이라는 점에서 관세화 대상품목에 최소시장접근을 허용하는것은 사실상 의미가 없다고 함.

- 알젠틴, 우루과이, 호주, 카나다등은 관세항목별로 국내 소비량 계측등에 어려움이 있겠으나(특히 가공품), 관세화 하는 품목의 시장접근기회 보장을 위해서는 관세화 대상 품목에도 최저 시장접근이 인정되야 한다고 주장함.

- 아국은 비관세 조치를 관세화 하는 것 자체가 자유화의 수단이고 TE 를 점진적으로 줄여나감으로서 시장접근 기회가 확대된다는 점에서 관세화 품목에 대한 최소시장접근을 논의한다는 것은 부당하다고 지적하고,최소시장접근을 인정할 경우는 R/O방식에 의하되, 최소시장접근 수준 및 기준은 각국의사정에 따라 결정되야 한다고 함.

- 인도는 개도국으로서 최소시장접근을 수용할수없다고 발언함.

나. 던켈 총장은 관세화한 품목에 대하여 최소시장접근을 논의하는 것은 문제가있으므로 관세화를 통해 TE 를 설정하고, 관세화 이후에도 동.식물 검역등과 관련 시장 접근이 제한될 경우 최소시장 접근을 논의하는 것이 논리적인 것이 될 것이라고하면서, 시장 개방은 관세화로 하고, 개방된 시장에 실제 접근할수있는지를 최소시장접근 방식으로 검토하는 것이 좋을 것이라고 하였음.

통상국 2차보 경기원 재무부 농수부 상공부

PAGE 1

91.05.14 19:00

외신 1과 통제관

0152

- 또한 관세항목별 최저 시장접근 설정이 기수적 문제가 있으며, TE 가 지나치게 높을 경우 시장접근 개선에 문제가 있다는 점을 종합검토하여 사무국이 자료를 작성토록함.

2. 던켈 총장은 향후 협상 진행과 관련,기술문제 협의는 이번 회의를 마지막으로하고6월부터는 지난 TNC 회의때 정한 7개 협상그룹 조직에 따른 협상을 진행시킬 것이라고 함.끝

(대사 박수길-국장) CO

원 본

외 무 부

종 별 :

번 호 : GVW-0880 일 시 : 91 0515 1100

수 신 : 장관(통기,경기원,재무부,농림수산부,상공부)

발 신 : 주제네바대사

제 목 : UR/농산물 주요국 비공식회의(2)

5.14. 속개된 표제 비공식 회의에서는 시장접근주요 쟁점 리스트 D 항(관세) 및 B항(특별세이프가드)에 대하여 논의하였음.

1. D 항 (관세)

가. 호주, 우루과이, 뉴질랜드, 카나다 등이 관세장벽을 낮춰 나가는 것은 시장접근 개선의 필수 요소이므로, 선형공식(FORMULA)을 적용 일정율의 관세를 삭감하고, 모든 품목의 관세를 양허하도록 하며, 선진국은 개도국에 감축 속도를높여야 한다고 주장함.

- 일본, 스위스, 오지리, 북구등은 현실적으로 관세인하는 R/O 방식에 의함이 좋으며,삭감율등은 품목별로 각국이 자율적으로 정하여야 한다고 주장함.

- 특히 북구는 관세인하는 정치적 결정 사항임을 전제하면서, 사전에 감축목표를 정하고 감축방법을 그후에 논의함이 타당하다고 하고,관세그룹의 경우 감축 목표설정 이후에도 상당기간(약 2년)에 걸쳐 협상이 이루어진 점을 상기시킴.

또한 개도국은 GSP 에 의해 고려토록하자고 함.

- 오지리는 관세 인하를 관세화등 전반적인 시장접근 개선의 일부로 파악해야 한다고 하면서 종합적 검토가 필요함을 주장함.

- 미국은 조화(HARMONIZING)방식에 의한 삭감과 모든 품목의 양허를 주장하였고이씨는 정치적 결정사항이라고 하면서 TE 와 관세의 감축을 별개로 본다는 입장을제시함.

- 아국은 관세인하를 종래 협상 방법과 같이R/O 에 의하는 것이 기술적으로 용이하고 개도국 우대 반영에 유리하다고 하였으며, 모든 품목에대한 관세 양허는 불가하다는 입장을 밝힘.

나. 던켈 총장은 공식(FORMULA) 적용 또는 R/O에 의하는 것이 기술적으로 용이하고

통상국 2차보 경기원 재무부 농수부 상공부

PAGE 1

91.05.15 19:45 CV

외신 1과 통제관

0154

개도국 우대 반영에 유리하다고 하였으며, 모든 품목에 대한 관세 양허는 불가하다는 입장을 밝힘.

나. 던켈 총장은 공식(FORMULA) 적용 또는 R/O적용은 형식 논리이고 실질적 문제는 협상에 달려 있으며, 농산물이 본질적으로 민감한 품목이고, 관세화와도 연계성이 있음을 고려해야 한다고 함.

2. B 항(특별 세이프가드)

가. 카나다, 호주 등 케언즈 그룹국가는 특별 세이프가드가 관세화를 촉진하기위한 것이라고하면서, 원칙적으로 이행기간동안 잠정적으로 적용되야 한다고 주장함.

- 카나다는 이행기간이 5년정도로 짧아질 경우 관세화 품목에 대한 특별 세이프가드는 보다 장기적으로 적용될수 있어야 한다고 하였음.

- 호주는 가격 기준 발동의 경우에도 수입물량 증가가 필요하다고 하였고, 카나다는 가격 기준만 인정하자고 주장함.

- 스위스, 일본, 오지리, 아국, 북구등은 항구적으로 인정되야 하고, 발동회수제한이 없어야 하며,농산물 전체에 허용되야 하고, 발동기준도 물량기준 및 가격기준이 모두 허용되야 한다고 주장함.

- 미국은 관세화 품목 이외에 농산물 전체에 허용되야 하고, 발동회수 제한도불필요하다고 함.

- 북구는 특히 갓트 19조 개선문제와 연계 검토할것을 주장함.

나. 던켈 총장은 관세화 대상품목만 적용할것인지 농산물 전체에 적용할것인지의문제와갓트 19조와의 관계 설정이 중요하다고 하면서 동 문제는 갓트 조문 협상 그룹과 연계해서 검토할 필요성이 있다고 함.

다. 이씨는 보정인자(CORRECTIVE FACTOR)의 중요성을 제기하였으며, 오지리 및북구는 그 필요성을 지지하였고, 이에 대하여 케언즈 그룹과 미국은 반대입장을표명하면서 특히 환률 변동이 특별세이프 가드에 반영되서는 안된다고 주장함.

3. 갓트 11조 2(C) 공동제안 관련 카나다와 이씨와의 협의가 순조롭지못한 점 때문에 금번 회의에서는 각국이 자국의 입장을 중심으로 논의하기로 하고 공동제안을 유보키로 함.

- 이씨는 가스 11조 2(C) 개선안을 검토중에있으나 (자체 개선안 포함), 카나다의 수출품목 제외 항목을 수용하기 어려울 것으로 보며, 협상대안의 이씨 내부적 협의는

10월 경에나 가능할것이므로 동 문제도 10월경에 입장이 확립될수있을 것으로 관측되고 있음. 끝

(대사 박수길-국장)

원 본

외 무 부

종 별 :

번 호 : GVW-0887 일 시 : 91 0515 1900

수 신 : 장 관(통기,경기원,재무부,농림수산부,상공부)

발 신 : 주 제네바 대사

제 목 : UR / 농산물 주요국 비공식회의(3)

5.15 속개된 표제 비공식회의에서는 이씨의 보정인자(CORRECTIVE FACTOR)를 중심으로 한 논의가 있었음.

1. 이씨는 특히 환률 조정 문제 및 KSKLP 적 인정문제를 제외하면 미국의 가격기준 특별 세이프가드 체제와 원리상 차이가 없다고 주장함.

- 던켈 총장은 이씨에 대해 현행 가변부과금과 보정인자의 차이, 최저수입가격 제도와의 차이, 특별세이프가드 체제와의 차이를 명확히 해줄것을 요구하였는바, 이씨는 보정인자는 요건 발생시 작동이 되고 가격이 회복되면 작동이 되지않는다는 점에서 현재 매일 조정되고 있는 가변부과금과는 다르며, 대상품목도 차이가 있다고 하였고, 최저 수입가격과는 가격 기준이라는 점에서 성격상 유사점이 있으나 개입가격보다는 낮게 형성된다고 하였으며, 보정인자는 특별세이프가드의 일종으로서 작용하게 된다고 설명함.

- 미국은 환률 변동의 적용문제, 영구인정문제, 공산품에 대한 일반 세이프가드와의 관계를 지적하면서 반대입장을 표명하였고, 호주는 객관적으로 가변부과금의 변형된 형태라고 하면서 반대입장을 밝힘. 알젠틴은 국제가격변동과 국내 가격 변동을분리 시킴으로서 국내구조 조정을 지연시킨다는 점과 화폐금융 정책을 교역체제에 연결시켜 서는 않된다는 점에서 반대하였음.

- 카나다는 국제가격의 비정상적 변동을 국내가에바로 연계시키지는 않는 메카니즘이 필요하다는점에서 특별 세이프가드와 보정인자 성격의 융합 가능성도 있을 것이 라고 하고, 이러한 점에서 다소융통성 있는 입장을 보였으나 환률 변동조정은 반영되서는 않된다는 입장을 밝힘.

- 오지리는 특별 세이프가드 내용중 대안의 하나로서 고려될수 있을 것이라고 함.

- 던켈 총장은 환률 변동을 제외시킬 경우보정인자를 특별세이프가드의 한

통상국 2차보 청와대 경기원 재무부 농수부 상공부

PAGE 1

91.05.16 23:08 FO

외신 1과 통제관

0157

부분으로 인정할수있느냐는 문제와 항구적 조치라는 점에서 갓트규정과의 합치 문제가 기술적으로 충분히 검토되야할 것임을 지적하고, 현 상태와 같이 견해차가좁혀지지 않고있는 상황에서는 향후 협상이 90년 말과 같은 상황을 재현하거나특정국가들간의 막후 타협에 의해 진행될수밖에 없지 않느냐는 의문을 제기함.

2. 갓트 규범 관련 갓트 11조 2(A) 가논의되었음.

- 미국은 비관세 조치 완화에 따른 수입국의식량수입확보 애로를 타개하는 관점에서수출국의 수출제한도 규제되야 한다고 하였음.

- 호주는 갓트 11조 자체를 폐지하는 것이자국입장이라고 밝힘.

- 카나다, 북구, 헝가리는 갓트 20조가 유지되는범위내에서는 갓트 11조 2(A) 를없앤다고 해도수출국이 수출금지를 할 가능성이 있으므로 미국의입장이 불분명하다고 하였음.

- 일본, 오지리, 태국, 인도는 갓트 11조 2(A)가현행대로 유지되야 한다고 주장하였음.

- 이씨는 갓트 2(A) 를 없앨 경우 수출국이수출금지외에도 여러가지 형태의 수출관계를붙일수 있는 근거가 될수 있다는 위험성을지적하면서 존치를 주장하였음. 끝

(대사 박수길-국장)

0158

관리번호 91/351

원 본

외 무 부

종 별 :

번 호 : GVW-0897 일 시 : 91 0516 1930

수 신 : 장 관(통기,경기원,재무부,농림수산부,상공부,특허청,경제수석)

발 신 : 주제네바대사 사본: 주미대사,주EC대사(본부중계필)

제 목 : UR 협상

대: WGV-0636

1. 금 5.16(목) 본직은 DUNKEL 사무총장을 그의 사무실에서 만나 EC 미국간의 농산물 문제에 대한 타협 가능성, 7 월 이전 각료회의 소집 가능성등에 관하여 환담한바 동인의 발언 요지는 다음과 같음.

가. 각료급 회의 문제는 HILLS 대표와의 대담에서 비공식적으로 거론되었으나, 그것은 주로 6 월 OECD 각료회의를 염두에 둔것으로 HILLS 대표가 동 회의에참여하는 기회를 이용, 농업문제 교섭을 더욱 촉진시키는 계기를 마련한다는 맥락에서 이해되어야 함.

기술적 문제에 대한 협의 조차 완결되지 않은 상황에서 각료회의를 소집함은 BRUSSEL 회의의 재판이 될 우려가 있으며, 또한 현재 진행되고 있는 협의에도지장을 줄 가능성이 있다고 봄.

나. 와싱톤에서 있었던 MACSHARRY 위원과 HILLS 대표간 협의에는 양측의 입장 고수로 아무런 진전도 없었는바, 금년내 UR 협상이 타결되지 못한다면 그것은일본과 한국의 책임이 아니고 EC 와 미국의 책임임이 분명함.

다. 아직도 EC 와 미국간의 입장이 서로 완강하여 협상 전망이 크게 불투명하므로 자기는 작 5.15(수) LONDON 에서 행한 THE EUROPEAN ATLANTIC GROUP 연설에서 미국과 EC 에 대하여 노골적인 어조로 "미국과 EC 와의 무역관계는 상호 비판과 독선"으로 특징지워져 있다고 경고함으로써 그들의 경각심을 촉구하였음.

2. 다른 한편 동인은 UR 협상에서 일본과 한국의 점하는 중요한 위치에 비추어 금년 후반에는 동경과 서울을 방문할 계획을 갖고 있다고 하였음을 참고로 첨언함.

(DUNKEL 사무총장은 금주중 연설차 북경을 방문 예정이나 금번 여행에서는 바쁜 일정으로 한국, 일본은 방문치 않기로 하였다함.) 끝

통상국 장관 차관 1차보 2차보 청와대 안기부 경기원 재무부
농수부 상공부 특허청

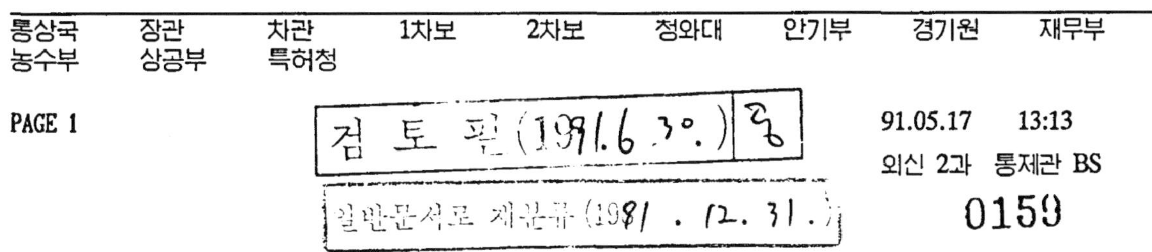
PAGE 1

검 토 필(1991.6.30.)

91.05.17 13:13

외신 2과 통제관 BS

일반문서로 재분류(1991 . 12. 31.)

0159

(대사 박수길-국장)
예고 91.12.31. 까지

PAGE 2

0160

기 안 용 지

분류기호 문서번호	통기 20644- 17911	(전화: 720 - 2188)	시 행 상 특별취급	
보조기간	영구. 준영구 10. 5. 3. 1.	장 관		
수 신 처 보존기간				
시행일자	1991. 5.17.			

보조기관			협조기관		문서통제
	국 장	전 결		제2차관보:	1991. 5. 18
	심의관				
	과 장				
기안책임자		송 봉 헌			발 송 인

경 유 수 신 참 조	수신처 참조	발신명의		1991. 5. 18 외무부

제 목	쌀수입 개방 반대에 과한 국회 결의문 송부

1991.5.7. 국회 본회의에서 의결된 "쌀 수입 개방 반대에 관한 결의문"을 별첨 송부하오니 참고하시기 바랍니다.

첨 부 : 상기 국회 결의문 사본 1부. 끝.

수신처 : 주 미국, 일본, 제네바, EC, 카나다, 호주, 뉴질랜드, 인도네시아, 말레이시아, 필리핀, 태국, 브라질, 콜롬비아, 알젠틴, 우루과이, 헝가리, 칠레 대사

0161

대 한 민 국 국 회

1. 우리의 "쌀"은 國民의 安定的인 食生活 보장, 國土資源의 合理的 利用과 保全, 農家所得의 維持를 위해서 뿐만아니라 우리國民文化情緖의 뿌리가 되고 있기 때문에 어떠한 경우에도 市場開放의 對象이 될 수 없다.

2. 쌀을 輸入開放할 경우 수도작이외의 生産基盤이 脆弱한 시점에서 그동안 구축한 農業生産基盤이 崩壞되고 農漁村이 피폐화될 것이 확실시되므로 이와같은 쌀이 갖고 있는 國家的 重要性과 農業構造의 特殊性을 勘案하여 政府는 모든 外交역량을 集結하여 開放對象에서 除外시킬 것을 促求한다.

3. 大韓民國國會는 政府가 "쌀"농사를 根幹으로 하는 우리농업의 구조적 脆弱性을 조속히 극복할 수 있도록 농어업의 競爭力을 향상시키고 活力있는 농어촌을 만들기 위한 획기적인 對策을 推進할 것을 決議한다.

4. 大韓民國國會는 우리의 농어업과 농어촌의 發展을 위해 最善을 다할것임을 다시한번 엄숙히 천명한다.

0162

대 한 민 국 국 회

쌀輸入開放反對에 관한決議文

大韓民國國會는 1990.10.10. 第151回 定期國會에서 우루과이라운드協商에관한決議文을 통해 쌀을 비롯한 주요한 品目은 國民의 基礎食糧保護란 意味와 農家所得의 대종을 이루는 基幹作物이란 견지에서 어떠한 경우에도 輸入을 開放하거나 關稅化의 對象이 될 수 없으며 農家所得 支持를 위한 收買政策등 價格支持政策은 減縮의 對象이 될 수 없다는 것을 우리農業과 農漁民을 保護하기 위하여 決議한 바 있다.

大韓民國國會는 이러한 決議를 상기 시키면서 政府는 1990年末 부랏셀 각료 會議에서 同協商이 延長된 이후 이의 成功的 妥結을 위하여 各國이 相互 共同努力하고 있는 이 時點에서 UR農産物協商은 先進國과 開發途上國, 輸出國과 輸入國의 立場이 균형있게 反映되고 모든나라의 農業發展 水準이 충분히 고려되어야 함은 물론 특히 食糧安保와 地域의 均衡發展이라는 次元에서 韓國農業의 特殊性이 反映되어야 함을 다시한번 강조하면서 다음과 같이 決議한다.

0163

숭(일본대사관 통보)

원 본

외 무 부

종 별 :

번 호 : GVW-0909 일 시 : 91 0517 1900

수 신 : 장 관(통기,경기원,재무부,농림수산부,상공부)

발 신 : 주 제네바 대사

제 목 : UR/ 농산물 주요국 비공식 회의(4)

5.17(금) 속개된 표제 비공식 회의에서는 어제에 이어 갓트 11조 개선에 관한 논의가 있었음.

1. 갓트 11조 2 (B)

- 이씨, 오지리, 카나다, 미국등은 현재까지 11조 2(B) 운용상 문제가 없었으며, 공산품의 경우 규격등 상품 기준이 확립되어 있는 반면 농산품에는 동 기준이 발전 단계에 있기때문에 11조 2 (B) 의 계속 유지를 주장하였으며, 특히 국내산품과수입품에 차별적용하는 규격 기준은 별도로 규율할수 있음을 강조함.

- 알젠틴 및 칠레는 갓트 11조를 철폐하는 것이 케언즈 그룹의 기본입장이며, 특히 규격기준 문제는 이미 기술적 시장접근 제한 조치로 개선을 추진하고 있는 만큼 11조 2(B) 를 계속 존치시킬 이유가 없다고 함.

2. 갓트 11조 2(C)

- 카나다는 수입국과 수출국간의 균형을 고려하여 11조 2(C) 가 보다 현실적으로 운용 가능하도록 개선할 필요가 있음을 지적하고 카나다 의원제안에 대하여 설명하였음.

- 일본, 이스라엘, 북구 (스웨덴 제외), 스위스,오지리, 아국등이 동 조항을 명료하게 개선하는 것이 협상 목표와 일치되며, 수출.입국간 관심사항을 균형되게 반영하는 방법이라고 제시함.

- 이씨는 원칙적으로 카나다 의견에 동의하면서 이씨도 동 조항 개선 방안을 준비중에 있으나 카나다 제안에 들어 있는 수출품목 제외 항목은 시장접근 문제를 품목과 혼동되게 되므로 반대한다는 견해를 표명함.

- 스위스와 오지리는 향후 논의과정에서 이씨가 지적한 문제를 재검토할 용의가 있음을 밝힘.

통상국 2차보 경기원 재무부 농수부 상공부

PAGE 1

91.05.18 09:20 WG

외신 1과 통제관

0164

3. 금일 회의에서 44항 (식량안보등 비교역적 관심사항)이 시간적 제약으로 충분히 논의되기 어렵게 되자 일본은 준비된 식량안보 관련입장 설명서를 배부하고 차기회의시 심도있게 논의하자고 제기함.(일본제안 별첨 FAX 송부)

4. 던켈 총장은 향후 회의 일정관련, 차기회의는 6.10 주간에 개최토록하여, 수출경쟁분야등 기술적 쟁점의 잔여 사항을 논의토록 하고 6.11(화)경 농산물 협상 그룹전체회의 (공식회의)를 개최하여 2월 이후 진행된 상황을 모든 나라에 알려주도록 하며, 향후 회의는 새로운 협상 구조에 따라 진행시키고 농산물 협상 그룹 전체회의, 주요국비 공식회의를 병행 운용하며, 특히 주요국 비공식 회의에는 주요 쟁점별로 10-12 개국이 참여하는 비공식 소그룹 회의를 운용하는 방식으로 진행시키겠다고 함.

- 스위스, 브라질, 멕시코, 칠레, 콜롬비아 등은 소그룹회의에 원칙적으로 동의하나 TRANSPARANCY보장을 강조하였음.

- LUCQ 농업국장은 이번 회의를 마지막으로 이달말 은퇴하며, 후임자는 아직 결정되지않았다고 함.

첨부: 일본의 식량안보에 관한 제안 1부. 끝

(GVW(F)-164)

(대사 박수길-국장)

GVW(F)-0164 10519 1820
"GVW-0808 첨부"

Basic Idea of Japanese Proposal on Food Security

(Draft)

1. Agricultural production, being distinctive from industrial production, has the special characteristics of being constrained by land and affected by climatical conditions. Also, agriculture plays important role in non-trade related aspects such as food security, preservation of the environment and maintenance of rural communities. Focusing on food security out of various aspects of such non-trade concerns, Japan has proposed that special measures be taken to ensure stable supply of basic foodstuffs.

2. We believe the concept of food security is universally recognized. In this context, we would like to remind participants of the fact that the main theme of the World Food Conference advocated by Dr. Henry Kissinger in 1974 was food security. In that Conference, it was more urged to secure domestic production capability rather than to secure stockpile of foods, to meet the objective of food security.

Foodstuffs as well as energy are integral part of fundamentals of national economy. As for foodstuffs, it is indispensable to prepare for such unexpected situations as poor harvest and serious hindrance in transportation system.

5-1

0166

3. As to oil, it is widely observed that most countries try to maintain the domestic production capability as well as to establish reserve stocks. Similar to that, it is fundamental to ensure the domestic production capability of basic foodstuffs. We assume anyone familiar with actual agricultural production could easily understand that it is indispensable to ensure the sound conditions for agricultural production such as production skills, labour force, land for cultivation through actual production activities, to achieve steady supply of the basic foodstuffs at the time of an unforeseeable situation.

As for reserve stock of foodstuffs, there is no other choice but revolving stock for foodstuffs due to perishability. Furthermore, the level of the revolving stock is restrained by the preference of consumers for fresh products. In the case of rice in Japan, the level of the stockpile should be less than two months of consumption, from the viewpoint of strong preference of Japanese consumers for the new crop.

We would like to draw your attention that the potential production of rice in Japan exceeds its consumption level. To cope with such a situation, we have been taking effective production control measures every year over the decade (The rate of production control is 30% in 1991.) with understanding and cooperation of three million domestic farmers, thus avoiding any subsidied

0167

5-2

exports which might have disturbed world rice market.

4. It is one of the paramount responsibilities of a nation to supply its people with foodstuffs in a stable manner which is the most basic goods for national daily lives. We are convinced that those countries, which have increased the dependence on imports of foods as a result of market opening, share the same concern.

As for Japan, as a result of various market opening measures, the self-sufficiency ratio has declined to as low as 48% on a calorie basis as well as 30% for cereals. No other developed country in the world has such a low self-sufficiency ratio. Put it differently, it is because domestic production of basic foodstuffs has been maintained that Japan, with the population of more than 120 million, could take past market opening measures.

Moreover, serious examination of this issue is of vital importance for developing countries.

There are some cases that countries categorized as exporters do not have adequate competitiveness of every product. However, one of the objectives of Uruguay Round is to make agricultural trade more forward in the direction of liberlization. The reduction in border protection would, without doubt, affect adversely domestic agriculture in such exporting countries. Admitting the concept of

0168

5-3

basic foodstuffs would become a safety valve in implementing the reduction of border protection, even for those countries, since they will be able to maintain required domestic production level of their basic foodstuffs.

5. Furthermore, the concept of food security for exporting countries is embodied in the existing GATT rules, specifically in Article XI: 2(a). However, Japan, as an importing country, considers that the scope of this Article, which presently can be applied to all agricultural products, should be limited to basic foodstuffs.

In correspondence to that, special provisions should be provided for in the GATT rules in order to ensure food security of importing countries.

6. From the points of view as has been stated, we have proposed that a new GATT rules be established in order to enable contracting parties to implement border adjustment measures necessary to maintain its required domestic production level of their basic foodstuffs.

We would like to remind all participants that our proposal on basic foodstuffs does not mean to allow to take such measures without any disciplines. That is to say, any contracting parties concerned must observe that measures are appropriately being implemented to enforce

5-4

0169

planned production with regard to the basic foodstuffs concerned and that the basic foodstuffs are not exported for the purpose of dispensing of the surplus production except for as bona-fide food aid.

0170

5-5

TOTAL P.03

	분류번호	보존기간

발 신 전 보

번 호 : WUS-2096 910516 1352 FL 종별 : 암호발신

수 신 : 주 미 국 대사. 총영사

발 신 : 장 관 (통 기)

제 목 : UR/농산물 협상

UR/농산물 협상관련 향후 한.미 양자협상등에 대비한 아국 입장 수립에 참고코자 하니 땅콩, 면화, 주요 낙농제품등 귀주재국이 55년 갓트로부터 waiver를 받아 수입 규제를 해오고 있는 품목업계의 UR 관련 행정부 및 의회에 대한 최근 로비 동향과 이에 대한 행정부 및 의회 입장을 파악, 보고바람. 끝.

(통상국장 김 삼 훈)

보 안 통 제	

앙 고 재	91년 5월 16일	통상기구과	기안자 성명		과 장	심의관	국 장		차 관	장 관
			송봉헌				전결			

외신과통제

0171

	분류번호	보존기간

발 신 전 보

번 호 : WUS-2097 910516 1354 FL 종별 : 암호발신

WJA -2264 WEC -0272
WIT -0525 WGV -0634
WDE -0189

수 신 : 주 수신처 참조 대사. 총영사

발 신 : 장 관 (통 기) 국기

제 목 : WFC 개최 동향

1. 74.12. 제24차 UN 총회 결의로 설립된 세계식량이사회(World Food Council)는 세계식량안보문제, 식량교역 문제등을 논의하기 위한 각료급 이사회를 매년 개최해 오고 있음.

2. 91.6.5-7간 코펜하겐에서 개최되는 금년도 각료급 이사회에는 Madigan 미 농무장관, '고도'일 농림상, MacSharry EC 농업담당 집행위원등이 참석, UR/농산물 협상에 관한 비공식 협의를 할 예정이라는 관측이 있음.

3. 상기 관련, 귀주재국 관련 부서를 접촉, 하기 사항 파악, 보고바람.

가. 이사회 참석 예정 각료

나. 논의 의제

다. UR/농산물 협상 관련 주요국간 별도 비공식 협의 개최 여부

라. 기타 참고사항. 끝. (통상국장 김 삼 훈)

주제네바 대사

수신처 : 주 미국, 일본, EC, 이태리 대사 (사본 : 주 덴마크 대사)

국제기구과장

보안통제	

앙고재	91년 5월 15일	통상기구과	기안자 성명		과 장	심의관	국 장		차 관	장 관
			송봉헌				전결			

외신과통제

0172

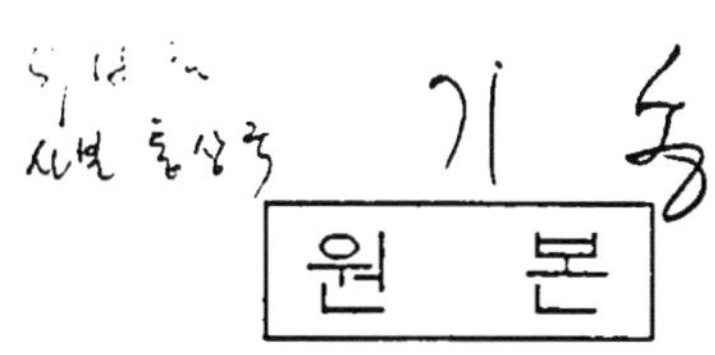

외 무 부

종 별 :

번 호 : ITW-0742　　　　일 시 : 91 0517 1030

수 신 : 장관(국기,농림수산부)

발 신 : 주이태리 대사

제 목 : 제 17차 WFC 회의 개최(1)

1. 6.5.-6.8. 덴마크에서 개최 예정인 제 17차 WFC에는 현재 미국,일본,이태리,독일,덴마크,터키,이란,이집트,싸이프러스,케냐,짐바브웨등의 농림장관과 중공의 차관이 참가할 것이라는 비공식 통보가있었다고 함. 옵서버국인 나이제리아,가봉의 농림장관도 참석할 것으로 알려졌음.

2. 미국 농무장관은 취임후 각국 관계장관과의 지면을 넓히고 아울러 UR 관계에대한 의견도 나누고자 참석하는 것으로 이해된다고함. 그러나 동인의 참석은 보다많은 장관을 참석케 할 것으로 예상된다고 함.

3. 이태리 고리아 농상은 하루정도 참석하여 주요장관과 인사나눌 것이라 하나 의제를 사전에 준비하고 있지는 않다고 함.

4. WFC 사무국은 장관들의 모임들을 둘째날오전 08:00-10:00 사이에 마련하고자하며, 같은날 오찬도 준비하고 있다고 함. 몇몇 국가간의 모임을 별도로 마련될 수있 을 것이라 하나 아직 밝혀진바 없다고 함.

5. 상기 사항은 WFC 사무국, 이태리 농림성관계관을 통하여 입수한 내용이며, EC로마주재관 및 관계국 대표를 통한 자료는수집되는대로 별도 보고하겠음.끝

(대사 김석규-국장)

국기국　2차보　농수부

PAGE 1　　　　91.05.17　18:56 CO

외신 1과　통제관

0173

관리 번호 91/355

원 본

외 무 부

종 별 :

번 호 : USW-2431 일 시 : 91 05171 1743

수 신 : 장 관(통기,통일,국기,농림수산부)

발 신 : 주 미 대사

제 목 : WFC 개최동향

대:WUS-2097

1. 당관 이영래 농무관은 농무부 해외 농업처 JAMES TRURAN 부처장보를 오찬에 초청, 대호 WFC 개최 동향에 대해 협의한바, 동인 언급 요지 하기 보고함(김중근 서기관 및 HOWARD WETZEL 다자 협력과 부과장 동석)

가. MADIGAN 미 농무장관, 곤도 일본 농림상의 참석은 확실시되나, MACSHARRY EC 농업 담당 집행위원은 참석치 않을 것 같음(EC 국가중 독일, 프랑스, 이태리, 덴마크만이 WFC 회원국이고 동 국가들이 개별적으로 대표파견 예정)

나. MADIGAN 장관의 회의참석 주요 목적은 개도국 대표에게 UR 이 개도국에주는 혜택을 설명하고, 주요국 농무장관의 상견례에 있음.

다. MADIGAN 장관은 UR 과 관련 주요국 농무장관과의 개별 양자협의는 계획하고 있으나, 별도의 다자협의를 개최할 계획은 없음. 곤도 일 농림상과는 아직 일정을 협의하지는 않았으나 만나게 될 것이 확실시 됨.

2. 동 회의 의제별첨 송부함.끝.

첨부:USW(F)-1906

(3 매)

(대사 현홍주- 국장)

예고:91.12.31. 까지

검 토 필(1991. 6. 30.)

일반문서로 재분류(1991 . 12. 31.)

통상국 차관 2차보 국기국 통상국 농수부

PAGE 1

91.05.18 09:55

외신 2과 통제관 BS

0174

주 미 대 사 관

보안 통제

번호 : USW(F) - 1906

수신 : 장 관 (통기. 통일. 국기. 농림수산부)

발신 : 주미대사

제목 : USW - 2431 의 첨부. (3매)

Seventeenth Ministerial Session
Helsingør, Denmark, 5-8 June 1991

PROVISIONAL AGENDA WITH ANNOTATIONS

(a) Provisional Agenda

1. Opening of the session and adoption of the agenda

2. "Food First" on the development agenda for the 1990s

   A. The global state of hunger and malnutrition

   B. The conquest of hunger in a changing political and economic environment

   C. Responses to developing countries' food production challenges

3. WFC work programme and other business

   A. Future work programme

   B. Other business

4. Election of the Bureau

5. Report of the Council to the forty-sixth session of the United Nations General Assembly

For reasons of economy this document is produced in a limited number of copies. Delegates and observers are kindly requested to bring it to the meetings and to refrain from asking for additional copies unless strictly indispensable.

-1

0175

(b) Annotations to the Provisional Agenda

Item 1: Opening of the session and adoption of the agenda

Documentation: WFC/1991/1 - Provisional Agenda

Item 2: "Food First" on the development agenda for the 1990s

A. The global state of hunger and malnutrition

In Bangkok last year, Council members had agreed to promote alleviation of hunger and poverty in the formulation of the United Nations International Development Strategy for the 1990s. The International Development Strategy adopted at the forty-fifth session of the General Assembly places the World Food Council's four hunger-alleviation objectives of the Cairo Declaration squarely on the world's development agenda for this decade. Translating this consensus into effective action is a great task for the years ahead.

Documentation: WFC/1991/2 - Hunger and malnutrition in the world: Situation and Outlook - 1991 Report

B. The conquest of hunger in a changing political and economic environment

The prospects for food security in the 1990s will be affected by great political and economic changes in the world, including those taking place in Western and Eastern Europe and Western Asia and the outcome of the multilateral trade negotiations in the GATT. These changes must not be allowed to distract the world's attention from the "silent crises" of hunger. These political and economic changes provide a challenge for policies which capture their positive effects and protect the world's poor and hungry against their negative consequences.

Documentation: WFC/1991/3 - Responding to the food security implications of the changes in the political and economic environment.

WFC/1991/4 - The consequences for food security of the multilateral trade negotiations in the Uruguay Round.

WFC/1991/5 - Focusing development assistance on hunger and poverty alleviation.

C. Responses to developing countries' food production challenges

Recognizing that the Council's food security framework must include not only access to food and health services but also provision for increased and sustainable production in the developing countries, Council Ministers last year called for a "renewal of the Green

2 1906-2

0176

Revolution". They are now invited to examine specific food production challenges in different developing regions and provide recommendations for policy and programmes at the national, regional and international level. In addition, Ministers may wish to send a message on the sustainable achievement of food security for all people to the 1992 United Nations Conference on Environment and Development.

Documentation: WFC/1991/6 - Meeting the developing countries' food production challenges of the 1990s and beyond

WFC/1991/7 - Draft Message from the ministers of the World Food Council to the 1992 United Nations Conference on Environment and Development.

Item 3: WFC work programme and other business

A. Future work programme

As part of the examination of the Council's future programme of work, the Minister of Agriculture of Denmark will introduce an item on the relationships between food security, food production and migration for the Council to consider the desirability of putting this issue on the future Council agenda.

B. Other business

Item 4: Election of the Bureau

In accordance with rule 13 of the Rules of Procedure, the Council, during the course of the seventeenth session, will elect its Bureau consisting of a president and four vice-presidents.

Item 5: Report of the Council to the forty-sixth session of the United Nations General Assembly

In accordance with paragraph 7 of General Assembly resolution 3348 (XXIX) of 17 December 1974, the Council's report will be submitted through the Economic and Social Council to the General Assembly at its forty-sixth session.

1906-3 (J)

P.2/2 MAY 16 '91 17:31

0177

원 본

암호수신

외 무 부

종 별 :

번 호 : GVW-0907　　　　일 시 : 91 0517 1830

수 신 : 장관(통기,국기)

발 신 : 주 제네바 대사

제 목 : WFC 개최

대: WGV-0634

1. 대호, 당관 박공사가 LUCQ 농업국장을 접촉, 표제건을 알아본바, 지금까지 GATT 에서는 WFC 회의에 대표를 파견한 일이 없으며, 금번회의에도 파견치 않을 예정이라함.

2. UR/ 농산물 협상관련 회의 참석 주요국 각료들간 비공식협의 개최 가능성은 배제할수 없으나 만일 협의가 된다고 하더라도 이는 GATT 차원밖의 일이라는 입장을 표명하였음을 참고 바람. 끝

(대사 박수길-국장)

통상국　국기국

PAGE 1　　　　91.05.18　08:21

외신 2과 통제관 FM

0178

UR/농산물협상 식량안보 관련 일본입장 설명서(5.17) 요지

1991. 5. 20.
통상기구과

1. 식량안보의 중요성

o 흉작등과 같은 예측하지 못한 상황, 농산물 운송상의 장애요인등을 감안할 때 비축보다는 국내 생산기반의 확보가 더욱 긴요

- 기초식량에 대한 생산기술, 농업노동력, 경작면적 유지 필요

o 소비자의 신선산품 선호로 인해 비축의 경우 재고의 순환(revolving stock)이 중요

- 일본 쌀의 경우에도 2개월 미만분 비축 및 생산 통제 실시
  (91년 생산 통제 비율 : 30%)

o 기초식량의 안정적 공급은 정부의 책임

- 수입개방으로 인해 곡물의 경우 자급률이 30%에 불과

2. 식량안보 관련 갓트규정 재검토 필요성

o 농산물 수출국의 식량안보 관심사항은 11조 2항(a)에 기반영되어 있음에 비추어 농산물 수입국의 식량안보 관심사항도 갓트규정에 반영 필요

- 11조 2항(a) 적용 대상품목을 기초식량에 한정 필요
- 기초식량의 국내 생산기반 유지를 위해 필요한 국경조치가 가능토록 하기 조건하 갓트규정 신설 필요
  - · 관련 기초식량에 대한 정부의 적절한 생산 통제 조치
  - · 관련 기초식량 잉여 생산물에 대한 수출금지
    (단, 식량원조는 제외) 끝.

0179

원 본

외 무 부

종 별 :

번 호 : ECW-0444 일 시 : 91 0521 1700

수 신 : 장관 (통기,국기)

발 신 : 주 EC 대사

제 목 : WFC 개최동향

대: WEC-0272

대호 지시관련, 당관 이관용 농무관은 EC집행위 대외관계 총국 GUTH 담당관, 농업총국 KNUPPEL 담당관 및 개발총국의 KENNES 담당관을 접촉한바, 요지 하기 보고함

1. 6.5-8 코펜하겐 개최예정인 WFC 각료이사회의 EC 대표단은 POOLEY 개발총국(DG-VIII)부총국장등 관계관으로 구성될 것이며, MACSHARRY 집행위원도 참석할 것을 고 려하고 있으나 확정된바 없음

2. 동 WFC 각료이사회의 의제는 개도국의 식량수급 및 생산확보등에 관련된 사항이 주요안건이나, 특히 소제로서 식량안보와 다자간무역 협상문제에 대한 의제가 포함되어 있음

3. 미.일등 주요국의 농무장관 참석여부및 UR농산물협상 관련한 비공식협의 개최여부에 대해서는 특별히 아는바 없다고 함. 다만, 동이사회 의제에 다자간 무역협상과 개도국의 식량안보 문제가 포함되어 있고, OECD, FAO 등거의 모든 국제기구 회의시 UR 협상에 대한 문제가 공식 또는 양자간 비공식협의 형태로 거론되고 있음을 감안할때 WFC 이사회에서도 UR 농산물 협상에 대한 의견교환이 있을 가능성도 있다고함. 끝

(대사 권동만-국장)

91.5.22 농수부 사본1부요관리

통상국 2차보 국기국

PAGE 1 91.05.22 06:29 DN

외신 1과 통제관

0180

원 본

암호수신

외 무 부

종 별 :

번 호 : JAW-3134　　　　일 시 : 91 0522 1515

수 신 : 장관(통기,국기,아일)

발 신 : 주 일 대사(경제)

제 목 : 세계 식량 이사회

대: WJA-2264

대호, 주재국 농림수산성 담당부서를 접촉, 파악한 바를 다음 보고함.

1. 이사회 참석 예정 각료

0 각료로서는 "곤도오" 농림수산 대신만 참석예정.

-대표단은 농림수산부 직원과 현지 대사관 직원으로 구성.

2. 주요 논의 의제

0 세계의 기아 및 영양 불량의 상황

0 변동하는 정치, 경제 환경속에서의 기아의 극복

0 개발도상국의 식량 생산 노력에의 대응

3. UR/ 농산물 협상 관련 주요국간 별도 비공식 협의 개최 여부

0 일측이 미국측에 확인한 결과, "매디건" 농무장관의 참석이 거의 확실하다는 연락을 받았는바, 현재 "곤도오" 농림수산 대신과 "매디건" 농무장관의 비공식 협의를 추진중임.

-구체일자 미정

-일본의 쌀시장 개방문제등 UR/ 농산물 협상 전반에 걸쳐 의견교환 예정

0 이외에, 일.미.EC 간 3 자 비공식 협의는 현재로서는 고려치 않고있음. 끝

(공사이한춘-국장)

통상국　2차보　아주국　국기국

PAGE 1　　　　91.05.22　15:45

외신 2과　통제관 BN

0181

관리번호	91-367

원 본

(서명 보존)

외 무 부

종 별 :

번 호 : GVW-0942 일 시 : 91 0523 1530

수 신 : 장관(통기,경기원,농림수산부)

발 신 : 주 제네바 대사

제 목 : UR/농산물 (주요 8개국 비공식 회의)

연: GVW-0937

1. 연호 2 항 8 개국 비공식회의는 던켈 총장 주재 회의가 아니고 주요국들이 농산물 협상 촉진을 위해 작년부터 자발적으로 개최하고 있는 비공식 모임인바, 5 월에는 5.13 주간에 국내 보조중 허용대상 정책(GREEN BOX)에 대한 논의를하였으나, 기존 입장을 되풀이하여 별진전이 없었다고 함.

2. 5.21-24 기간중에는 미국, 이씨, 카나다, 일본의 순으로 매일 만나 국별리스트를 명확화 (CLARIFICATION)하기 위한 회의를 당지 이씨 대표부에서 개최중에 있으며, 각국에서 국별 리스트 전문가가 파견되어 회의에 참석하고 있다고 함. 케언즈 그룹의 국별 리스트도 검토할 것으로 알려져 있으나 구체적인 일정은미정이라함을 추가 보고함.

3. 본직이 동 그룹 구성국 대사들에게 아국이 갖는 농산물에 대한 관심에 비추어 동 그룹에 아국이 제외된 이유에 대하여 문의한바 관련대사는 작년까지만하더라도 아국이 공식 또는 비공식 회의에서 기존 입장만 되풀이 하는 자세를 계속 보인점, 그리고 수입국 입장은 일본, EC 등이 대변할수 있다는 이유였다고 전제하고 동 그룹의 비중에 지나친 무게를 둘 필요가 없다고 말하였음을 참고로 첨언함. 끝

(대사 박수길-국장)

예고 91.6.31. 까지

검 토 필 (1991.6.30.)

일반문서로 재분류(1991.6.30.)

통상국 장관 차관 2차보 경기원 농수부

PAGE 1

91.05.23 23:28

외신 2과 통제관 CH

0182

관리 번호	91-366

원 본

외 무 부

종 별 :

번 호 : GVW-0941　　　　일 시 : 91 0523 1530

수 신 : 장관(통기, 경기원, 농림수산부)

발 신 : 주 제네바 대사

제 목 : UR/농산물 협상

연: GVW-0909

1. 아국은 표제 협상에서 비교역적 관심사항 및 개도국 우대에 역점을 두고그동안 협상에 임해 왔는바, 91. TNC 회의시 아국 협상 입장을 보다 전향적인 방향으로 재조정하고, 향후 협상 진전 상황에 따라 수정제안을 제출키로 한바 있음.

2. 한편 표제협상은 하반기에 예상되는 실질적인 협상을 앞두고 기술적 문제를 국내보조, 시장접근, 수출경쟁 분야별로 심도있게 논의하고 있으며, 6.10 주간 개최 예정인 표제 주요국 비공식회의시에는 아국의 관심분야인 식량안보등 비교역적 관심사항이 논의될 것으로 예상됨.

3. 이와 관련 아국은 식량안보등 비교역적 관심사항(NTC)에 대한 조정된 입장을 구체적이고 명확하게 차기 회의에 제시함으로서 향후 협상틀(FRAMEWORK) 및갓트 규범에 반영할수 있도록 노력할 필요가 있다고 사료됨.

- 일본은 5.17(금) 표제 주요국 비공식 회의시 식량안보에 관한 서면제안을하고 차기 회의시 논의하자고 한 바 있음.

4. 따라서 아국의 식량안보등 비교역적 관심사항에 대한 입장, 협상대안으로서 FRAMEWORK 또는 갓트 규범에 반영할수 있는 방안을 서면으로 작성 차기회의에 제출할수 있도록 준비할 것을 건의함. 끝

(대사 박수길-국장)

예고 91.6.30. 까지

검 토 필 (1991 6.30.)

통상국　차관　2차보　경기원　농수부

PAGE 1　　　　91.05.24 06:20

외신 2과 통제관 CH

0183

외 무 부

종 별 :
번 호 : ITW-0774 일 시 : 91 0523 1025
수 신 : 장 관(국기,농림수산부)
발 신 : 주 이태리 대사대리
제 목 : 제 17차 WFC 회의(2)

연:ITW-0742

1. 연호의 농림장관 참석 예상국 이외에 콜롬비아, 브룬디, 루완다, 시리아, 요르단 (옵서버)등에서 농림장관이 참석할 예정이라하며, 프랑스, 카나다의 경우 유동적인 상황이라고 함. EC 에서는 MACSHARRY 집행위원이 참석치 못할 것으로 알려졌음.

2. UR 협상 의제와 관련, 의제중 UR협상 결과보고가 포함되어 있으므로 의제발언은 있겠으나 현지 협상은 없을 것으로 예상됨. 다만 오찬등 비공식 모임에서 관련 국가간 간단한 견해 표시는 있을수 있을 것으로 보임.

3. 동 회의에의 아국 대표참가와 관련, 지금까지 아국대표가 계속 참석해 왔음을 고려하여 이번의 경우에도 아국대표 참가가 가능토록 조치하여 주실것을 건의함.끝

(대사대리 황부홍-국장)

국기국 농수부 통상기구과

PAGE 1 91.05.23 18:04 WG

외신 1과 통제관

0184

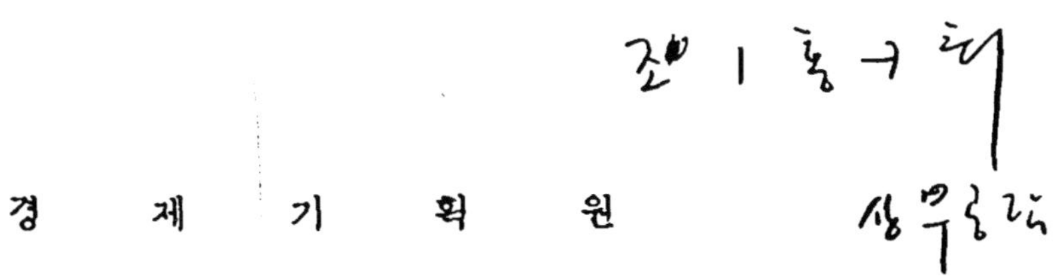

경 제 기 획 원

봉조이 10520-340 (503-9137) 1991.5.25.

수신 수신처참조

제목 「동식물검역 및 식품안전성검사관련 제도개선대책」 추진

UR/농산물협상에 있어서의 위생 및 검역규제에 관한 협상 진전과 병행하여 국내관련제도를 재점검.정비하고 이에 필요한 조직, 인력, 장비등 검역기능을 확충함으로써 국제규범에의 일치 및 국민보건안전성 확보를 도모키 위한「동식물검역 및 식품안전성 검사관련 제도개선대책」을 별첨과 같이 수립.시행코자 하오니 동대책이 원활히 추진될 수 있도록 적극 협조하여 주시기 바랍니다.

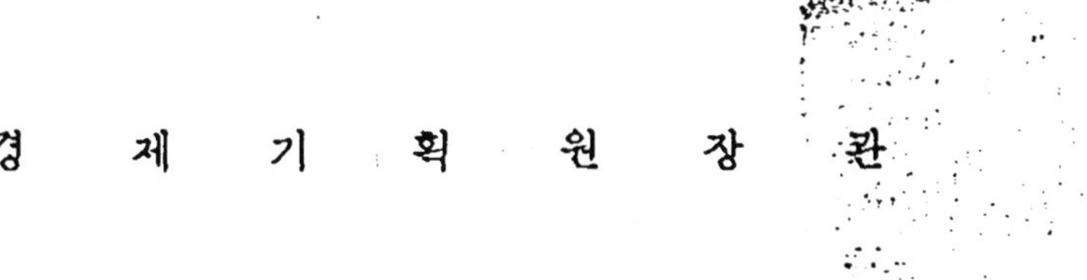

첨부: 「동식물검역 및 식품안전성검사관련 제도개선대책」 1부. 끝.

경 제 기 획 원 장 관

수신처: 국무총리 행정조정실장(제 3행정조정관),총무처 장관(행정관리국장)
외무부장관(기획관리실장, 통상국장)

0185

動.植物檢疫 및 食品安全性 檢査關聯 制度改善對策

1991. 5

經 濟 企 劃 院

對 外 經 濟 調 整 室

0186

目　　　次

Ⅰ. 推進經緯

- 현행 檢疫關係法令이 輸入制限時期에 마련된 것으로 一般的 國際基準과 일치되지 못하고 또한 輸入開放에 따라 農産物 輸入이 증가함에도 檢疫裝備.人力 및 制度改善이 未洽하여 國民保健 안전성확보와 對外通商摩擦側面에서 많은 문제점을 야기하고 있으며 아울러 UR協商에서도 妥結과 동시에 卽刻的인 改善이 要請되고 있음
  - o 美國은 Strawberry, Papaya 등의 技術的檢疫 검토 지연을 의도적인 輸入規制내지 貿易障壁으로 인식
- 따라서 國內動植物檢疫 및 食品安全性檢査關聯制度를 재점검하여 國際規範에 맞게 개선하고 組織.人力 및 裝備등 檢疫 기능확충을 적극추진시켜 나아가야 할 것임.

- '91.3.18: 「動.植物檢疫 및 食品安全性 검사관련 制度改善 推進方案」(經濟企劃院)에 관한 관계부처 협의
  - o 主務部處는 改善對象法令과 검사기관의 시설 및 裝備補完 計劃을 樹立.提出키로 함.
- '91.4.4: 農水産部, 保社部로부터 부문별 改善對策 提出
  - o 國際規範에 맞는 國內檢疫關係法令의 改善과 검역관련 組織 및 施設.裝備擴充을 위한 5개년 計劃 樹立
- '91.5.1: 經濟企劃院 關聯室局(예산실, 조정국)에의 의견조회
- '91.5.22: 綜合 檢討

0188

〈參 考〉 UR/農産物協商에 있어서 衛生 및 檢疫規制에 관한 協商進展狀況

- '88.10 同分野 專門家들이 참여하는 衛生 및 檢疫規制作業園을 구성하여 12차에 걸쳐 一部行政的인 부문이외의 기술적인 부문에서 會員國間 合意가 거의 이루어진 상태임.

< 主要合意內容 >

- o 人間,動物 혹은 식물의 生命 혹은 健康保護를 위한 규제조치는 가능하나 국가간 差別禁止 및 國際交易에 있어서 위장된 制限手段으로 이용 금지

- o 國際機構의 國際基準, 指針 및 勸告를 기초로 衛生 및 檢疫 關聯規定의 일치

- o 輸出國의 衛生 및 檢疫方法이 수입국의 검사수준을 달성한 것으로 증명될 경우, 輸入國은 輸出國의 그 결과를 受容

- o 各國은 特定疾病의 發生水準, 撲滅 혹은 防除計劃의 有無, 關聯國際機構에 의해 開發된 적절한 基準 및 指針을 고려하여 地域의 衛生 및 檢疫特徵을 評價

- o 위생 및 검역관련 科學的 혹은 技術的 事案을 포함하는 분쟁을 처리하기 위해 紛爭解決小委員會를 設置 運營하고 GATT의 一般的 紛爭解決節次規定을 適用

- o 合意內容과 不一致하는 現存義務規定은 2년후에, 기타 合意內容에 一致되는 사항에 대하여는 6개월후에 效力發生

☞ 明瞭性提高 및 國際化를 위하여 現行法令의 改正과 施設補強 必要

* 同 合意內容은 현재진행중인 UR/農産物協商이 妥結될 경우 國內補助, 國境措置, 輸出補助分野와 더불어서 UR/농산물협상 하나의 合意事項으로서 施行豫定

Ⅱ. 部門別 改善對策

1. 法令整備등 制度改善

- 動物.植物.食品의 3개 分野別.部處別 推進內容은 대체로 유사하므로 同一原則 및 일정하에서 추진토록 함

<推進原則 및 日程>

o 法令改正없이 자체적으로 推進可能한 措置事項은 가능한 早期施行하고 법령개정을 위한 각국의 事例 및 關聯資料 蒐集등 충분한 硏究.分析 실시 ('92년 상반기까지 조치)

o 法令改正은 공청회등의 여론수렴절차를 통하고 아울러 UR協商妥結 狀況등을 감안하여 추진
('92~'93년중 추진을 원칙으로 하되, 특수사정고려)

<分野別.年度別 推進日程>

分野別	推 進 事 項	'91	'92	'93
植物檢疫	- 加工 및 冷凍食品에 대한 위생증 添附要件 緩和 (시행규칙개정)	────	────	
	- 主要國 法令調査 및 分析	────	────	
	- 植物防疫法 및 同施行規則등 관련 規定改正		────	────
	o 草案作成 및 公聽會 開催			

분야별	推 進 事 項	'91	'92	'93
動物檢疫	- 外國檢疫制度 및 검사기준자료 蒐集.分析 - 가축전염병예방법 및 同施行令등 관련규정 개정 o 各國別 動.畜産物 輸入條件改正 o 檢疫施行場指定 및 檢疫物管理 요령개정 - 畜産物衛生處理法 및 동시행령 關聯規定改正			
食品衛生	- 檢査制度改善 (법령개정불요) o 檢査機關의 相互認定 및 동일사 동일제품 일정기간 檢査免除 o 機械.機具類등 檢査方法改善 및 有害物質檢査 項目調整 o 수입식품검사기능 分散 및 檢査 方法.結果의 공개 - 國際基準에 맞도록 식품관련 공전개정 o 첨가물공전과 식품공전의 개정 및 Codex기준 수용			

- 輸入畜産物 관련검사업무 일원화는 國務總理室에서 改善對策推進中이므로 국무총리실 決定에 따르도록 함.

2. 人力.組織 및 施設등 擴充

- 人力.組織 補強問題는 기구.장비 및 施設擴充과 관련하여 상호 연계성을 갖고 있는 문제이므로 本對策이 최대한 반영되도록 해당부처에서는 人員.組織管理 主務機關 (總務處, 外務部)과 협의하여 적극 추진토록 함

  o 병해충 분류동정센타, 격리재배관리소, 식물검역출장소 4개소 신설등(194명)

  o 동물검역지소 2개소, 구제역등 해외악성가축전염병 연구센타 신설등(97명)

  o 국립보건원 식품미생물과, 해외주재관 4명 신설등(143명)

- 施設擴充 및 訓練強化 問題에 있어서는 農水産物 輸入開放 확대가 불가피함에 따른 檢疫體制의 科學化.國際化의 필요성이 있으므로 소규모장비보강 및 訓練強化事業등은 년차적으로 실소요를 豫算編成時 具體的으로 檢討하여 반영토록 하되,

  o 다만 植物檢疫關聯事業中 훈증창고등 검역시설확보문제는 민자유치방안강구와 함께 設計 및 安全性問題, 消毒料 賦課問題등 기술적 사항관련 基礎調査 所要經費를 '92년도 豫算에 반영토록함

  o 動物檢疫關聯事業中 「구제역등 해외악성가축전염병 연구센타」설치운영에 대해서는 輸出入地域 다변화에 비해 국내 검역수용체제 및 동 방제대책이 전무한 실정이므로 旣存組織의 活用方案을 고려하면서 同事業이 착수되어 활성화될 수 있도록 所要豫算을 반영토록 함

Ⅲ. 細部課題別 主管部處

細 部 課 題	主 管	協 調
1. 法令整備등 制度改善		
<植物檢疫> o 植物防疫法 관련법령 정비	農林水産部	
<動物檢疫> o 가축전염병 예방법 관련법령 정비 o 畜産物 위생처리법 관련법령 정비	農林水産部	
<食品衛生> o 첨가물 공전, 식품공전의 國際基準 수용.조정	保健社會部	
* 輸入畜産物 관련검사업무 일원화	國務總理室 (行政調整室)	農林水産部 保健社會部
2. 人力.組織 및 施設擴充		
<植物檢疫>. o 機構增設(병해충 분류센타, 국가격리 재배관리소, 검역출장소)및 인력증원 o 檢疫施設擴充(훈증창고,훈증콘테이너, 재식용 검사시설) o 檢疫裝備(농약잔류분석장비,일반검역 장비)및 행정전산망 보강등	農林水産部	總務處 經濟企劃院

細　部　課　題	主　管	協　調
<動物檢疫> ㅇ 구제역등 외래성 질병검사 檢疫體制 構築 및 지소증설(청주,영종도) ㅇ 精密檢疫施設 및 裝備補強 ㅇ 잔류물질검사 및 檢疫裝備 現代化	農林水産部	總務處 經濟企劃院
<食品衛生> ㅇ 輸入食品 情報管理를 위한 전산망 구축.확장 ㅇ 海外情報蒐集強化를 위한 해외주재관 파견	保健社會部	總務處 外務部 經濟企劃院

Ⅳ. 改善對策 推進에 따른 期待效果 및 向後 計劃

<期待效果>

- 檢疫制度의 國際化 規範에 接近.改善과 병행하여 인력.시설 보강으로 효율적인 檢疫業務가 가능하고 通商摩擦 素地의 除去가 가능함.

  o 檢疫制度의 획기적.단계적인 개선이 이루어지지 않는한, UR協商이 妥結될 경우, 短期間內에 財政負擔이 과중하게 될 우려도 있음.

- 農產物 輸入開放과 交易量增大에 따른 海外有害成分 導入可能性의 事前的 防止와 安全性 提高로 國民保健의 向上圖謀가 가능함.

- 輸出交易國의 衛生條件遵守가 가능하여 國際公信力提高를 통한 輸出增大에 간접적으로 기여가 가능함.

<向後計劃>

- '91. 末 : 同 改善對策의 推進狀況을 종합점검하여 未備点 補完

송

원 본

외 무 부

암호수신

종 별 :

번 호 : ECW-0463 일 시 : 91 0529 1400

수 신 : 장관 (통이,경기원,재무부,농수산부,상공부,권동만대사)

발 신 : 주 EC 대사 대리

제 목 : GATT/UR 농산물 협상

통기

5.28. 당관 이관용 농무관은 GUTH EC 집행위 표제협상 담당관을 접촉한바 동인 발언요지 하기 보고함

1. 협상추진 일정관련

0 6 월중순 개최되는 표제협상 회의이후 DUNKEL 사무총장은 32-4 개 0 6 월중순 개최되는 표제협상 회의이후 DUNKEL 사무총장은 32-4 개국 비공식협의, 12 개국 비공식 협의및 주요국 개별접촉 결과를 종합하여 6 월말까지 의장 PAPER 를 마련할 예정임. 다만 동 PAPER 는 모든 협상국들을 만족시킬수 있는내용이 될수는 없을것으로 보임

0 그러나 동 PAPER 제시이후 7 월 또는 늦으면 9 월중에 UR 협상의 타결을 위한 계기 (FUNDAMENTAL MOMENTUM) 를 마련하기 위한 각료급 모임을 갖자는 의견이 제시될 가능성이 큼

0 6 월 OECD 총회, 런던 G-7 등 갓트 밖의 모임에서는 비록 UR 협상을 촉진해야 한다는 기본입장을 재확인하는 정도의 합의 또는 성명발표는 있을수 있으나, 동 협상의 전기를 이룰수 있는 정치적 타협을 시도하는 것은 어려울 것으로 보임

0 EC 는 지난 5 월초 DUNKEL 사무총장의 7 월 각료회의 제의를 거부한바 있고, 최근 DUNKEL 총장이 정치적 타협을 시도하기 위한 일정을 제시한바도 없으나, UR 농산물협상의 TECHNICAL ISSUE 에 대한 의견차이가 좁혀지고 있어 의장 PAPER 가 제시되는 시기를 전후하여 ANDRIESSEN 과 MAC SHARRY 위원은 정치적 타협을 모색하기 위한 활동을 개시할수 밖에 없을 것이나, 현재로서는 구체적인 활동계획은 없음

0 한편, 미국은 정치일정을 감안할때, 금년내에 자국국민들을 설득할수 있을 정도의 UR 결과를 희망하고 있는것은 당연하나, 그것이 어려울 경우에는 기본적인 골격 (BASIC AND SIMPLE) 에 대한 합의를 이루는 정도로 UR 협상을 마무리한 후 2-3 년후에 협상을 재추진할 가능성이 큼

통상국	장관	차관	1차보	2차보	구주국	청와대	안기부	경기원
재무부	농수부	상공부						

PAGE 1 91.05.30 00:33

외신 2과 통제관 FE

0196

2. GATT 제 11 조 2 항 C 협상 관련

0 카나다, 일본, EFTA 등이 추진하고 있는 갓트 11-2-C 을 OPERATIONAL 하게 개선코자 하는 움직임에 대해 EC 도 긍정적이나 구체적으로 동참하고 있지는 아니함

0 EC 도 동 조항의 시행 명료성이 확보되어야 한다는 데에는 동의하며, 그것이 어려울 경우에는 최소한 현행대로 존치하여야 한다고 보며, 그 결과는 케인즈 그룹등과의 협상여하에 달려 있으나, 현행대로 존치될 것으로 전망함. 끝

(대사대리 강신성-국장)

0197

원 본

암 호 수 신

외 무 부

종 별 :

번 호 : DEW-0271 일 시 : 91 0524 1500

수 신 : 장관(통기,국기)

발 신 : 주 덴마크 대사

제 목 : WFC 개최동향

대:WDE-0189

당관 추서기관은 5.24. 주재국 농업부 JORGEN SKOVGAARD NILSEN 과장(WFC 회의준비 실무책임자)를 면담, 대호사항 파악한바 결과 아래 보고함.

1. 이사회 참석 예정각료

가. 5.24. 현재 각국의 참가대표단 명단이 모두 접수되지는 않았지만 36 개 WFC 회원국중 약 20-25 국이 각료급을 파견할 것으로 보임.

나. 각료급 파견을 통보해 온 국가로는 미국, 일본, 중국, 이태리, 불란서, 독일, 터키, 시리아, 니제, 부룬디, 콜롬비아등이며 비회원국중 옵서버로 각료급을 파견 검토중인 국가는 스웨덴, 나이제리아등임. 이들 대부분의 국가는 농업장관을 파견하나 일부국가는 외무장관 또는 개발장관을 참석시킬 예정임.

다. EC 로부터는 농업담당집행위원의 참석을 현재 교섭중이며 개발담당 총국장의 참석은 확정적임. 또는 INTERNATION FEDERATION FOR AGRICULTURAL DEVELOPMENT 회장등 다수 국제기구 대표도 참석예정임.

2. 의제

가. 잠정의제

1) OPENING OF THE SESSION AND ADOPTION OF THE AGENDA

2) "FOOD FIRST" ON THE DEVELOPMENT AGENDA FOR THE 1990S

A. THE GLOBAL STATE OF HUNGER AND MALNUTRITION

- HUNGER AND MALNUTRITION IN THE WORLD: SITUATION AND OUTLOOK

B. THE CONQUEST OF HUNGER IN A CHANGING POLITICAL AND ECONOMIC ENVIRONMENT

- RESPONDING TO THE FOOD SECURITY IMPLICATIONS OF THE CHANGES IN THE POLITICAL AND ECONOMIC ENVIRONMENT

통상국 차관 1차보 2차보 국기국

PAGE 1 91.05.25 00:32

외신 2과 통제관 DO

0198

- THE CONSEQUENCES FOR FOOD SECURITY OF THE MULTILATERAL TRADE NEGOTIATIONS ON THE UR

- FOCUSING DEVELOPMENT ASSISTANCE ON HUNGER AND POVERTY ALLEVIATION

C. RESPONSES TO DEVELOPING COUNTRIES' FOOD PRODUCTION CHALLENGES

- MEETING THE DEVELOPING COUNTRIES' FOOD PRODUCTION CHALLENGES OF THE 1990S AND BEYOND

- DRAFT MESSAGE FROM THE MINISTERS OF THE WFC TO THE 1992 UN CONFERENCE ON ENVIORNMENT AND DEVELOPMENT

3) WFC WORK PROGRAMME AND OTHER BUSINESS

A. FUTURE WORK PROGRAMME

B. OTHER BUSINESS

4) ELECTION OF THE BUREAU

5) REPORT OF THE COUNCIL TO THE FORTY-SIXTH SESSION OF THE UNITED NATIONS GENERAL ASSEMBLY

나. 상기 잠정의제 3) FUTURE WORK PROGEAMME 으로 주재국측은 전세계적으로 이주(MIGRATION)가 확산되고 정치, 경제, 사회적으로 점점 중요 문제가 되고 있음에 따라, 식량안보와 식량생산 및 이주간의 관계를 상정, 향후 이사회 의제로 채택하는 문제를 검토토록 할 예정임.

3. UR/ 농산물 협상관련 주요국간 별도의 비공식 협의 개최계획은 현재로서는 없으며 그러나 참가 각료간 활발한 쌍무적인 접촉이 예상됨.

4. 기타 참고사항

- 대호 회의는 코펜하겐시에서 약 30KM 떨어진 HELSINGOR 시에서 개최 예정임.

- 주요 회의일정

6.4.(화) WFC 의장 주최 리셉션

6.5.(수) 제 1 차 전체회의 개최

주재국 농업장관 주최 리셉션(여왕 참석)

제 2 차 전체회의

주재국 농업장관 주최 리셉션

6.6.(목) WFC 회원국가 옵서버국 각료대표간의 비공식 회의

제 3 차 전체회의

제 4 차 전체회의

6.7.(금) FIELD TRIP

6.8.(토) 제 5 차 전체회의

폐회. 끝.

(대사 김세택-국장)

관리번호 91-381

원 본

외 무 부

종 별 :

번 호 : GVW-1000　　　　일 시 : 91 0530 1730

수 신 : 장관(통기,경기원,농림수산부)

발 신 : 주 제네바 대사

제 목 : UR/농산물 협상

연: GVW-0909

1. 연호 비공식 소그룹회의 구성관련 5.30 본직은 향후 실질적인 농산물 협상에의 적극 참여를 위한 관심 표명의 일환으로 표제 협상 그룹의장인 던켈 총장에게 동 소그룹 구성시 아국 참여를 적극 고려토록 요청하는 요지의 서한을 작성송부하였음.(별첨 참조)

- 서한 요지

0 아국은 UR 협상 성공을 위해 모든 분야에서 적극 노력하고 있으며, 아국에 가장 어려운 농산물 분야에 있어서도 지난 1 월 TNC 회의때 보다 융통성 있는입장을 취할 용의를 표명한바 있음.

0 그러나 아국 농업의 구조적 취약성과 개발의 낙후성, 시장 개방등으로 농가경제가 취약해지고, 사회정치적 불안의 요인이 되고 있으므로 정부로서는 농산물 문제에 관한 협상을 가장 중요시하고 있음.

- 특히 최근 국회 결의등에 비추어 아국의 최소한의 필수관심 사항이 협상결과에 반영되지 않을 경우 국내 수용이 어려울 것으로 예상됨.

0 이런 상황에 비추어 아국의 비공식 소그룹 참여가 필요하며, 그렇지 못할경우 협상 결과를 농민에게 설득시키기 어려울 것이므로 이러한 점을 배려해줄것 요망.

2. 동 소그룹 구성에 관해서는 5.17 농산물 비공식협의시 던켈 총장이 그 가능성에 언급했을뿐 아직 구체적인 움직임은 보이지 않고 있으며, 과거의 예에 비추어 10 개국 내외의 소그룹 구성시에는 수입국측에 EC, 일본만을 대표국으로 포함시켜 왔으므로 아국의 소그룹 포함은 반드시 낙관적인 것이 아님을 참고로 첨언함. 끝

첨부: 관련서한 사본 1 부 (GVW(F)-0178)

(대사 박수길-국장)

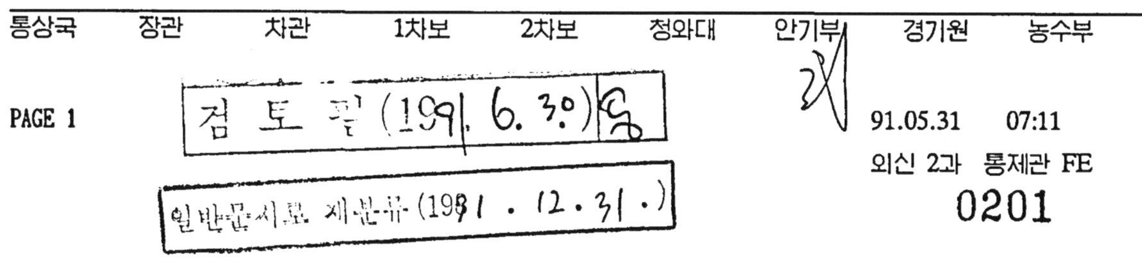

예고 : 91.12.31. 까지

PAGE 2

0202

GVW(□)-0178

10530 1730

" 첨부 "

PERMANENT MISSION OF THE REPUBLIC OF KOREA

GENEVA

29 May 1991

Dear Mr. Dunkel,

I am writing to draw your attention to Korea's unique position in the agricultural negotiations and to ask your special consideration for Korea's situation in relation to the future organization of any small working groups in the agricultural negotiations.

Korea attaches great importance to the successful conclusion of the Uruguay Round negotiations, and it is for this reason that Korea has maintained a positive and active attitude in all of the negotiating areas, including agriculture, even though this is the sector in which Korea has the most difficulties.

At this year's January TNC meeting, Korea expressed its willingness to demonstrate a more flexible attitude in the agricultural negotiations.

As you may well know, Korea is in a unique position in the agricultural negotiations. Although there has been a rapid industrialization of the national economy, Korea's agricultural sector still accounts for a high proportion of the national economy (10.8% of the GDP). Suffering from structural weaknesses (average size 1.2 ha. per farm) Korea's agriculture remains at a developing stage, and the gap between the urban and rural areas is continuously growing.

Despite the aforesaid difficulties, Korea has rapidly opened its agricultural markets to contribute to the world economy. In 1989, Korea's total agricultural imports stood at US$ 5.5 billion and the grain self-sufficiency rate dropped to below 40 percent.

.../

0203

2-1

The rapid increase of imports has caused an economic stagnation in farm households, precipitated socio-political unrest, and resulted in massive rallies by desperate farmers trying to save their livelihoods.

Due to a recent congressional resolution, it would be very difficult to obtain a national consensus for the acceptance of the negotiation results, unless at least some of Korea's vital interests are reflected.

In light of the above, Korea wishes to participate actively in the small working group discussing specific important issues, if and when you organize such an informal working group. If Korea does not have the opportunity to participate in such groups, it would be difficult to persuade the Korean farmers to accept the results of the Uruguay Round agriculture negotiations.

Your consideration in this regard would be highly appreciated.

Sincerely yours,

PARK Soo Gil
Ambassador

H.E. Mr. A. DUNKEL
Director-General
GATT
Centre William Rappard
154, rue de Lausanne
1211 Geneva 21

2-2

TOTAL P.01

0204

관리번호 91-384

원 본

외 무 부

종 별 : 지 급

번 호 : USW-2677 일 시 : 91 0531 1032

수 신 : 장관(통기,통일,농림수산부)

발 신 : 주 미 대사

제 목 : UR/농산물 협상

대:WUS-2096

1. 대호 지시에 의거 GATT 로부터 WAIVER 를 받아 수입규제를 해오고 있는 품목 단체들의 UR 관련 입장등을 다음과같이 보고함.

0 업계 반응 (땅콩, 면화, 설탕, 낙농등)

-UR 협상의 타결로 종전의 수입규제와 가격지지 정책의 철폐내지 감축으로 이들 품목 관련 농가소득을 감소시키고 EC 등 타국가들과 평등한 합의안 도출에 실패하므로서 미국농민들만 어려움을 가져올것으로 우려

- 특히 미국의 QUOTA 책정을 양해한 GATT 규정 제 22 조의 WAIVER 조항을 미 행정부가 아무런 대체 보상없이 포기 의사를 표명한데 대해 절대 반대하는 입장이며 일률적인 보조금 삭감은 EC 와 같은 많은 보조금 지급 국가가 유리하게 되어 보조금 삭감전과 다름없는 무역의 왜곡 현상 지속 주장

- 이외에도 동단체들은 UR 협상에서 국제적인 AMS (AGGREGATE MEASURE OF SUPPORT) 계산방법의 부재, 환율변동 및 수출보조금 지급의 미고려, 브라질, 인도등 개도국에 대한 특혜, GATT 비회원국의 상대적인 이익 불고려등으로 많은 불만을 갖고 있음.

- 이와같은 업계의 입장을 미행정부 (USTR 과 USDA) 및 품목출신 의원들을 대상으로 집중 LOBBY 하고 의회의 FAST TRACK AUTHORITY 연장 여부 토의에서도 의회가 UR 협상 결과를 수정할 권한을 유보하여야하므로 이의 연장에 반대하였음.

0 행정부 및 의회 입장

- 업계의 WAIVER 포기등 UR 협상 반대에 대하여 행정부와 대부분의 의회 의원들은 자유무역을 지지하고 있으며 UR 협상에서 GATT 22 조의 WAIVER 조항도 당연히 협상 TABLE 에 제시되며 UR 의 성공적 타결을 위하여 예외 인정은 배제되어야 한다고

통상국	차관	1차보	2차보	통상국	청와대	안기부	농수부

PAGE 1 검 토 필(1991.6.30.) 91.06.01 01:12

외신 2과 통제관 CF

0205

일반문서로 재분류(1991.12.31.)

강조하고 있음.

- WAIVER 를 받고 있는 품목단체들의 우려 사항에 대하여도 미국의 기본 전략인 자유무역과 재정적자등을 감안할때 UR 협상은 필히 성공적으로 타결되어야한다고 확신하고 있으며, 미국의 농산물은 경쟁력이 있으므로 각종 보조금과 수입 제한 요인들이 제거될경우 일반품목뿐만 아니라 WAIVER 를 받고 있는 품목들도 상대적으로 유리해 질것이라고 주장하면서 낙농의 경우에도 장기적으로 수출 품목으로도 가능할 것이라고 언급하고 있음.

2. WAIVER 를 받고 있는 품목 단체들의 최근 동향을 별첨 FAX 와 같이 송부하며 NATIONAL MILK PRODUCERS FEDERATION 등 단체들의 지난 2-4 월 하원 농업위원회 에서의 발언 내용등은 파편 송부코자함.

3. 참고로 UR 협상과 관련 AMERICAN FARM FEDERATION, NATIONAL ASSOCIATION OF WHEAT GROWERS, NATIONAL CORN GROWERS ASSOCIATION 등 주요 농정단체들은 UR 협상을 적극 지지하고 있으며 이들 단체가 현재 주종을 이루고 있음.

첨부:WAIVER 품목단체들의 최근 동향 1 부 (USW(F)-2118)

(대사 현홍주-국장)

예고:91.12.31 까지

05/31/91 10:44 ☎202 797 0595 EMBASSY OF KOREA 001

USW(F)- 2118

수 신 : 장관 (통기, 통일, 농림수산부) 발신 : 주미대사

제 목 : Waiver 품목단체들의 최근 동향 (6124)

(첨부물)

땅콩관련 단체

* Peanut Advisory Board
  - 주소: 1133 Avenue of the Americas, New York, NY10036
  - 전화: (212)536-8700
  - 설립목적: 땅콩 유통 촉진 및 땅콩관련제품의 소비촉진.
  - 대표자: John Williams

* National Peanut Council of America
  - 주소: 1500 King St., Suite 301 Alexandria, VA 22314
  - 전화: (703)838-9500
  - 설립목적: 국내의 땅콩 유통 및 판매, 수출 촉진, 정부와 땅콩산업계와의 연락 기능 담당
  - 설립년도: 1978
  - 회원수: 75
  - 대표자: Russell Schools

* American Peanut Research and Education Society
* Southeastern Peanut Association

땅콩업계 최근동향

o 현재 땅콩에 대한 수입쿼터를 미국 총 소비량의 1%인 1.7백만 파운드로 제한함에 따라 미국 보호무역주의의 대명사가 되어 비평가들로부터 더이상 정당화될 수 없다는 비평을 받고 있으나, 이러한 조치로 중국과 알젠티나 등의 땅콩 주생산국으로부터 죠지아, 카롤라이나, 버지니아, 텍사스의 미국 땅콩 경작자를 효과적으로 보호해 왔슴.

o 그러나, 작년의 남부지방의 한발로 인해 생산량이 부족하여 가공업자들은 물량부족으로 큰 고충을 겪고있으며 이에따라 피넛버터는 28온스 짜리가 작년 3달러에서 올해는 4달러까지 인상되었슴.

o 소비자단체와 다수의 국회의원들은 부시대통령에게 쿼터 철폐를하든지 최근의 물량부족을 타개키 위해 추가로 3억 파운드의 땅콩을 수입하든지를 촉구.

0207

-1-

ㅇ 한편 20,000명의 경작농민들과 농무부, 영향력있는 의원들은 이에 크게 반발하고 있으며 55명의 의원들은 지난달 ITC의 무역수입 자유화에 관한 건의를 받아들이지 말도록 부시대통령에 촉구한바 있슴.

- 땅콩주산지 의원들인 Charles Hatcher(D-GA), Lindsey Thomas(D-GA), Douglas Peterson(D-FL)은 미국 ITC가 땅콩 수입쿼터를 30만톤이나 늘리고, UR협상에서 아무 대안없이 웨이버조항을 포기하는 행위는 땅콩 경작자를 편취하고 정의를 말살하는 행위라고 정부 및 통상관계자들을 맹공박.

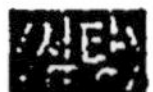

설탕관련 단체

*American Sugar Cane League
-주소: 201 N. Canal Blvd., Thivodaux, LA 70301
-전화: (504)448-3707
-설립목적: 루지애나 사탕수수 경작자 및 가공업자 이익도모 단체
-설립년도: 1922
-회원수: 2,500
-대표자: J. Kelly Nix

* American Sugarbeet Growers Association
-주소: 1156 15th St., N.W., #1020
-전화: (202)833-2398
-설립목적: 사탕무우 이익도모단체
-설립년도: 1975
-대표자: Luther Markwart

* The Sugar Association, Inc.
-주소: 1101 15th St., N.W.,#600
-전화: (202)785-1122
-설립목적: 국내 사탕수수 및 사탕무우 경작자 및 가공업자 이익도모단체
-설립년도: 1949
-회원수: 25
-대표자: Charles D. Shamel

0208

2118 - 2 -

* U.S. Beet Sugar Association
  - 주소: 1156 15th St., N.W. Washington D.C. 20005
  - 전화: (202)296-4800
  - 설립년도: 1911
  - 회원: 11
  - 대표자: David Carter

* U.S. Cane Sugar Refiners' Association
  - 주소: 1001 Connecticut Avenue, N.W., Suite 735 Washington, D.C. 20036
  - 전화: (202)331-1458
  - 설립목적: 사탕수수 정제업자 이익 도모 단체
  - 설립년도: 1936
  - 회원수: 5
  - 대표자: Nicholas Kominus

* Hawaiian Sugar Planters' Association

* National Sugar Brokers Association

설탕업계 최근동향

ㅇ 현재의 쿼터는 2.3백만 쇼트톤으로서 작년 11월에 41만 4천톤이 추가로 늘어났슴.

ㅇ 설탕 경작자들은 현재의 쿼터량이 너무 많아 문제가 있슴을 지적하면서 이는 미국내 생산량이 너무 과소평가되고 소비량은 과대계상된 것임을 주장.

ㅇ 따라서 현재의 쿼터연도를 현행 '91.9월말 까지로부터 12월 말까지 3개월 연장하여 수입진도를 늦추고 국내 설탕가격 하락을 저지해 줄 것을 메디간 장관(농무부)에게 최근 요청.

ㅇ 한편, UR협상에서 EC의 설탕관련 정책에 커다란 불평을 토로하면서 이러한 정책의 지원아래 EC가 쿠바 다음가는 수출국으로 부상함으로써 브라질, 도미니카, 필리핀, 구아테말라, 콜럼비아등 설탕생산 개발도상국에 막대한 피해를 주고 있으며 또한 미국국내 산업에도 커다란 피해를 주고 있다고 주장.

0209

7110-3-

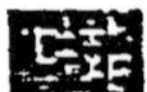

면화관련 단체

* American Cotton Exporters Association
  - 주소: Cotton Exchange Building, P.O. Box 3366, Memphis, TN 38173
  - 전화: (901)525-2272

* American Cotton Shippers Association--
  - 주소: Cotton Exchange Building, P.O.Box 3366, Memphis,TN 38173
  - 전화: (901)527-8303
  - 주요임무: 면화무역 촉진
  - 설립년도: 1924
  - 회원: 500
  - 대표자: Jack Montgomery

* International Cotton Council
  - 주소: 1918 N.Parkway, Memphis, TN 38112
  - 전화: (901)274-9030
  - 설립년도: 1956
  - 대표자: Herman A. Propst

* National Cotton Council of America
  - 주소: 1918 N. Parkway, Memphis, TS 38112
  - 전화: (901)274-9030
  - 설립목적: 미국면화, 면실 소비촉진을위한 상품그룹
  - 설립년도: 1938
  - 회원수: 297
  - 대표자: Earl W. Sears

면화업계 최근동향

- 지난 4월말 면화 주산지의 하나인 오클라호마주 University of Oklahoma에서 개최된 UR협상 관련 세미나에서 면화 생산자 단체들은 UR협상 타결로 웨이버 혜택이 없어질 경우 면화 생산 농가는 파탄을 면치 못할 것이라고 동세미나에 참석한 미 농무부 크라우더 차관을 맹공격. (Crowder)

- 더우기 크라우더 차관이 UR협상 타결에 낙관론을 표명한데 대해 면화 생산자 단체들은 웨이버 품목 농가에 대한 지원 방안 없는 UR협상에는 절대 반대하는 입장임을 재천명.

0210

2118-4-

낙 농

낙농관련 단체

* NATIONAL MILK PRODUCERS FOUNDATION
  - 주소 : 1840 Wilson Blvd., Arlington, Virginia 22201
  - 전화 : (703)243-6111
  - Fax : (703)841-9328
  - 단체의 성격 : 우유생산자 단체
  - 설립목적 : 낙농가 보호를 위한 농정 및 입법 로비 활동
  - 설립년도 : 1916
  - 회원수 : 43개 낙농협동조합 (농가수 약 150천호 - 전체 낙농가의 80%)
  - 회장 : James C. Barr

* MILK INDUSTRY FOUNDATION
  - 주소 : 888 16th St. N.W., Washington D.C. 20006
  - 전화 : (202)296-4250
  - Fax : (202)331-7820
  - 단체의 성격 : 유가공업자 및 유제품유통업자 단체
  - 설립목적 : 유가공업자 및 유통업자의 이익도모 및 유제품소비 확대 활동
  - 설립년도 : 1908
  - 회원수 : 230
  - 회장 : E. Linwood Tipton

* NATIONAL DAIRY PROMOTION AND RESEARCH BOARD
  - 주소 : 2111 Wilson Blvd. Ste 600 , Arlington, Virginia 22201
  - 전화 : (703)528-4800 - Fax : (703)524-9558
  - 단체의 성격 : 1983낙농조정법에 의거 설립된 우유소비촉진단체 (로비활동은 법으로 금지되어 있으며 36명의 이사는 농무장관이 임명)
  - 설립목적 : 유제품 소비확대를 위한 홍보,조사,연구 활동
  - 설립년도 : 1984
  - 회장 : Cyndia Carson
  - 동일 성격의 단체가 주단위로 있음 (Dairy Ass'n, Dairy Council, etc.)

0211

낙농업계 최근동향

* 1990년도중 194천호의 농가가 약 10백만두의 착유우에서 67백만톤의 우유를 생산

* 총생산량중 소비비율은 시유 38%, 치즈 30%, 버터 16%, 기타 15% 로 나타남.

* 미국의 낙농업은 전통적으로 정부의 정책에 의해서 보호를 받아온 대표적 품목임.
  - 우유가격이 일정수준(현재 100lbs당 $10.10) 이하로 하락할 경우 가격지지를 위하여 정부가 상품신용공사를 통하여 수매실시
  - 국내 낙농업 보호를 위한 수입쿼타제 실시(농업조정법 22조에 의거 가트에서 Waiver 권한 확보)

* 1991년도 주요 낙농제품 수입쿼타 수준
  - 치즈 110,165 톤
  - 탈지분유 819 톤
  - 버 터 320 톤
  - 아이스크림 1,632 톤
  - 건조유청 224 톤 등

* 미낙농업계는 생산성향상과 가격지지정책의 영향으로 만성적인 과잉생산을 겪어왔으며 과잉생산분은 정부가 수매하여 국내 저소득층을 위한 Food aid 계획이나 대외원조로 소진해왔음.

* 낙농업계 에서는 UR 협상이 미국에 불리하게 타결될 경우 국내 낙농가의 소득에 부의 영향을 끼칠것을 우려하고 있으며 EC등 낙농국가들이 생산보조금, 수출보조금 등을 대폭 감축하지 않는 한 UR 협상을 반대한다는 입장임.

* 낙농관련 단체들은 현행정책(가격지지, 수입쿼타제)의 기조를 계속 유지하기를 희망하며 가트에서 인정받고 있는 Waiver 권한도 계속 유지를 희망함.

* 위스컨신, 미네소타, 캘리포니아, 펜실바니아주 등 낙농 주산지 출신 의원들은 낙농단체의 입장을 지지하고 있으나 전반적인 분위기가 자유무역을 지향하고 있으므로 의회에서 충분한 지지를 확보하기는 어려움.

0212

ㄱ 11 Ⅴ -1- 끝

외교문서 비밀해제: 우루과이라운드2 11
우루과이라운드 농산물 협상 1

초판인쇄 2024년 03월 15일
초판발행 2024년 03월 15일

지은이 한국학술정보(주)
펴낸이 채종준
펴낸곳 한국학술정보(주)
주 소 경기도 파주시 회동길 230(문발동)
전 화 031-908-3181(대표)
팩 스 031-908-3189
홈페이지 http://ebook.kstudy.com
E-mail 출판사업부 publish@kstudy.com
등 록 제일산-115호(2000. 6. 19)

ISBN 979-11-7217-113-1 94340
979-11-7217-102-5 94340 (set)